Settore Architettura

QUINTA
MOSTRA INTERNAZIONALE
DI ARCHITETTURA

QUINTA
MOSTRA INTERNAZIONALE
DI ARCHITETTURA

Edizioni
La Biennale di Venezia

Electa

Electa, Milano
Elemond Editori Associati

Progetto grafico
Marcello Francone

Redazione
Poligrafo

Impaginazione
Valter Ballarin

Copertina
Immagine di Aldo Rossi

Quinta Mostra Internazionale
di Architettura

La Biennale di Venezia
Settore Architettura

Venezia
Giardini di Castello,
Corderie dell'Arsenale,
Fondazione "A. Masieri",
8 settembre - 6 ottobre 1991

Giardini di Castello

Partecipazioni nazionali: Australia,
Austria, Belgio, Brasile, Canada,
Cecoslovacchia, Danimarca, Egitto,
Finlandia, Francia, Germania,
Giappone, Gran Bretagna, Grecia,
Israele, Jugoslavia, Lussemburgo,
Norvegia, Olanda, Polonia,
Romania, Spagna, Svezia, Svizzera,
Ungheria, URSS, Uruguay,
Venezuela.

Padiglione Italia:

Sezione italiana, "Quaranta
architetti per gli anni '90"

Mostra dei progetti presentati
al Concorso Internazionale
"Una Porta per Venezia"
per la ristrutturazione dell'area
di Piazzale Roma a Venezia
(in collaborazione
con l'Assessorato all'Urbanistica
del Comune di Venezia)

Mostra dei progetti presentati
al Concorso Nazionale ad inviti
per il nuovo Padiglione Italia
ai Giardini di Castello

Il nuovo Padiglione del Libro
progettato da James Stirling,
Michael Wilford and Associates
con Tom Muirhead

La nuova Porta dei Giardini
progettata da Aldo Rossi

Corderie dell'Arsenale

Mostra "The Venice Prize",
quarantatre Scuole di Architettura
a confronto: Argentina, Australia,
Austria, Belgio, Canada,
Cecoslovacchia, Cile, Cina,
Danimarca, Egitto, Finlandia,
Francia, Germania, Giappone,
Gran Bretagna, Grecia, India,
Irlanda, Israele, Italia, Jugoslavia,
Nuova Zelanda, Olanda, Polonia,
Portogallo, Spagna, Stati Uniti
d'America, Svezia, Svizzera,
Ungheria, URSS

Mostra dei progetti presentati
al Concorso Internazionale a inviti
per il nuovo Palazzo del Cinema
al Lido di Venezia

Il nuovo Ingresso alle Corderie
dell'Arsenale di Massimo Scolari

Gli allestimenti dei Giardini
e delle Corderie
sono rispettivamente
di Alberto Ferlenga e Pippo Ciorra

Fondazione "A. Masieri"

Mostra del progetto di James
Stirling, Michael Wilford
and Associates con Tom Muirhead
per il nuovo Padiglione del Libro
ai Giardini di Castello
(in collaborazione
con la Fondazione "A. Masieri"
dell'Istituto Universitario
di Architettura di Venezia)

Sommario

La Quinta Mostra Internazionale di Architettura riprende e rinnova le migliori tradizioni della Biennale di Venezia. Sotto l'aspetto istituzionale essa è il risultato dell'attivazione dei medesimi meccanismi che hanno reso così caratteristica nel panorama internazionale la Mostra di Arti Visive che si avvia a celebrare il proprio centenario nel 1995. Dal punto di vista organizzativo e dei contenuti si tratta invece di una manifestazione del tutto originale. Essa costituisce un precedente che non potrà essere dimenticato allorché si tratterà di assicurare il futuro del più giovane tra i Settori operanti all'interno della Biennale, quello appunto di Architettura. La Mostra è il risultato di due tipi di impegno che rispondono alla complessità della disciplina di cui si occupa il Settore. Da un lato essa è espressione del dovere statutario che la Biennale ha di documentare e studiare gli aspetti e gli episodi più significativi della ricerca progettuale e artistica a livello mondiale. Ciò si è tradotto, anche grazie al contributo di più di trentacinque Paesi cui va la riconoscenza della Biennale, nella più vasta rassegna di architettura contemporanea che sia mai stata realizzata. Dall'altro, essa si avvale dei risultati di programmi di lavoro concreti tesi ad offrire alla migliore cultura progettuale l'opportunità di confrontarsi con temi affascinanti. Ciò si è tradotto nell'organizzazione e nell'espletamento di tre Concorsi internazionali che offrono ora alla comunità veneziana progetti e soluzioni per aspetti salienti della vita cittadina e per la realizzazione di opere di notevole rilievo. Il complesso espositivo dei Padiglioni esistenti ai Giardini di Castello è uno dei più singolari e sino ad ora sottovalutati musei dell'architettura del Novecento. Finalmente, in occasione della Quinta Mostra Internazionale di Architettura, questo patrimonio è stato accresciuto con la realizzazione di un'opera di grande qualità e impegno, il nuovo Padiglione del Libro Electa della Biennale progettato da James Stirling, cui va ora un particolarissimo ringraziamento. Se in passato Venezia ha perso l'occasione di poter contare sulle opere di grandi maestri dell'architettura quali Frank Lloyd Wright, Le Corbusier e Louis Kahn, ora per merito del Direttore del Settore Architettura, del contributo generoso di qualificati imprenditori e di un gruppo di valenti professionisti veneti, uno dei massimi protagonisti dell'architettura contemporanea ha potuto realizzare un'opera che arricchisce il patrimonio architettonico della città e rappresenta il migliore augurio per il futuro della Biennale e del Settore Architettura in particolare.

Paolo Portoghesi
Presidente della Biennale di Venezia

Il programma della Quinta Mostra Internazionale di Architettura è assai articolato. Dall'8 settembre 1991 per un mese tutti i Padiglioni Nazionali ai Giardini di Castello ospitano mostre e rassegne; altri paesi partecipano alla Mostra grazie all'ospitalità concessa dalla Biennale. I risultati di tre Concorsi dedicati a Venezia vengono presentati con mostre monografiche. Quarantatre Scuole di Architettura provenienti da tutti i continenti occupano con le proprie realizzazioni le Corderie dell'Arsenale, ove decine e decine di studenti hanno dato vita nel mese di agosto a un variopinto e vivace laboratorio di architettura. Nuovi interventi sono stati realizzati intorno alle Corderie e il nuovo Padiglione del Libro Electa progettato da James Stirling sostituisce finalmente l'analogo edificio costruito da Carlo Scarpa, andato sfortunatamente perduto. I Padiglioni nazionali sono tutti riaperti e quello finlandese di Aalto è stato restaurato: una nuova monografia è stata approntata per ricostruirne l'avventuroso passato. Due mostre storiche sono ospitate nei Padiglioni della Grecia e della Germania, e quattro cataloghi e tre volumi accompagnano la Mostra. Dettagliatamente ogni avvenimento è presentato con cataloghi monografici e un sommario generale può essere consultato in questa sede. La casa editrice Electa ha realizzato il programma delle pubblicazioni in maniera esemplare.

Ciascuno potrà giudicare i risultati degli sforzi compiuti, e non spetta certamente a chi scrive ricordare ora le complesse vicende che hanno preceduto il varo della Mostra. Ma al momento di presentarla è per me un obbligo invocare la pazienza dei lettori, esprimere alcuni auguri e presentare i dovuti ringraziamenti. Un augurio è che vincendo atteggiamenti mentali consuetudinari e pigri, liberandosi da luoghi comuni paralizzanti, quanti avranno il privilegio e l'onere di gestire il futuro della Biennale sappiano capire come lo slancio con cui il mondo dell'architettura internazionale ha reso possibile la realizzazione della Mostra debba tradursi in un fermo impegno volto ad assicurare la vita del Settore Architettura e a meritargli il rispetto e le attenzioni usualmente riservate ad altre attività promosse dalla Biennale. A ciò si accompagna l'auspicio che i Paesi rappresentati alla Biennale sappiano far tesoro dell'esperienza che ora si compie e vogliano organizzare le proprie rappresentanze in maniera da garantire in futuro il continuo svolgimento delle Mostre Internazionali di Architettura. Infine, la speranza è che quanto si è realizzato nel corso del quadriennio di attività che si conclude non venga dimenticato dalle pubbliche amministrazioni e che quindi si dia corso alle opere che si sono progettate, ai concorsi che si sono espletati e, soprattutto, vengano attuati i provvedimenti necessari affinché il significativo Museo dell'Architettura moderna che esiste dimenticato ai Giardini di Castello venga valorizzato come merita e utilizzato come deve a vantaggio dell'intera città di Venezia. Tutta l'attività che è stata svolta nel corso di questi ultimi quattro anni dal Settore Architettura ha avuto Venezia al suo centro; a Venezia si è continuamente pensato ed è grazie a Venezia che si è potuto operare: la Quinta Mostra Internazionale di Architettura è dedicata al rispetto e all'amore per questa città unica e indifesa.

Infine, il dovere per me più gradito. Un ringraziamento del tutto particolare debbo rivolgerlo a James Stirling, Giambattista Cuman e Tom Muirhead. Con loro vanno ricordati Massimo Scolari, Aldo Rossi, Alberto Ferlenga, Gianluca Mondini, Pippo Ciorra e Arduino Cantafora. Senza la collaborazione di molti amici in ogni parte del mondo la Mostra non sarebbe stata possibile: ricordandoli collettivamente con i Commissari dei Paesi stranieri so di fare un torto alla loro generosità di cui mi scuso ma che non posso evitare. Il Presidente della Biennale mi ha sempre garantito il suo incoraggiamento. All'interno della Biennale la direzione amministrativa, l'ufficio economato, l'ufficio stampa e quello ospitalità mi hanno offerto una collaborazione efficace. Le porte della Mostra sarebbero rimaste sicuramente chiuse se non avessi potuto contare sull'impegno amichevole dell'ufficio tecnico capeggiato da Antonio Zanchet. L'ufficio del Settore Architettura ha operato con bravura, modestia e dedizione: Paolo Cimarosti, Roberto Rosolen e Diana Cugola sono amici che già sanno la mia gratitudine. Paolo Scibelli ha diretto l'ufficio con onestà, equilibrio e umanità rari: a lui il mio grazie più sentito.

Francesco Dal Co
*Direttore del Settore Architettura
della Biennale di Venezia*

Concorso internazionale a inviti per il nuovo Palazzo del Cinema al Lido di Venezia

L'edificio ove attualmente si svolge la Mostra Internazionale d'Arte Cinematografica della Biennale è il risultato del lavoro compiuto dal medesimo progettista in due fasi distinte ma non concluse.

Sorvolando sulle caratteristiche architettoniche dell'attuale Palazzo del Cinema, è utile ricordare che con il trascorrere degli anni e il modificarsi delle esigenze delle manifestazioni promosse dalla Biennale, l'edificio si è rivelato sempre più inadeguato a far fronte alle esigenze che dovrebbe soddisfare. Prendendo spunto da questo stato di fatto, tra il 1988 e il 1989 la Biennale ha deciso di bandire un concorso internazionale a inviti per la progettazione del nuovo Palazzo, avvalendosi per la stesura del bando della consulenza dell'Assessorato all'Urbanistica del Comune di Venezia e dei consigli della Sovrintendenza ai Beni Architettonici. Nell'individuare i contenuti del bando si è prestata un'attenzione particolare, oltre che alle esigenze della Biennale, alla definizione di quelle caratteristiche funzionali che rendono un edificio simile compatibile con altre pubbliche funzioni. Pertanto, il nuovo Palazzo del Cinema è stato pensato, tra l'altro, come un moderno complesso destinato a ospitare attività congressuali e avvenimenti analoghi durante tutto il corso dell'anno. Vincoli di bilancio e la volontà di disporre di progetti immediatamente sviluppabili in termini esecutivi hanno suggerito l'opportunità di organizzare un concorso a inviti, limitando il numero dei partecipanti. Ciò ha comportato dolorose esclusioni. Inoltre, per ragioni diverse, nel corso della gestione del complesso iter concorsuale, tre progettisti hanno dovuto declinare l'invito loro rivolto. Sebbene siano defezioni significative, quelle di Santiago Calatrava, Frank Gehry, Alvaro Siza y Vieira hanno solo parzialmente ridotto lo spettro delle ipotesi che con il concorso si intendeva sottoporre al giudizio della giuria.

I dieci progetti pervenuti secondo le norme concorsuali vengono ora esposti in una apposita mostra allestita alle Corderie dell'Arsenale di Venezia nel quadro della Quinta Mostra Internazionale di Architettura. Un apposito catalogo permette a quanti lo desiderino di approfondire l'analisi e il giudizio sul lavoro svolto da Carlo Aymonino, Mario Botta, Sverre Fehn, Marlies Hentrup-Norbert Heyers-James Stirling, Steven Holl, Fumihiko Maki, Rafael Moneo, Jean Nouvel, Aldo Rossi, Oswald Mathias Ungers, ai quali va la riconoscenza della Biennale per l'impegno profuso e la pazienza dimostrati in questa occasione.

Carlo Aymonino

Mario Botta

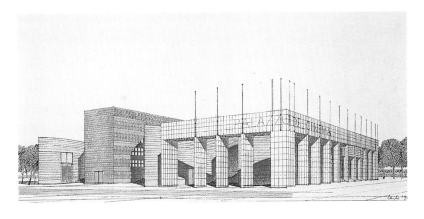

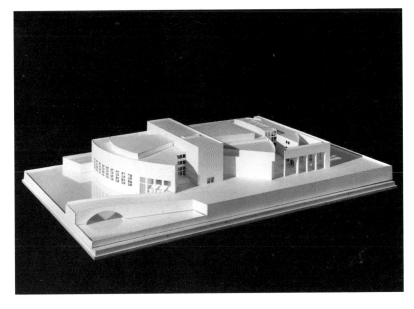

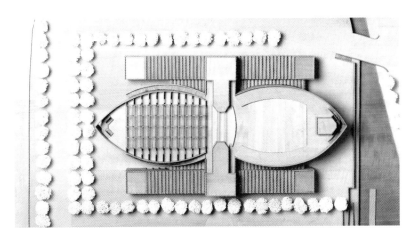

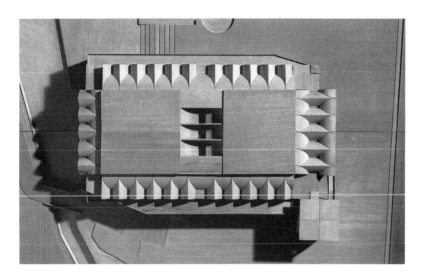

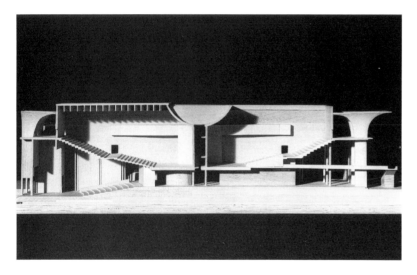

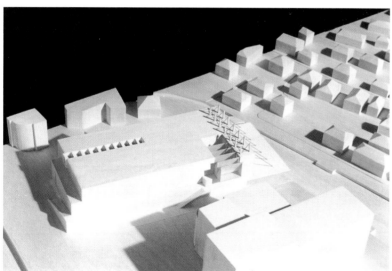

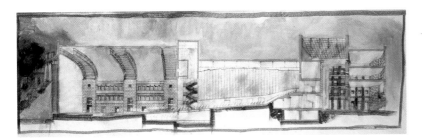

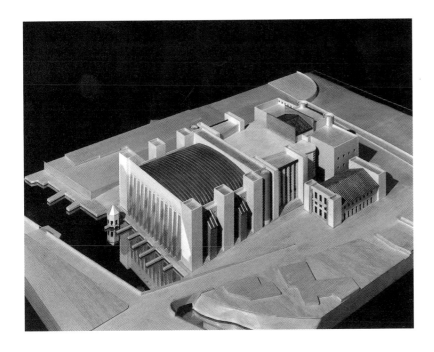

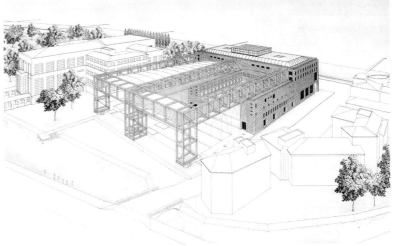

La prima iniziativa attuata dal Settore Architettura nel quadriennio 1988-92 è stata l'organizzazione di un concorso nazionale a inviti per la ricostruzione del Padiglione Italia ai Giardini di Castello. Il concorso, organizzato in tempi molto brevi con la collaborazione della Sovrintendenza ai Beni Architettonici di Venezia e dell'Assessorato all'Urbanistica del Comune, prevedeva la completa ristrutturazione dell'attuale Padiglione Italia, un complesso edilizio ormai cadente, edificato per addizioni successive, per lo più temporanee e precarie. L'obiettivo perseguito dal concorso era quello di trasformare il Padiglione in una moderna *Kunsthalle*, dotata dei requisiti tecnologici più moderni atti a conferire al nuovo complesso tutte le qualificazioni tecniche necessarie a farne il centro delle mostre per l'intera città di Venezia. Il Padiglione attualmente esistente non consente di ospitare alcuna manifestazione qualificata rispondendo agli standard espositivi al giorno d'oggi richiesti dalle istituzioni museali del mondo. La costruzione della nuova *Kunsthalle* dei Giardini è stata pensata come un'occasione per: a) realizzare un complesso espositivo capace di soddisfare tutte le esigenze della Biennale; b) costruire una struttura in grado di facilitare il funzionamento dell'insieme dei padiglioni esistenti ai Giardini di Castello anche nei periodi non destinati alle attività della Biennale; c) determinare lo spostamento verso il complesso espositivo dei Giardini del baricentro delle attività espositive veneziane; d) predisporre i padiglioni dei Giardini per un uso diversificato rispetto a quello tradizionale. Oltre a quelli di natura tecnica, i principali vincoli posti dal bando ai progettisti invitati al concorso erano costituiti dal rispetto delle volumetrie e altezze del padiglione esistente e dalla conservazione della cupola affrescata da Galileo Chini. L'obiettivo da raggiungere era rappresentato dalla

richiesta di disporre di superfici utili variabili tra i 9000 e i 12000 metri quadrati. La Biennale ha ritenuto di invitare al concorso dodici architetti italiani: Alessandro Anselmi, Guido Canella, Francesco Cellini, Vittorio De Feo, Roberto Gabetti e Aimaro Isola, Giorgio Grassi, Vittorio Gregotti, Adolfo Natalini, Pierluigi Nicolin, Gianugo Polesello, Franco Purini, Francesco Venezia. La giuria era formata da Stefano Boato, Bruno Cassetti e Nereo Laroni in rappresentanza dell'amministrazione comunale di Venezia; da Margherita Asso, soprintendente ai Beni architettonici di Venezia; da Giandomenico Romanelli, direttore dei Civici Musei di Venezia; dagli architetti Leonardo Benevolo, Ignazio Gardella e James Stirling e da Francesco Dal Co (presidente). Il progetto vincitore è risultato quello elaborato da Francesco Cellini con Nicoletta Cosentino e Paolo Simonetti.

La mostra dei dodici progetti è già stata presentata in Palazzo Ducale dall'1 al 31 ottobre 1988. Essa viene ora riproposta nel quadro della Quinta Mostra Internazionale di Architettura in quanto si è ritenuto che i dodici progetti possano integrare efficacemente la sezione italiana organizzata in questa occasione nel quadro delle partecipazioni internazionali, oltre che stimolare le autorità e i responsabili competenti a dare rapida attuazione agli esiti del concorso al fine di vedere il nuovo Padiglione Italia realizzato in occasione, nel 1995, del centenario della Biennale.

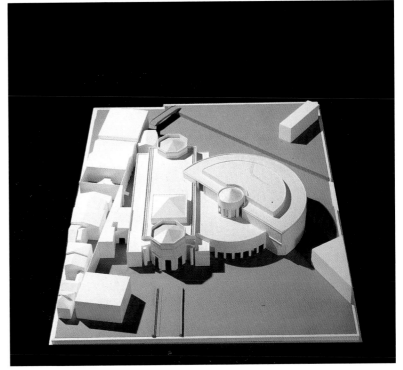

Roberto Gabetti, Aimaro Isola   **Giorgio Grassi**

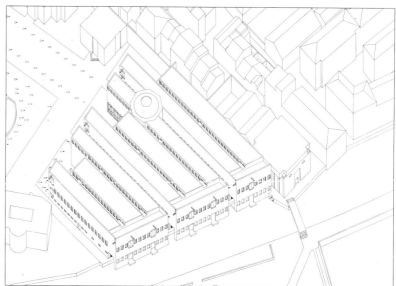

Vittorio Gregotti

Adolfo Natalini

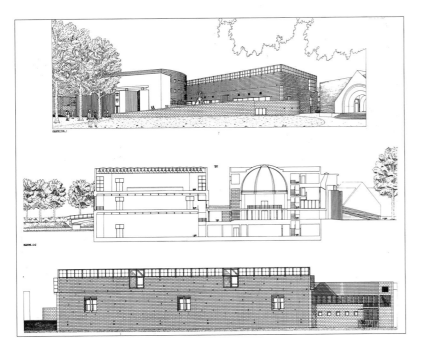

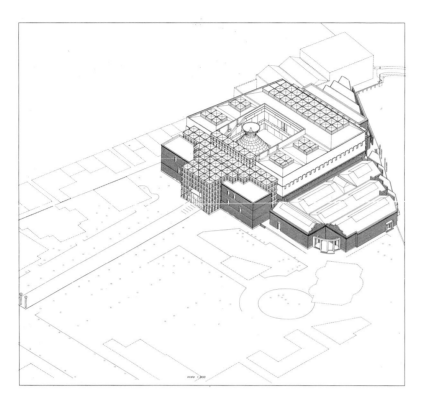

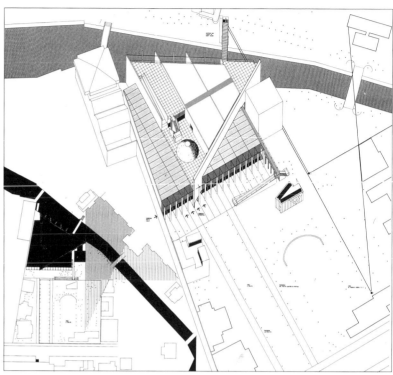

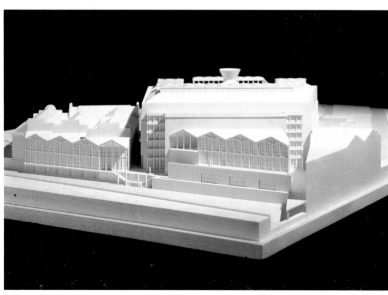

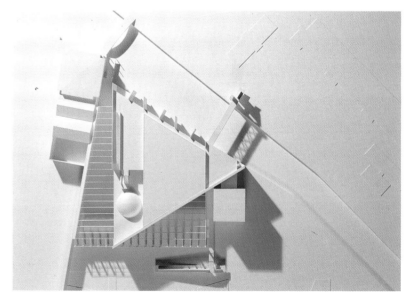

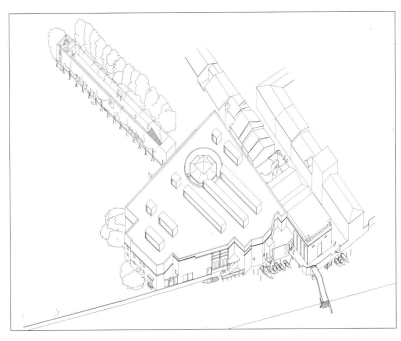

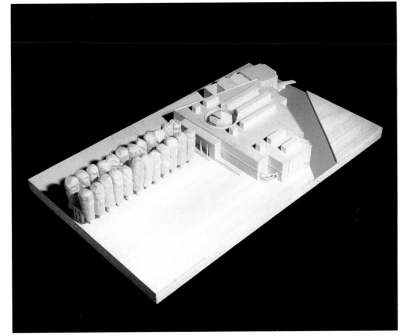

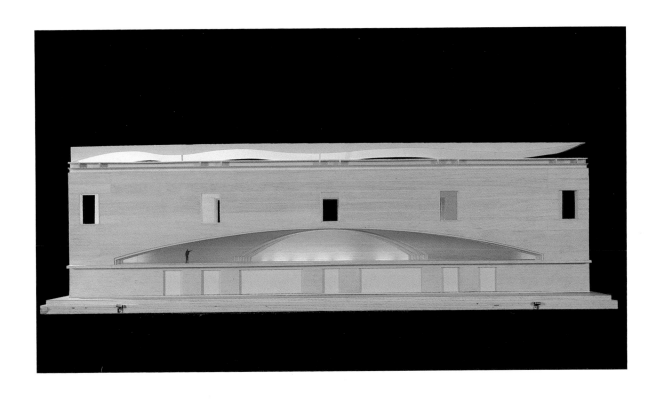

Concorso internazionale "Una porta per Venezia" per la ristrutturazione dell'area di piazzale Roma a Venezia

La seconda iniziativa attuata dal Settore Architettura della Biennale nel quadriennio 1988-92 è rappresentata dal concorso internazionale per la ristrutturazione dell'area di piazzale Roma a Venezia. Il concorso, aperto ai progettisti di tutto il mondo, trova ora la sua logica conclusione nel quadro della Quinta Mostra Internazionale di Architettura ed è la dimostrazione più chiara dell'impegno propositivo da cui essa è animata. Sulla base di una apposita convenzione, nel 1989 l'amministrazione comunale di Venezia e la Biennale hanno deciso di dar vita a un concorso internazionale di Architettura denominato "Una Porta per Venezia".

L'Assessorato all'Urbanistica del Comune di Venezia e il Settore Architettura della Biennale hanno quindi elaborato il testo del bando. Al Settore Architettura è stata poi affidata la gestione del concorso, l'organizzazione della giuria, della mostra e del relativo catalogo con la quale si conclude il concorso stesso.

Finalità del concorso è di vagliare il maggior numero possibile di ipotesi progettuali di qualità per la ristrutturazione e la riqualificazione dell'intera area di piazzale Roma a Venezia. Onde sottolineare il carattere operativo del concorso, il quale deve concludersi con l'affidamento di un incarico professionale e la realizzazione dell'opera, il bando mira a fornire indirizzi chiari, richieste precise e una delimitazione puntuale dell'area di intervento.

Piazzale Roma, ove si attestano i trasporti pubblici e privati provenienti dalla terraferma e dove avviene l'interscambio con i percorsi pedonali e i mezzi acquei del centro storico di Venezia, è un'area rimasta incompleta nel corso dei decenni, dopo la realizzazione del ponte translagunare negli anni Trenta. Attualmente il piazzale si presenta come un'area estremamente degradata e caotica. Una complessiva opera di ristrutturazione è assolutamente necessaria. Molti progetti con-

cepiti nel passato sono rimasti sulla carta. "Una Porta per Venezia" si propone di risolvere questo complesso problema. Il tema che viene proposto all'attenzione dei progettisti è particolarmente stimolante per una vasta serie di motivi. Il concorso, infatti, ha chiare valenze simboliche, poiché piazzale Roma rappresenta a tutti gli effetti la "porta" contemporanea alla città di Venezia. Notevoli sono le implicazioni formali poiché i progettisti devono dimostrare di saper risolvere in una proposta unitaria problemi di natura diversa, da quelli inerenti la riorganizzazione dei flussi di traffico, alla sistemazione di aree verdi, al disegno di importanti arredi urbani, alla definizione di nuovi interventi edilizi di piccola scala e, soprattutto, dovranno progettare un nuovo vasto edificio in un'area di notevole importanza affacciata sia sul Canal Grande che sul piazzale. In sintesi "Una Porta per Venezia" richiede la definizione di un progetto di scala urbana e la qualificazione di una fondamentale parte della città di Venezia.

Il giudizio della giuria viene ora comunicato in occasione dell'apertura della mostra dei progetti partecipanti. L'auspicio è che l'amministrazione comunale di Venezia proceda rapidamente all'adempimento di tutte le pratiche per la rapida realizzazione dell'opera le cui implicazioni di natura squisitamente architettonica non sono meno rilevanti di quelle di carattere più generalmente civile.

La mostra dei progetti, accompagnata da un apposito catalogo, conclude l'iter del concorso. Circa 270 sono le proposte che vengono esposte in una apposita ala del Padiglione Italia ai Giardini di Castello a dimostrazione del successo riscosso da questa proposta della Biennale, nonostante le incomprensibili decisioni assunte nei confronti di questo avvenimento dall'Ordine Nazionale degli Architetti Italiani.

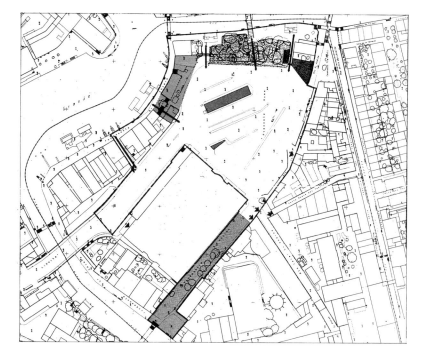

È tradizione che le mostre d'arte della Biennale riservino lo straordinario ambiente delle Corderie all'Arsenale di Venezia ai giovani artisti. La Quinta Mostra Internazionale di Architettura ha voluto riproporre questa consuetudine, adattandola alle proprie finalità. Si è deciso così di ripartire gli spazi scanditi dalle lunghe infilate delle colonne delle Corderie tra una cinquantina di Scuole di Architettura di tutto il mondo. Lo scopo non può sfuggire: il tentativo di questa sezione della Quinta Mostra Internazionale di Architettura è, da un lato, quello di offrire ad un vasto pubblico la possibilità di conoscere e analizzare le tendenze e le esperienze che caratterizzano l'architettura contemporanea proprio là dove esse vengono elaborate o vissute in fase embrionale, vale a dire nelle istituzioni preposte alla formazione professionale; in secondo luogo, mettendo a punto il meccanismo per l'organizzazione di questa sezione della mostra, si è voluto offrire a un ampio numero di studenti e di docenti l'opportunità di compiere un'esperienza originale, proponendo loro di lavorare per un certo periodo di tempo in un ambiente riservato fianco a fianco con colleghi provenienti da paesi lontani, portatori di esperienze diversissime, interpreti di culture molto differenti, operanti in realtà professionali quanto mai dissimili.

La mostra, una volta individuate queste finalità, è stata organizzata in maniera assai semplice. Si sono selezionate quarantatre Scuole di Architettura di tutto il mondo seguendo il criterio della massima rappresentatività e tentando nel contempo di offrire ad alcune realtà poco note o del tutto assenti dalla scena del dibattito architettonico internazionale la possibilità di accedere ad un confronto ampio quale quello che "The Venice Prize" si ripromette di isti-

tuzionalizzare all'interno dei programmi della Biennale. A ciascuna delle Scuole invitate non è stata posta alcuna limitazione. L'unico vincolo che tutti hanno dovuto rispettare è stato quello rappresentato dagli spazi assegnati in ordine alfabetico tra i colonnati delle Corderie; a tutti si è richiesto di elaborare un progetto espositivo in grado di illustrare il livello e lo stato della sperimentazione all'interno di ciascuna Scuola; ogni istituto invitato ha avuto il compito di provvedere all'installazione in proprio del progetto studiato; a fronte dell'impegno così assunto la Biennale ha assicurato una minima assistenza tecnica per i lavori di allestimento e un rimborso di 15.000.000 di lire alle Scuole extraeuropee, e di 5.000.000 a quelle europee.

All'invito della Biennale hanno aderito tutte le Scuole selezionate eccetto una, ma numerose sono state le richieste aggiuntive di partecipazione pervenute al Settore Architettura che non è stato possibile accogliere per limiti di spazio e di bilancio. Tutto il materiale che compare in questa sede e nell'apposito catalogo che documenta l'esposizione del "Premio Venezia" è stato fornito direttamente dalle Scuole partecipanti.

A sottolineare l'obiettivo che questo primo esperimento intende perseguire facendo sì che una mostra riservata alle Scuole di architettura del mondo divenga un appuntamento ineludibile nel futuro delle manifestazioni organizzate dal Settore Architettura della Biennale, si è dato il nome di "The Venice Prize" alla rassegna che infatti si conclude con l'attribuzione del premio omonimo in riconoscimento della miglior partecipazione: per la prima edizione del Premio si è deciso di affidarne l'assegnazione a una Giuria internazionale composta da: Ignazio Gardella (presidente), Hans Hollein, Arata Isozaki, Richard Meier, Franco Purini. Il premio verrà assegnato in

occasione della cerimonia di inaugurazione della Quinta Mostra Internazionale di Architettura della Biennale.

Alla prima edizione del Premio partecipano:

Universidad de Buenos Aires, Argentina; Royal Melbourne Institute of Technology, Australia; The University of Sidney, Australia; Akademie der Bildenden Künste Wien, Austria; Hochschule für Angewandte Kunst in Wien, Austria; Université Catholique de Louvain, Belgio; School of Architecture and Landscape, University of Toronto, Canada; Akademie Vy'tvarny'ch Umení v Praha, Cecoslovacchia; Pontificia Universidad Catolica de Chile, Cile; Tsinguhua University Beijing, Cina; The Royal Danish Academy of Fine Arts, Copenhagen, Danimarca; Alexandria University, Egitto; Helwan University, Egitto; Helsinki University of Technology, Finlandia; Ecole d'Architecture de Paris-Belleville, Francia; Ecole d'Architecture de Strasbourg, Francia; Hochschule für Architektur und Bauwesen, Weimar, Germania; Kunst Akademie Düsseldorf, Germania; Universität Hannover, Germania; Shibaura Institute of Technology, Tokyo, Giappone; Waseda University, Tokyo, Giappone; Architectural Association School, London, Gran Bretagna; Mackintosh School of Architecture, Glasgow, Gran Bretagna; Aristotle University of Thessaloniki, Grecia; School of Planning and Architecture, New Delhi, India; University College Dublin, Irlanda; Technion, Israel Institute of Technology, Haifa, Israele; Istituto Universitario di Architettura di Venezia, Italia; Università di Palermo, Italia; Univerza v Ljubljani, Jugoslavia; The University of Auckland, Nuova Zelanda; Technische Universiteit Delft, Olanda; Dziekan Wydzialu Architektury Polytechniki Krakowskiej, Polonia; Universidade de Porto, Portogallo; Escuela Técnica Superior de Arquitectura de Barcellona, Spagna; Escuela

Técnica Superior de Arquitectura de Madrid, Spagna; Sci-Arc Santa Monica, Stati Uniti d'America; Yale University School of Architecture, New Haven, Stati Uniti d'America; Kungl. Tekniska Hogskolan Stockholm, Svezia; Eidgenossische Technische Hochschule, Zürich, Svizzera; Technical University of Budapest, Ungheria; Georgian Technical University of Tbilisi, URSS; Moscow Architectural Institute, URSS.

Yolanda Boto González, rilievo della chiesa della Colonia Güell di Gaudí, Scuola di architettura di Barcellona.

Yokota Masayuki, "Tomography", prospetto, 1990, Shibaura Institute of Technology, Tokyo.

Peter Thomas, "Bottled Highstreet", s.d., Architectural Association School, Londra.

Andreas Hierholzer, Hill and 4th, 1990, Southern California Institute of Architecture, Santa Monica.

Fraser Cameron, Progetto per un centro nautico, 1990, School of Architecture, University of Auckland.

Björn Wiklander, Progetto per un crematorio, 1991, Kungl. Tekniska Högskolan, Stoccolma.

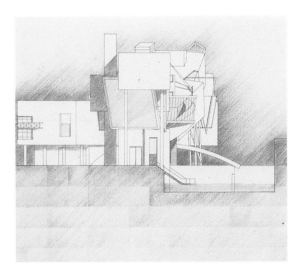

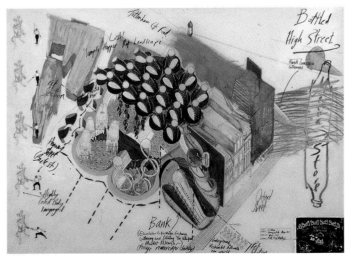

Realizzazioni

Il Padiglione del libro Electa della Biennale

James Stirling
Michael Wilford and Associates
con Tom Muirhead

Nel 1950 Carlo Scarpa costruisce di fronte al Padiglione Italia ai Giardini di Castello per incarico di Carlo Cardazzo il piccolo Padiglione del libro d'arte. Opera di modeste dimensioni, l'edificio ad ambiente unico è una delle opere più significative tra quelle realizzate in quel periodo da Scarpa. Ormai degradata la costruzione in legno viene distrutta da un incendio all'inizio degli anni Ottanta. Da allora, in occasione delle diverse mostre, la Biennale ha potuto avvalersi solo di soluzioni di ripiego per la distribuzione delle proprie pubblicazioni. L'ipotesi di ricostruire l'opera scarpiana viene dibattuta in più occasioni, nel corso degli anni Ottanta, in seno alla Biennale e non. L'opzione più logica, per chi abbia potuto conoscere il personalissimo modo di lavorare di Scarpa, è però quella poi adottata di affidare l'incarico per la costruzione di un nuovo Padiglione del libro a un architetto in grado di realizzare un'opera capace di contribuire a risolvere un'impellente esigenza di natura pratica e arricchire, al contempo, il "museo dell'architettura contemporanea" costituito dall'insieme dei padiglioni costruiti nel corso degli anni ai Giardini di Castello. Nel 1989 questa ipotesi viene discussa con James Stirling; l'architetto inglese si offre generosamente di venire incontro alle richieste del direttore del Settore Architettura della Biennale, garantendo gratuitamente la propria opera per il progetto. In seguito, non disponendo la Biennale dei fondi necessari per realizzare il nuovo padiglione, il finanziamento della costruzione viene assicurato dalla casa editrice Elemond srl sulla base di una convenzione con la Biennale definita alla metà del 1989. Intorno alla casa editrice si è costituito un gruppo di operatori tecnici, ricordati in altre parti del presente catalogo e ai quali va la riconoscenza della Biennale, che hanno garantito la realizzazione dell'opera che viene inaugurata in concomitanza dell'apertura della Quinta Mostra Internazionale di Architettura.

Il Padiglione del libro Electa della Biennale

La Biennale è situata in un grande giardino pubblico nei pressi dell'Arsenale. Gli edifici dove si svolgono le mostre e che rappresentano i vari paesi sono costituiti da padiglioni isolati eretti fra gli alberi. Il più grande sarà quello dell'Italia che al momento è in via di ricostruzione secondo un nuovo progetto. Il nuovo Padiglione del libro ha una superficie di circa 200 metri quadri e sorge di fronte al Padiglione Italia. Si trova in una posizione strategica fra i filari di alberi (che saranno conservati) che fiancheggiano la principale via d'accesso pubblica alla Biennale dal vaporetto.

Il nuovo edificio, a un solo piano, ha forma allungata. L'ingresso è indicato da un'insegna luminosa posta sul tetto. Un laser collocato nel tamburo del tetto invierà verso il cielo fasci di luce colorata che si alzeranno dal folto dei rami e che saranno visibili dalla laguna. Il tetto a spioventi ha una copertura esterna in rame, mentre all'interno presenta una soffittatura in tavole di sequoia. Le grondaie molto sporgenti coprono un percorso pavimentato di tavole che corre lungo i tre lati vetrati del Padiglione. Il tetto viene così a creare coni d'ombra continui sulle vetrine dove saranno in esposizione permanente libri d'arte e cataloghi in vendita all'interno. L'edificio è illuminato da luce naturale grazie a una lanterna che si alza nella parte centrale del tetto.

I visitatori raggiungono la libreria passando tra gli alberi e vi accedono da una piattaforma semicircolare pavimentata. Parallelo a un lato del nuovo edificio corre l'asse principale lungo il quale il pubblico raggiunge il Padiglione Italia, mentre sull'altro lato sorge un teatro all'aperto per le inaugurazioni e altre occasioni.

I libri saranno disposti di piatto su un bancone di legno della lunghezza di circa 40 metri, sia in esposizione sia per essere sfogliati dal pubblico; saranno anche conservati sotto il bancone in una scaffalatura metallica modulare a "nido d'ape" lungo tutto il perimetro del padiglione.

La cassa è posta su un banco vicino all'ingresso dove tre addetti si occuperanno anche dell'impacchettatura dei libri. In questo banco è sistemato il quadro di comando per l'illuminazione e l'aria condizionata. Un adiacente magazzino è utilizzato per il deposito di libri e di materiale da imballaggio e per una piccola cassaforte. Vi sono inoltre un WC e un guardaroba.

La capriata del tetto sostiene un condotto centrale per i sistemi di condizionamento d'aria, d'illuminazione, d'allarme ecc. Il locale per gli impianti tecnici è situato nel mezzanino sopra l'atrio e un paio di serrande esterne consentono la sostituzione dei macchinari direttamente dall'esterno per mezzo di un paranco mobile.
James Stirling

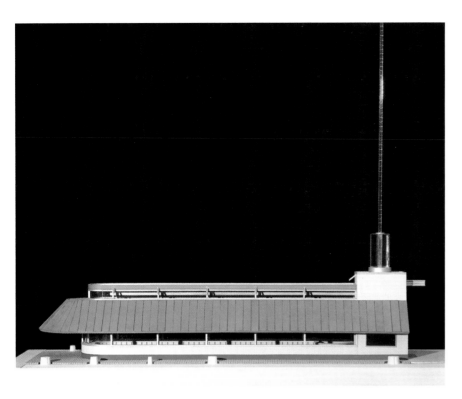

Vedute del plastico (versione
definitiva; modello di Igor Silic).

Vedute del plastico (prima versione; modello di Igor Silic).

Prospettiva dell'inserimento del Padiglione nei Giardini di Castello.

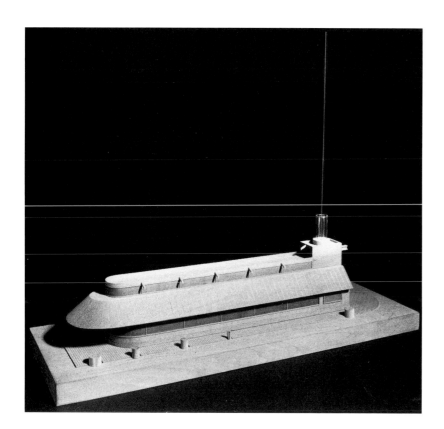

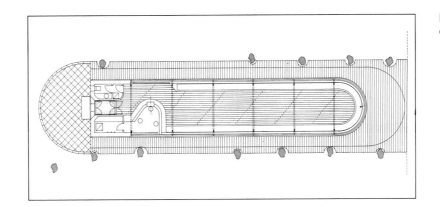

Pianta, prospetto laterale, sezione
e prospetti.

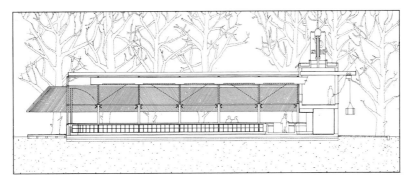

L'ingresso alle Corderie dell'Arsenale

Massimo Scolari

Calcoli statici:
Gianfranco Brusati e Franco Laner

Realizzazione
Habitat Legno Spa, Edolo (Brescia)
con Giorgetti Spa, Meda (Milano)
e RDB Spa, Pontenure (Piacenza)

*Elaborazioni grafiche al computer
con Auto Cad e BIGD*
Camillo Trevisan

Schizzi preparatori.

Si potrebbe spiegare questa scultura come espressione di quella libertà che il volare suscita in ognuno di noi, come ricordo dei voli di carta tra i banchi di scuola o degli incanti di fronte alle vertiginose evoluzioni delle rondini e al veleggiare maestoso dei rapaci. E forse riusciremmo solo a velare l'evidenza rammentandoci gli aerei che ogni giorno solcano i cieli dipingendo la modernità con le bianche scie impastate al respiro delle nuvole, o i punti troppo luminosi dei satelliti che deformano le antiche prospettive della volta stellata.
In realtà questo oggetto ha sorvolato per anni i miei paesaggi, attraversandone lentamente le rappresentazioni. Nella *Porta per città di mare* (Biennale, Venezia 1980) si librava tra nuvole sfilacciate sopra un'architettura che proteggeva una tranquilla insenatura. Dopo undici anni di immobili acrobazie quell'aliante si è posato qui, al limite dell'architettura costruita, ormai liberata dal rimpianto di una eroica utilità. Nessuna altra cosa come il volo mi ha attratto in modo così silenzioso ed enigmatico e forse l'aliante ha imprigionato quella primordiale aspirazione alla leggerezza che la nostra libertà non ci ha potuto concedere. Possiamo cadere dal cielo, ma non innalzarci; possiamo galleggiare o immergerci, ma non possiamo librarci nell'aria come il più modesto dei volatili. I voli di Icaro e di Simon Mago punteggiano la storia di questa aspirazione disumana, ne costeggiano le impossibilità tecniche fino a sfiorare il riso degli dei. Ma possiamo però volare sopra la nostra corporeità con l'immaginazione. Altri hanno inventato le macchine che scivolano sulla gravità e indossano le ali, come fece Otto Lilienthal per la prima volta, cento anni fa, planando dalle colline berlinesi di Derwitz.
Questa scultura vuol solo comprendere tutte quelle impossibili costruzioni infrante; non vuole rappresentarle ma ricordarle, evaporate da ogni antropomorfismo e prive di rumorose rotazioni. Due elementi architettonici identici sottratti all'architettura obliqua dell'*Arca* (Triennale, Milano 1986) sono qui stati ricongiunti senza mutare il loro significato individuale. Dal loro accostamento è scaturito questo arcaico veleggiatore posato davanti all'Arsenale della Serenissima, in questo luogo

dedaleo per eccellenza dal cui ventre sciamava il potere di Venezia, "cité umide, sexe femele de l'Europe" (Apollinaire).
In una grande mostra di architetti questa scultura inutile, non funzionale neppure a se stessa, trova nell'orgoglio della sua inutilità la ragione di esistere. E nel suo esibito fuori scala questa scultura mostra immediatamente una frattura tra quello che è e quello che vorrebbe essere in questo luogo. Due idee si compenetrano e si incorporano senza scegliere se non l'incertezza. Una appartiene alla pesantezza della parete, alla costruzione dell'architettura; l'altra, nata dal semplice raddoppio simmetrico della prima, rinvia alla leggerezza aerea, al volo. L'assenza di una corposa giunzione tra le due ali è stata

imposta dal principio compositivo della rinuncia, innanzitutto della rinuncia a ogni soluzione periferica: solo in virtù di questa limitazione gli effetti non eccedono le cause.
L'immagine dell'aliante posato silenziosamente tra muraglie squarciate appare come una catastrofe intatta che redime l'incidente dietro le quinte del senso comune. Avrei voluto imprimerle un impalpabile sorriso e trattenere il tagliente enigma dell'artificio. Ma se nulla di tutto questo riuscirà a congiungersi con il reale, vorrei almeno lasciare il desiderio sospeso sui bellissimi versi di Melville: "Non vastità, non profusione, / ma la Forma – il Luogo; / non l'ostinato innovare, / ma il rispetto per l'Archetipo".
Massimo Scolari

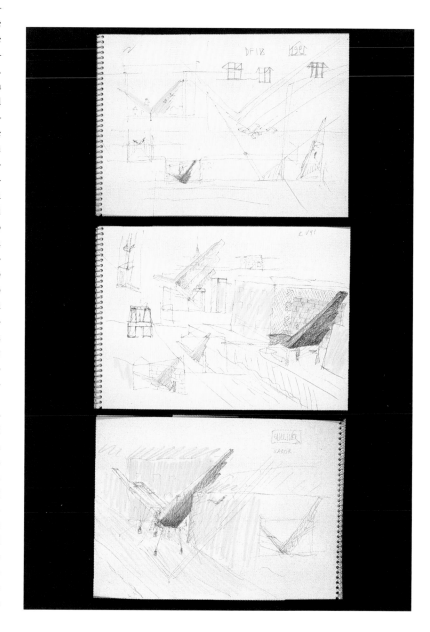

40

Aquerello preparatorio
(25,6 x 24,4 cm).

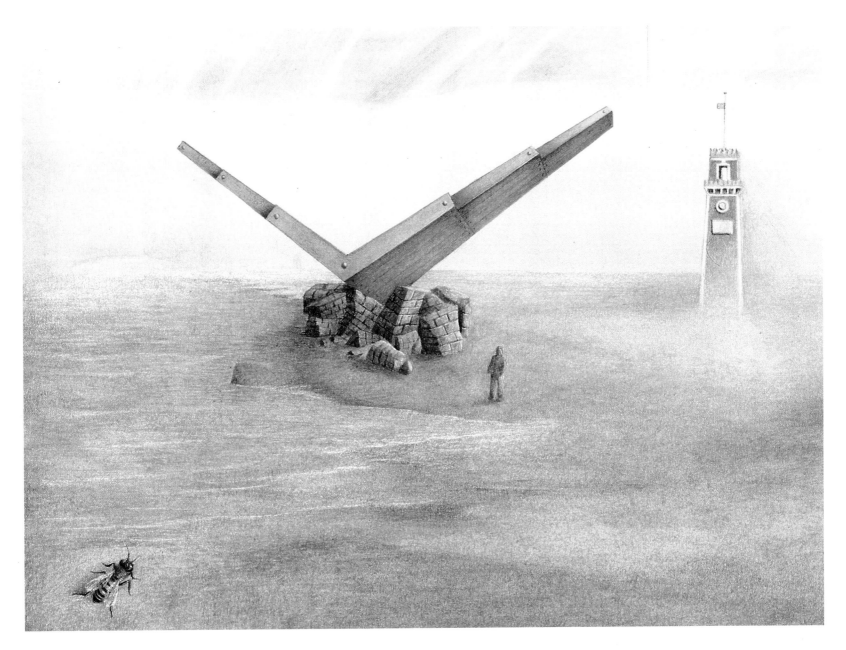

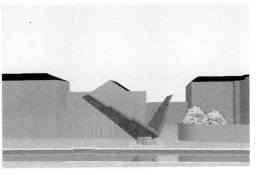
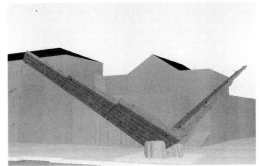

Tavola sinottica delle possibili
inclinazioni dell'aliante effettuate
con Auto CAD (prima fila in alto:
inclinazione prescelta di 17 gradi).

Disegni esecutivi per la carpenteria
in legno e metallica.

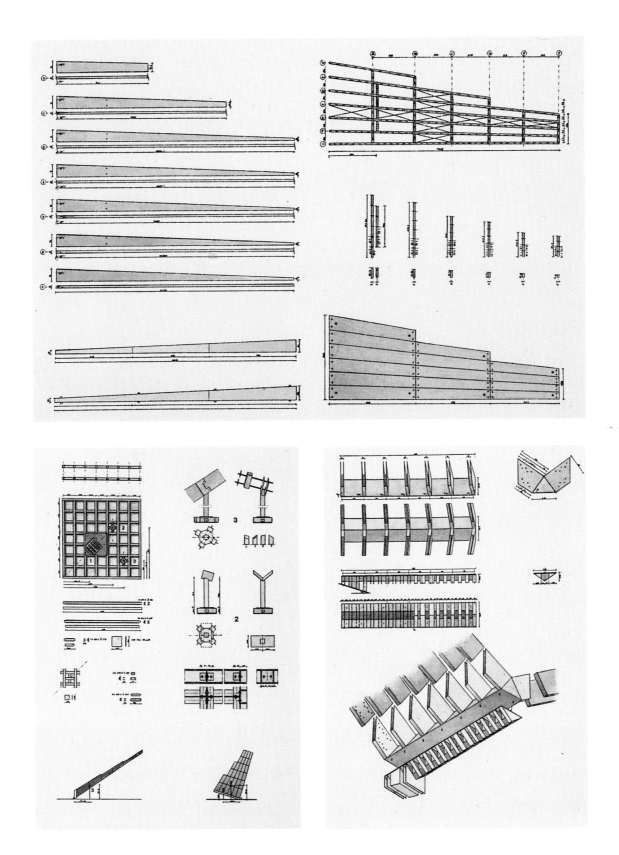

Calcoli statici.

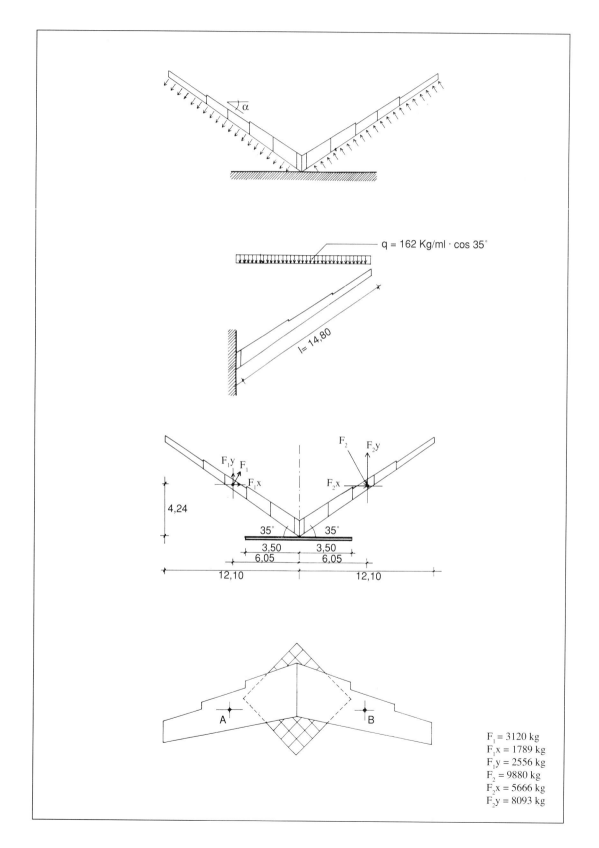

q = 162 Kg/ml · cos 35°

l= 14,80

$F_1 = 3120$ kg
$F_1x = 1789$ kg
$F_1y = 2556$ kg
$F_2 = 9880$ kg
$F_2x = 5666$ kg
$F_2y = 8093$ kg

Le verifiche effettuate riguardano la stabilità complessiva dell'intero manufatto nei confronti dei carichi agenti, permanenti ed accidentali, e la stabilità delle membrature sia come elementi singolari, sia in unione con le altre parti strutturali.

Analisi dei carichi

Sovraccarico vento (*)	= 125 kg/mq
Tavolati e travature secondarie	= 30 "
Totale	= 155 kg/mq

Peso proprio trave lamellare $0,75 \times 0,12 \times 450 = 30$ kg/ml
Interasse travi principali = 0,85 ml

Carico per ciascuna trave
$155 \times 0,85 + 30 = 162$ kg/ml

Dimensionamento della sezione delle travi dell'ala

M	$= 162 \times 14,8^2 / 2 = 17.742$ kgm
σamm	$= 140$ kg/cmq
h^2	$= m \times 6 / (b \times \sigma)$
h^2	$= 6 \times 1774200 / (12 \times 140)$
h	$= 79,6$ cm corrispondenti a trave = cm 75

tavolati = cm 5 $(2,5 \times 2)$

Totale = cm 80

Dimensionamento dell'ancoraggio delle singole travi delle ali alla fusoliera

Momento agente ≈ 18.000 kgm
Braccio (medio) = 0,70 ml
Per l'equilibrio:
$Fa \times 0,70 = 18.000$ kgm
$Fa = 18.000 / 0,70 = 25700$ kg

Area acciaio resistente (solo bulloni $\varnothing$ 24 = 4,5 cmq):
$4,5$ cmq $\times (7 + 5) = 54$ cmq
$Fr = A \times \sigma$ amm $= 54 \times 1400 = 75600$ kg

$Fr > Fa$

Verifica al rifollamento del lamellare
Si considerano reagenti al rifollamento la piastra superiore del dispositivo di attacco 30×12 e i bulloni.

Area compressa del lamellare
$12 \times 30 + 12 \times (2,4 \times 12) = 706$ cmq
σamm $\times$ rifoll. $= 40$ kg/cmq
$Fr = 706 \times 40 = 28.224$ kg

$Fr > Fa$

Verifica dell'acciaio nella sezione di attacco alla fusoliera
$Wa = M / \sigma = 1774200 / 1400 = 1267$ cm $\times$ cm^2
$Wl = b \times h^2 / 6$
$b = W \times 6 / h^2 = 1267 \times 6 / 75^2 = 1,35$ cm $/ 2 = 0,68$ cm
Si dimensiona tutta la carpenteria d'acciaio con spessori pari a 10 mm.

Verifica della stabilità generale
Peso di un'ala
Superficie dell'ala: $(5,2 + 1,96) / 2 \times 14,8 = 52$ mq

$52 \times (30 + 30 / 0,85)$	= 3.380 kg permanenti
52×125	= 6.500 kg accidentali
52×190	= 9.880 kg totale $\approx$ 10.000 kg

Fusoliera: sviluppo superficie = 51,46 mq
$51,46 \times 0,01 \times 7860$ = 4.045 kg

Piastra:

$8 \times 27,20 \times 61,3$	= 7.062 kg
$7 \times 7 \times 0,90^2 \times 78,60$	= 3.120 kg
	= 14.227 kg

Sabbia e ghiaia:
$7 \times 7 \times 0,18 \times 1800$ = 15.876 kg

Verifica al ribaltamento
$Mrib = 2.556 \times (6,05 + 3,5) + 1789 \times 4,24 + 8.093 \times (6,05 - 3,5) + 5.666 \times 4,24 = 75.504$ kgm

$Mstab = (3.380 \times 2) \times 3,5 + 4.045 \times 3,5 + 14.227 \times 3,5 + 5.876 \times 3,5 = 143.809$ kgm

$Ms > Mr$

(*) Circ. LL.PP. 24/05/82 n. 22631

Zona 3 - fascia costiera A = 70 kg/mq
Incremento per coefficiente di forma
$q = 70 + 78\% = 125$ kg/mq
Si ricava la corrispondente velocità del vento:

q	$= 1,25 \times V^2 / 2 \times g$
V^2	$= 125 \times 2 \times 9,8 / 1,25$
V	$= 44$ m/sec $= 158$ km/h

La porta per l'ingresso della Biennale ai Giardini di Castello

Progetto
Aldo Rossi

All'inizio del 1991, allorché la "Quinta Mostra Internazionale di Architettura" ha assunto la sua configurazione definitiva, il Settore Architettura ha chiesto il contributo di Aldo Rossi e di Massimo Scolari per realizzare due strutture architettoniche da collocare all'ingresso degli ambienti destinati a ospitare le principali rassegne ai Giardini di Castello e alle Corderie dell'Arsenale. Aldo Rossi ha elaborato così il progetto per una grande "porta" da realizzarsi sul fronte del bacino di San Marco, in corrispondenza dell'asse principale di accesso ai Giardini, perpendicolarmente alla facciata del Padiglione Italia. La "porta" consiste in un alto muro in mattoni a vista, attraversato da tre passaggi con volte ribassate, preceduti da quattro larghi tronchi di colonne bianche, staccate e proiettate sullo sfondo rosso della muratura. Sul retro, la parete visibile dall'interno dei Giardini appare perfettamente liscia. Sul fronte rivolto al bacino il muro è interrotto nella parte superiore da tre lunghi elementi scatolari in ferro all'interno dei quali sono ospitati i caratteri sironiani che annunciano gli avvenimenti proposti dalla Biennale. Al di sotto, semplicemente sovrapposta alla muratura, corre una lunga composizione a mosaico nella quale Rossi ha riunito, per riquadri, una serie di immagini che ricordano i numerosi progetti, dipinti e disegni che Venezia gli ha ispirato negli anni. Il progetto è stato sviluppato sino ai disegni esecutivi e tutti i calcoli statici e le valutazioni economiche sono stati approntati. Dati i tempi ristretti all'interno dei quali si è dovuto realizzare l'iter progettuale e la trafila delle approvazioni, considerando inoltre i limiti del bilancio a disposizione del Settore Architettura al momento dell'inaugurazione della Quinta Mostra di Architettura, la "porta" di Aldo Rossi può essere presentata solo come progetto. Se ciò non può essere che motivo di rammarico per quanti hanno contribuito alla realizzazione della mostra, il fatto che il progetto sia ora compiuto in ogni sua parte autorizza almeno ad augurare e sperare che l'incompiuta "porta" dei Giardini di Rossi possa divenire presto realtà, arricchendo così il complesso espositivo di Castello di una presenza significativa anche in vista del 1995, allorché sarà dovere celebrare nella maniera più concreta il centenario della Biennale.

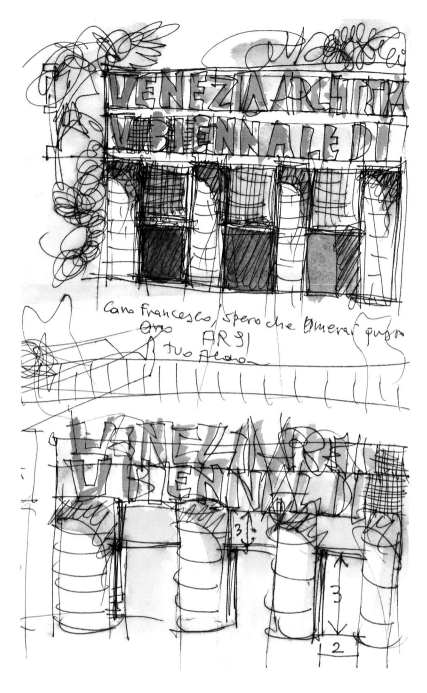

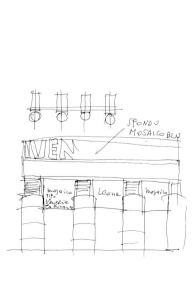

alla pagina precedente
Schizzi.

Tavole di progetto.

Plastico.

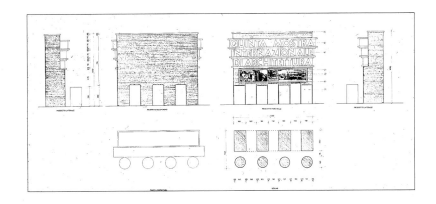

La porta delle Corderie all'Arsenale.
Un omaggio a Ludovico Quaroni

Progetto
Pippo Ciorra

Come nelle precedenti manifestazioni della Biennale, una parte della Quinta Mostra Internazionale di Architettura si svolgerà, per gentile concessione della Marina militare e della Soprintendenza, alle Corderie dell'Arsenale.

All'interno dell'edificio non è prevista alcuna opera di allestimento che alteri o modifichi le strutture murarie e la continuità dello spazio architettonico. Per l'esposizione delle opere vengono utilizzati, debitamente restaurati e risistemati, i pannelli già disposti all'interno delle due campate laterali, che sono già stati impiegati in varie occasioni.

L'ingresso della mostra, in corrispondenza dell'accesso alle Corderie da calle della Tana, è invece segnalato con la costruzione provvisoria di un portale in legno, visibile dalla fondamenta, che occupa parzialmente lo spazio della calle.

Il portale è costituito da quattro colonne in legno, sostenute da un'ossatura in tubi innocenti o in ferro, sormontate da un timpano rovesciato con quattro facce uguali, sempre in legno. La base di questo portale, un quadrato di circa 4,70 metri di lato e alta circa 0,45, è rivestita di materiale metallico e appesantita al suo interno con blocchi di cemento o simili per dare stabilità all'elemento, anche in caso di forti raffiche di vento. Le quattro colonne quadrate, di 1,15 metri di lato, sono collegate tra loro in sommità, dall'elemento orizzontale, dal basamento, ed eventualmente da una controventatura metallica a mezza altezza, utile anche a collocare manifesti e festoni illustrativi della mostra. Il portale, copertura compresa, è alto circa 9 metri e occupa trasversalmente circa 5 metri della calle, accostandosi al muro esterno dell'Arsenale e lasciando un varco di circa 3,50 metri, più che sufficiente al passaggio di persone e merci.

Su due lati il basamento ospita i gradini necessari a superare il dislivello tra la quota della calle e quella dell'ingresso delle Corderie. Sul terzo lato, dalla parte della fondamenta, si innesta una rampa in legno per i disabili, altrimenti penalizzati da un accesso molto scomodo alle Corderie. L'idea della porta nasce dal progetto di Ludovico Quaroni per il cimitero di Sasso Marconi.

Schizzo prospettico e assonometria dal basso.

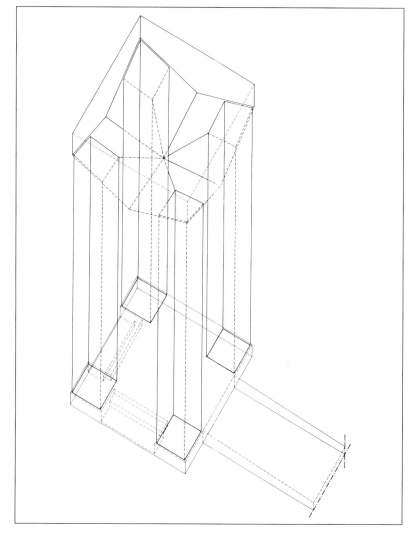

48

Prospetto, pianta e tavola
costruttiva.

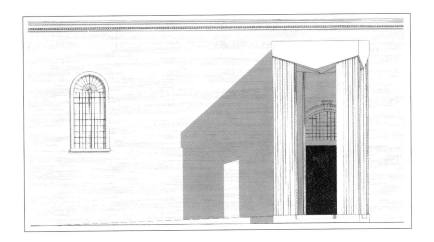

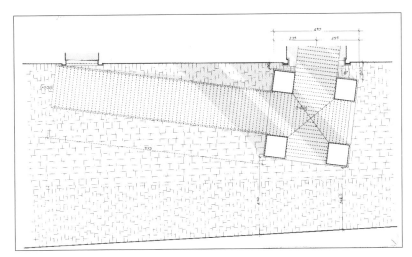

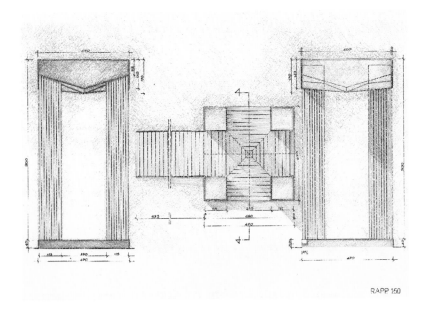

RAPP 1:50

Alberto Ferlenga e Gianluca Mondini,
allestimento del Padiglione Italia
in fase di completamento.

Pippo Ciorra, allestimento delle
Corderie dell'Arsenale in fase
di completamento.

Partecipazioni nazionali

Australia

Commissario
Neville Quarry

Undici architetti australiani

Ci si potrebbe porre la domanda: cosa vi è di autenticamente australiano nell'architettura dell'Australia? La risposta non è facile. La complessità e la varietà dell'ambiente australiano escludono una risposta unica. Le immagini esotiche dell'architettura australiana, espressa da insediamenti chiusi circondati da spazi infiniti, rispondono solo parzialmente a verità; troppi filtri condizionano la percezione della realtà australiana attuale.

Questa mostra di undici architetti selezionati per la Quinta Mostra Internazionale di Architettura della Biennale presenta l'opera di personalità che lavorano negli ambienti delle città di Sydney, Melbourne e Brisbane, ove si concentra gran parte della popolazione australiana. Le opere scelte esprimono caratteristiche diverse, fantasia, ingenuità, forte strutturalità, un senso innovativo del rapporto con l'ambiente e così via. Nove architetti si presentano con opere di carattere residenziale. L'abitazione individuale è un mito australiano, sopravvissuto nonostante il variare delle condizioni economiche del paese, che ha prodotto una propria iconografia. Ma l'architettura australiana non si riduce a questo, come dimostrano i lavori di Philip Cox e Taylor a Sydney e dello studio Denton Corker Marshall di Melbourne. Le inclinazioni degli architetti qui rappresentati possono essere raggruppate in tre categorie. Vi sono i pragmatisti, che non ammettono altra possibilità se non quella di interpretare fedelmente situazioni date, una posizione ironica questa, dato che una dichiarazione di rifiuto della teoria è già in sé una teoria; vi sono coloro, più dottrinari, che si avvalgono di premesse estetico-teoriche ben definite nel proprio lavoro; vi sono infine i "mistici", che ricercano nell'ispirazione l'origine di ogni propria elaborazione tridimensionale. In molti casi questi tre tipi di inclinazione finiscono per sovrapporsi e non sempre è possibile distinguere ove l'uno o l'altro prevalga. Le opere presentate sono: la casa Monbulk in un raffinato sobborgo di Melbourne di Peter Corrigan; una abitazione a Hawthorn nell'immediata periferia di Melbourne di Dale Jones-Evans; una villa per le vacanze a Somers nel Victoria di Robinson & Chen; casa Wilston nei sobborghi di Brisbane di Russell Hall; una villa a Stadbroke Island nel Queensland di Brit Andersen; una casa a Mooloolaba, a nord di Brisbane, di Lindsay Clare e, sempre a nord della medesima città, una casa a Eumundi di Gabriel Poole; le case a Woollahra e Paddington di Glenn Murcutt, nell'immediata periferia di Sydney; una casa a Wollongong nel Nuovo Galles del Sud di James Grose. A parte viene presentato il lavoro degli studi Philip Cox, Richardson e Taylor di Sydney e Denton, Corker, Marshall. Gli undici progettisti sono accomunati dalla convinzione che sia impossibile sottrarsi al confronto con la cultura e lo scambio delle idee a livello internazionale. Hall, Clare e Andersen inclinano verso il vernacolarismo regionalista, mentre Poole è più aperto al fascino della tecnologia; tutti però aprono con la propria opera nuove prospettive alla concezione vernacolare. Il mondo formale di Robinson & Chen, Jones-Evans, Grose e Corrigan è inimitabile, individualisticamente radicale. Sia Corrigan che Murcutt, attraverso una mistica fusione di astrazione e populismo, con la loro sensibilità riescono a evitare i pericoli dell'esoterismo e della volgarità. Il quadro che deriva dall'osservazione di queste undici esperienze fornisce una risposta alla domanda iniziale – "che vi è di autenticamente australiano in tutto ciò?" –: una molteplicità di valenze.

Neville Quarry

Peter Corrigan, casa a Monbulk,
1989.

James Grose, casa a Woolloomodoo,
1991.

Robinson e Chen Architects, casa a Somers, 1990.

Philip Cox, Richardson, Taylor & Partners, centro esposizioni a Sidney, 1990.

Glenn Murcutt, casa a Paddington, 1991.

Glenn Murcutt, casa a Woollahra, 1985.

Denton Corker Murshall,
222 Exhibition Street, 1989.

Denton Corker Murshall,
101 Collins Street, 1991.

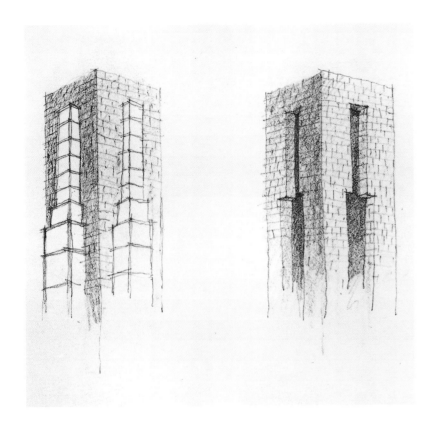

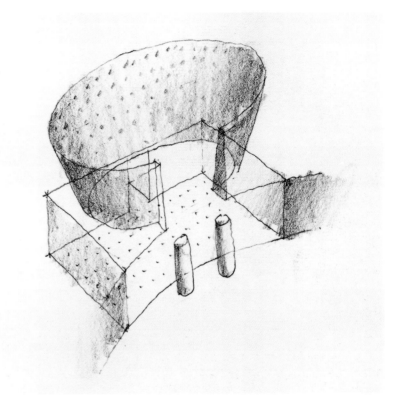

Dale Jones-Evans, casa a Mawthorn,
1990.

Gabriel Poole, casa a Eumundi, 1990.

Russell Hall, casa a Wilston, 1988.

Lindsay Clare Architects, casa
a Mooloolaba, 1990.

Brit Andresen e Timothy Hill, casa
a Stradbroke Island.

Austria

Commissario
Hans Hollein

A partire dagli ultimi tre decenni l'Austria ha costantemente proposto prese di posizione in architettura la cui importanza non è meramente locale, ma contribuisce in misura decisiva al dibattito e agli sviluppi internazionali.

Per quanto ridotti siano l'estensione del paese e l'impegno delle opere realizzate, l'architettura austriaca ha avuto un importante ruolo come fonte di alcuni dei maggiori centri di creazione architettonica. Non sono le dimensioni che contano, ma l'intensità del pensiero e il significato dei risultati, la complessità del dibattito, la creatività della situazione e l'individualità delle diverse posizioni.

L'Austria, e Vienna soprattutto, ha prodotto una serie di importanti prese di posizione in architettura, che presentano una marcata continuità nel tempo e in rapporto alla storia, ma che contribuiscono anche alla ricchezza della dialettica e dei contrasti contemporanei.

Il panorama austriaco è contraddistinto da questa complessità di posizioni, distinte non tanto tra conservazione e progressismo, ma piuttosto da punti di partenza differenti verso un fine comune – un'architettura sostanzialmente valida – o altrimenti come un approccio comune a obiettivi chiaramente diversi. Basta la tradizione viennese ormai distintamente definita, l'eredità di un'avanguardia che si ripropone di continuo, l'emergere di posizioni critiche e di reazioni contrarie impulsive, emotive o sobrie e razionali; basta questo a creare una situazione di fertile fantasia. E in questa situazione non si evidenziano tanto i gruppi, i movimenti o le scuole, ma piuttosto le proposte personali, individuali.

Ci è sembrato quindi opportuno presentare la situazione austriaca attraverso posizioni personali di alcuni architetti impegnati nel dibattito contemporaneo, affidando a un edificio realizzato, illustrato da plastici e disegni il compito di illustrare la posizione di ciascuno dei partecipanti.

Un rapido sguardo al passato, al grande vecchio, e uno al futuro, alla generazione emergente, completano il quadro.

Hans Hollein

Raimund Abraham, complesso residenziale sulla Friedrichstrasse a Berlino, 1983-87.

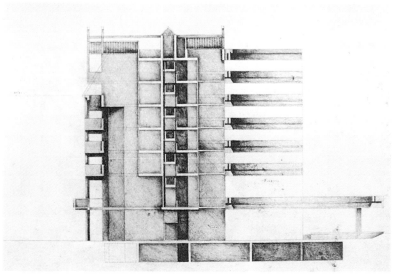

Coop Himmelbau, ristrutturazione di
una copertura, Falkestrasse a Vienna,
1983-88.

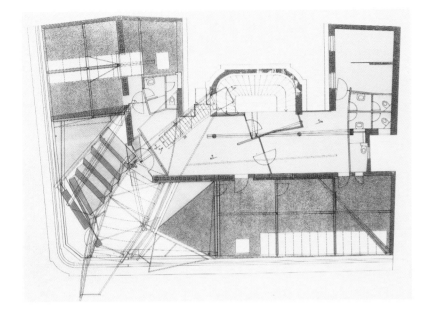

Hermann Czech, casa Schwechat
nei pressi di Vienna, 1977-81.

Günter Domenig, Steinhaus a
Steindorf, 1986-95.

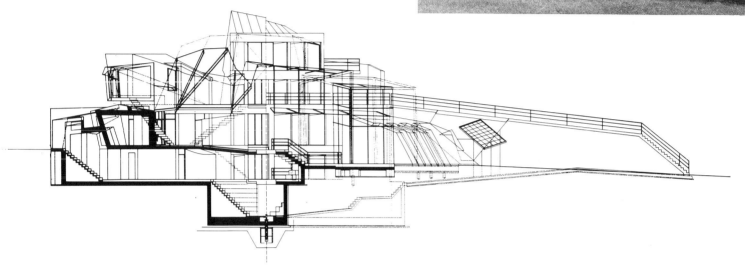

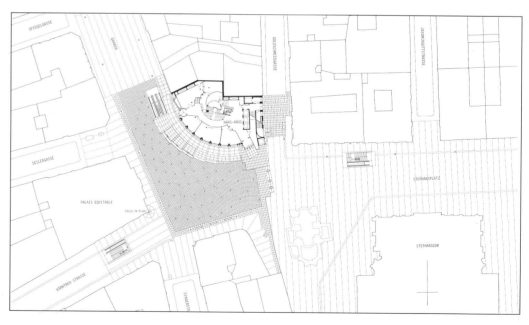

Hans Hollein, Haas-Haus a Vienna,
1985-90.

Wilhelm Holzbauer, Facoltà di Scienze Naturali dell'Università di Salisburgo, 1982-86.

Rob Krier, complesso residenziale sulla Breitenfürterstrasse a Vienna, 1982-89.

Adolf Krischanitz, Siedlung sulla
Pilotengasse a Vienna Aspern,
1987-91.

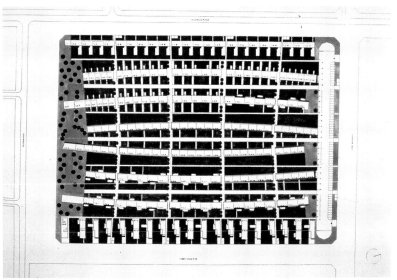

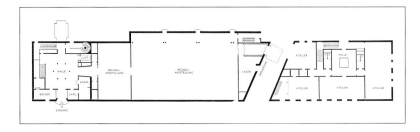

Gustav Peichl, Scuola di Belle Arti
e ampliamento dello Städel
a Francoforte sul Meno, 1987-91.

Elsa Prochazka, allestimento della
motonave Stadt Bregenz, 1990.

Helmut Richter, complesso
residenziale sulla Brunnerstrasse
a Vienna, 1986-90.

Belgio

Commissario
Marc Dubois
Organizzazione
Comunità Fiamminga
Amministrazione per le Arti Visive
Dipartimento delle Arti
Stichting Architekturmuseum vzw
Ideazione della mostra
Marc Dubois
Christian Kieckens
Allestimento
Christian Kieckens

Architetti della Fiandra

Dall'epoca dell'Art Nouveau al volgere del secolo, il Belgio, inclusa la Fiandra, non ha offerto importanti contributi allo sviluppo dell'architettura moderna, illustrata nel paese quasi unicamente dall'opera di Victor Bourgeois e Louis-Herman De Koninck. La residenza studentesca La Mémé a Bruxelles di Lucien Kroll (n. 1927) ha riportato il Belgio, negli anni Settanta, all'attenzione generale, come è accaduto, dieci anni dopo, con l'opera di Charles Vandenhove (n. 1927). Ma per molti il Belgio rappresenta un vuoto nella mappa architettonica dell'Europa, una situazione questa che merita alcune spiegazioni. In primo luogo bisogna considerare la forte tradizione del *laissez-faire* che contraddistingue l'azione del governo belga nel sostenere l'individualismo ben radicato nell'aspirazione comune alla casa individuale. Non per nulla i più importanti contributi dati dal Belgio all'architettura del XX secolo sono rappresentati da abitazioni private. Anche per quanto riguarda l'opera di Victor Horta, fatta eccezione per Maison du Peuple, si tratta per lo più di abitazioni private e la medesima cosa vale per De Koninck, Huib Hoste e Gaston Eysselinck o, dopo il 1945, per Jacques Dupuis. Sino ai nostri giorni la progettazione di case unifamiliari ha avuto un grande peso nella produzione edilizia della Fiandra. Non sorprende quindi che anche gli architetti presentati ora alla Biennale si siano segnalati inizialmente proprio operando in questo campo e non è un caso che i premi internazionali "Eternit" e "Andrea Palladio" siano stati assegnati nel recente passato all'architetto Jo Crepain proprio per opere di questo tipo.

Mentre in altri paesi le giovani generazioni si formano discutendo l'opera di famosi predecessori, in Belgio non vi sono "padri nobili". D'altronde né il governo centrale né quello delle Fiandre dimostrano grande interesse per i problemi della qualità architettonica, occupandosi piuttosto dei risvolti economici della produzione edilizia. A differenza che in altri paesi, in Belgio non vi è alcun sistema ufficiale di selezione per quanto concerne l'assegnazione degli incarichi pubblici ad architetti che si siano segnalati per le qualità del proprio lavoro, il che fa sì che scarse siano le opportunità offerte ai progettisti più dotati. I riconoscimenti ufficiali vengono concessi solo in tarda età. Non a caso Horta aveva sessant'anni quando ricevette il primo incarico dal governo, il palazzo delle Belle Arti a Bruxelles, e Henry van de Velde fu incaricato di progettare la biblioteca dell'Università di Ghent in occasione del suo settantacinquesimo compleanno; ma De Koninck morì senza aver ricevuto alcun incarico professionale dal governo!

Come si può descrivere la situazione dell'architettura nella Fiandra? Nel suo articolo *Belgische architectuur als gemeenplaast*, Geert Bekaert dimostra come l'assenza di una cultura architettonica ben definita possa rappresentare una sfida. Secondo Bekaert si può notare come l'architettura moderna in Belgio non sia mai stata considerata un'occasione di autonoma espressione ma solo uno strumento al servizio della vita quotidiana. In tal modo l'architettura è concepita come un luogo comune, anche se è ora condannata a combattere proprio contro i luoghi comuni per affermare il proprio diritto all'esistenza.

Poiché in occasione della Quinta Mostra Internazionale di Architettura della Biennale il Padiglione belga è stato assegnato alla Comunità culturale fiamminga, in esso vengono presentati solo lavori di architetti fiamminghi. In occasione della prossima edizione della Biennale, invece, il Padiglione ospiterà unicamente lavori di architetti valloni. Poiché questa è la prima volta che l'architettura fiamminga viene esposta in una occasione tanto importante, si è deciso di non limitare la selezione solo a due o tre architetti, ma di predisporre un panorama più ampio, senza ricercare particolari affinità tra i selezionati. Eccetto Luc Deleu e Bob van Reeth, tutti i selezionati si sono segnalati sulla scena architettonica nel corso degli anni Ottanta.

Gli architetti selezionati sono Luc Deleu (1944) e Top Office; AWG/Bob van Reeth (1943); Stéphane Beel (1955); Paul Robbrecht (1950) e Hilde Daem (1950); Eugeen Liebaut (1952); M. José van Hee (1950); Henk De Smet (1954) e Paul Vermeulen (1962); Xaveer De Geyter (1957); Giedo Driesen (1955), Jan Meersman (1956), Jan Thomaes (1955).

Le ali del Leone

Nella seconda sala del Padiglione Christian Kieckens (1951) espone il suo progetto per il concorso internazionale "Una Porta per Venezia" per la ristrutturazione di piazzale Roma. Egli introduce nel piazzale due assi rappresentanti i movimenti dei veneziani e dei turisti che individuano la direzione delle due ali che costituiscono l'immagine dell'edificio non solo in riferimento alle ali del Leone veneziano ma come allusione al movimento, al partire e all'arrivare. Nonostante il progetto sia stato inviato rispettando le prescrizioni del bando di concorso esso non è mai giunto a destinazione. La decisione di presentare ora il progetto trascende però questa contingenza. Esso è l'espressione di una riflessione del progettista sull'incapacità di Venezia ad accogliere la velocità come parte integrante della propria esistenza e in generale sulla lentezza con la quale deve fare i conti l'imporsi dell'architettura.

Marc Dubois, Christian Kieckens

Stephane Beel, casa Van Pelt
a Zoersel, 1985.

Stephane Beel, agenzia bancaria BAC
a Ostenda, 1988-89.

Stephane Beel, progetto per il Museo
Raveel a Muchelen, 1991.

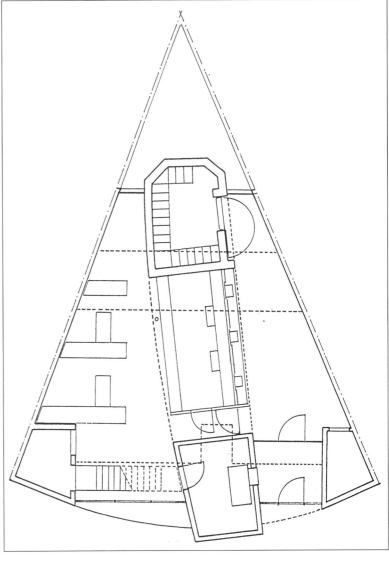

AWG/Bob Van Reeth, casa Van
Roosmalen a Antwerpen, 1985-88.

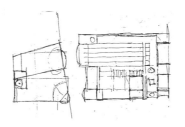

Luc Delev & Top Office, progetto di edifici residenziali a Barcellona, 1989.

M. José Van Hee, casa di Andrè Pay a Luken, 1988-91.

Henk De Smet & Paul Vermeulen,
casa K. a Z., 1988-90.

Xaveer De Geyter, progetto
di casa a Brasschaat, 1990.

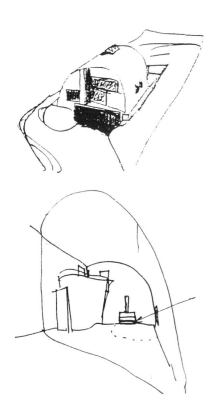

Paul Robbrecht & Hilde Daem,
agenzia bancaria BAC a Kerkska,
1987-89.

Guido Driesen, Jan Meersman, Jan
Thomaes, progetto di padiglione per
il Belgio all'Esposizione di Siviglia del
1992.

Brasile

Commissario
Aparicio Basilio Da Silva

Fernando Peixoto, Ruy Ohtake

Fernando Peixoto è nato a Salvador nello Stato di Bahia l'8 luglio 1946 e si è laureato in architettura all'Università di Bahia nel 1969. Nonostante lavori in un piccolo studio, ha costruito più di duecento abitazioni e più di un milione di metri quadrati di grattacieli e condomini. La sua opera è stata pubblicata in diverse riviste e volumi in Brasile e all'estero e si è meritata diversi riconoscimenti.

Ruy Ohtake è nato a San Paolo del Brasile nel 1938 e si è laureato in architettura presso l'Università della medesima città nel 1960. Dal 1970 insegna presso la Scuola di Architettura e Urbanistica dell'Università Cattolica di Santos. Svolge attività di architetto e urbanista a San Paolo e la sua opera gli ha meritato numerosi riconoscimenti e premi in Brasile e all'estero.

L'architetto Fernando Peixoto

L'uso del colore e la vena ludica rendono l'opera di Peixoto assai personale ma allo stesso tempo tipicamente brasiliana. Nato a Salvador, ha realizzato parte delle sue opere in quella stessa città, ove è viva una cultura di ascendenza africana; gran parte delle sue realizzazioni sono edifici comuni, di costo contenuto. Queste due circostanze spiegano il suo lavoro. Per lo più egli ha costruito "scatole" assai semplici, riservando alla grafica un ruolo decisivo, secondo una pratica progettuale analoga a quella dell'industrial design. L'impatto visivo delle costruzioni di Peixoto, da mettersi in relazione con la velocità di percezione tipica della città moderna, è ottenuto attraverso il colore e i contrasti piuttosto che per mezzo dei volumi. Le sue composizioni non rivelano la struttura degli edifici o la loro simmetria, mirando piuttosto a unificare i volumi, seguendo una concezione che lo stesso architetto ha così sintetizzato: "L'architettura moderna non ha contribuito a sviluppare le qualità del progetto se non per una élite privilegiata. Anche quando altre esperienze progettuali sono riuscite a combinare costi ragionevoli con ricchezza estetica, gli architetti hanno continuato a ritenere i costi modesti un ostacolo al conseguimento di buoni risultati sul piano creativo. Quando a ciò si aggiungono considerazioni di natura tecnologica, si vede facilmente come gli alti costi di produzione siano ritenuti il prerequisito di buoni risultati. Nel mio lavoro invece debbo continuamente affrontare i problemi inerenti alle costruzioni di complessi per uffici, garantendo la massima superficie in corrispondenza del minor perimetro. Per trasformare radicalmente il nostro ambiente urbano e mutarne la mediocrità non abbiamo bisogno di Rolls Royce o di orologi d'oro, perché questi, come qualsiasi gioiello architettonico, non rappresentano alcuna novità. L'architettura deve essere simile a un'automobile Fiat o a un orologio Seiko, dotati di buona qualità e bellezza, deve mantenersi al di sotto dello stile ma essere capace di interpretare la vera essenza della modernità".
Aparicio Basilio da Silva

Gruppo di edifici Cidadella Center.   Edificio per uffici.   Casa privata.

Centrale telefonica a San Paolo,
1973.

Parco ecologico di Tietê a San Paolo,
1975.

Ambasciata brasiliana a Tokyo,
1982.

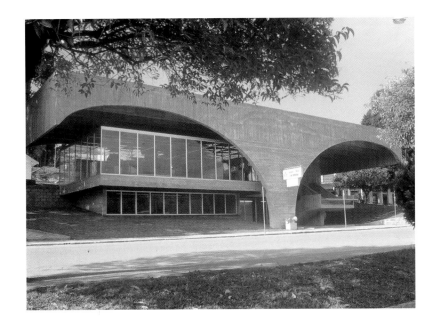

Canada

Commissario
Phyllis Lambert
Realizzazione
Canadian Center for Architecture
International Cultural Relation
Bureau of External Affairs of Canada
con il sostegno di
Canada Council and Communications
Canada Airlines International

Il Canadian Center for Architecture: un edificio e un giardino

L'edificio qui presentato è stato concepito per ospitare il Canadian Center for Architecture, al contempo un museo e un centro di studi e ricerche. Obiettivi primari della realizzazione sono stati la possibilità di disporre di un edificio in grado di accogliere collezioni destinate ad arricchirsi nel tempo ed edificare un complesso dotato di una forte identità. Il CCA è stato fondato a Montreal dall'autrice di questa presentazione nel 1979; l'edificio che lo ospita è stato progettato da Peter Rose con la collaborazione di Phyllis Lambert e Erol Argum, ed è stato aperto al pubblico nel 1989. Il CCA promuove ricerche, mostre, pubblicazioni e conferenze e le sue collezioni sono a disposizione degli studiosi di architettura e di problemi connessi con l'ambiente costruito. L'edificio che ospita il CCA è stato concepito per armonizzarsi con l'ambiente circostante e interpretarne le qualità, per essere espressione della migliore tradizione della città costruita. Il nuovo edificio ospita diverse funzioni: gallerie, un teatro, una biblioteca, uffici, studi, depositi e una libreria. La costruzione include la preesistente Shaughnessy House edificata da W.T. Thomas nel 1874. Ambedue i corpi di fabbrica sono caratterizzati dall'uso della pietra grigia; la nuova costruzione è articolata su quattro piani, due dei quali sotterranei. Particolare attenzione è stata riservata alle soluzioni tecnologiche e alla scelta dei materiali che contraddistinguono i diversi ambienti, caratterizzati da un uso estremamente attento della luce.

Il giardino del CCA è stato progettato da Melvin Charney come dimostrazione della possibile integrazione di uno spazio per la scultura con un ambiente destinato all'uso pubblico. Il giardino si compone di quattro sezioni, il "frutteto", memoria dell'antica destinazione del sito, il "prato", l'"arcata" che si congiunge alla Shaughnessy House, l'*esplanade* caratterizzata da dieci colonne allegoriche in materiale composito. Il giardino è stato realizzato all'interno del programma promosso dal governo del Quebec per la promozione dell'integrazione delle opere d'arte nelle costruzioni architettoniche.

Phyllis Lambert

Phyllis Lambert è direttrice e fondatrice del Canadian Center for Architecture di Montreal. Laureata in Architettura all'Illinois Institute of Technology di Chicago, è stata insignita di numerose lauree *ad honorem* negli Stati Uniti e in Europa. Ha insegnato negli Stati Uniti e in Canada e ha ricevuto numerosissimi riconoscimenti per il suo lavoro, dedicato alla conservazione di importanti edifici storici. Autrice di studi storici e di contributi critici, Phyllis Lambert svolge una intensa attività in diverse istituzioni preposte alla salvaguardia dell'ambiente e alla promozione della ricerca architettonica e della sperimentazione artistica.

Peter D. Rose si è laureato in architettura all'Università di Yale e svolge la propria attività professionale a Montreal. Ha insegnato in diverse università in Canada e negli Stati Uniti, promuovendo al contempo significative iniziative culturali. Tra gli anni Settanta e Ottanta ha lavorato a diversi progetti, dal municipio di Mississauga (Ontario) al Paramount Theatre di Palm Beach, a quelli per diversi edifici terziari. Nel 1979 ha fondato la rivista canadese di architettura "Trace".

Melvin Charney, artista e architetto, si è formato alla Scuola d'Arte del Museo di Belle Arti di Montreal e all'Università di Yale. Ha insegnato in diverse università in Canada e negli Stati Uniti e sue opere sono ospitate in importanti musei nordamericani ed europei. Ha partecipato a diverse mostre internazionali, tra le quali la Biennale di Venezia (1986), e ha realizzato significativi interventi, per i giochi olimpici di Montreal, per le città di Stoccarda, Chicago, Toronto e Londra. Opere di Melvin Charney sono state pubblicate dalle principali riviste specializzate.

Veduta aerea del complesso
del CCA.

Planimetria generale con l'intervento
di Peter Rose
e il giardino di Melvin Charney.

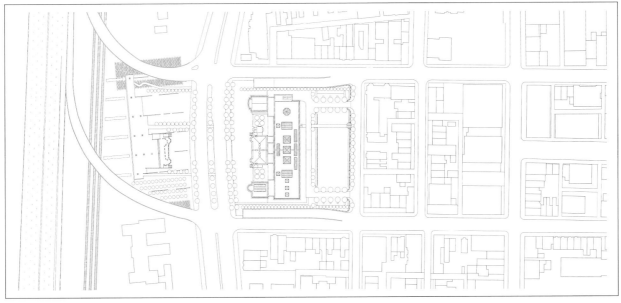

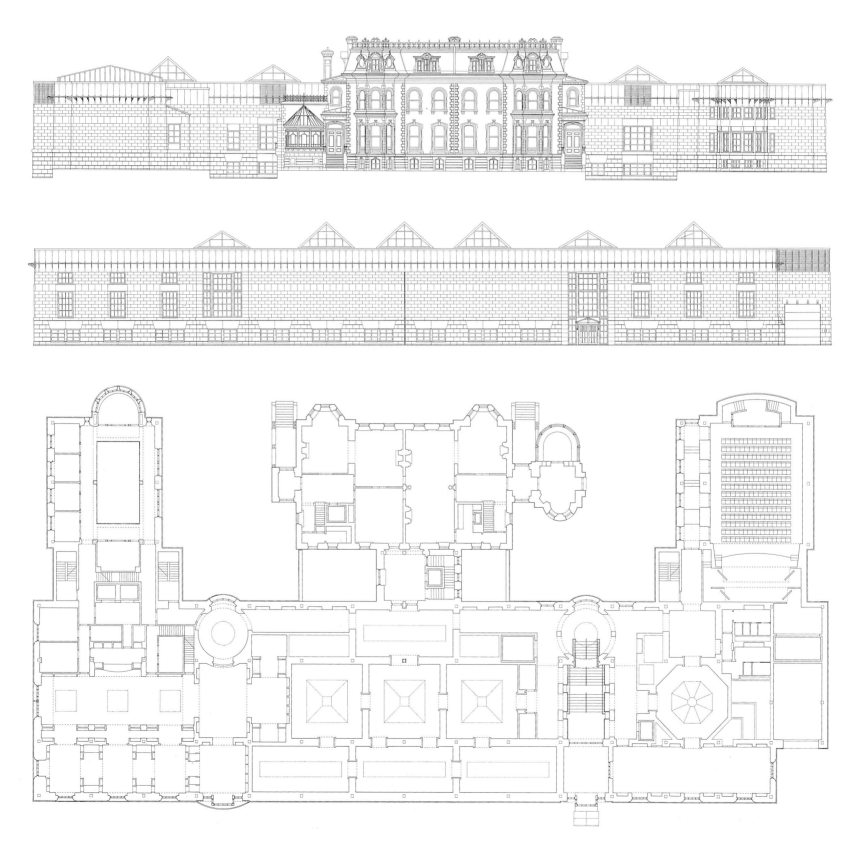

CAA, fronte nord, fronte sud e pianta del livello pubblico.

Cecoslovacchia

Commissario
Rodomíra Sedláková

Poesia della sobrietà: l'architettura ceca del presente

Decidere che cosa presentare dell'architettura ceca attuale è stato piuttosto facile. Sicuramente l'architettura ceca contemporanea è abbastanza eterogenea, ma è evidente che essa nasce in una società in radicale cambiamento. Anch'essa si risveglia da un lungo periodo totalitario, e respira rilassata nella inebriante libertà che permette di comprendere quanto pesanti siano stati gli anni di isolamento e quante cose siano accadute nel frattempo nel mondo.

Proprio per questo la scelta è stata facile. Nelle molte ricerche, brancolamenti, promesse ed errori intuiti, si trascinava già da diversi anni, sempre più matura e sicura di sé, la linea di un'architettura sobria e riservata. Un'architettura nata in qualche luogo a metà degli anni Settanta – ma da sempre potenzialmente presente in Boemia – e che ha trovato forza ed espressione negli anni Ottanta. È la linea di un'architettura neofunzionalistica.

Il merito di questo sviluppo va al postmodernismo, movimento che ha sottoposto il modernismo alla critica più convincente. Questo accadeva nel periodo in cui lo stile internazionale era la dottrina ufficiale, sotto la cui azione l'architettura ceca ristagnava chiusa in se stessa senza relazioni attive col mondo. L'architettura era unicamente consapevole delle limitazioni ideologiche e produttive, ed era obbligata a confrontarsi con tempi di costruzione assurdamente lunghi, in cui otto anni dal progetto alla realizzazione erano una buona media, cinque una pura eccezione, dieci l'eccezione più diffusa. La tempesta del postmodernismo fu per fortuna tanto forte da penetrare anche in questo isolamento, per quanto impacciata sia stata la reazione dell'architettura ceca. Era necessario valorizzare le ricche esperienze dell'architettura passata. Ma da quale passato attingere? Il riferimento più importante è stata l'età d'oro del funzionalismo ceco, gli anni Venti del purismo e del poetismo, inebriati delle nuove possibilità della tecnica e della tecnologia, gli anni Trenta, fissatisi già e cristallizzatisi in uno stile puro e tuttora ammirabilmente limpido, convincente. Lì tutto ebbe inizio, lì pertanto è necessario rivolgersi e cercare nuovi punti di partenza, ripuliti dai sedimenti delle successive deformazioni. Lì regnavano la razionalità e la poesia da cui era derivata un'architettura di grande qualità.

Il ritorno alle tradizioni vere e proprie del funzionalismo rigenerò la produzione architettonica. Tra l'altro anche per il fatto che l'indole ceca è molto razionale, riservata nelle manifestazioni dei suoi sentimenti – le è più consona la poesia di una semplice soluzione ingegneristica piuttosto che il languore ornamentale del romanticismo – era incline a quell'architettura sobria, dall'eleganza riservata. Il nuovo ritorno alla sobrietà e alla riservatezza fu una costruttiva difesa contro la superba enfasi della monumentalità ufficiale, un solido ormeggio a chiari valori in un periodo di incertezza e di confusione. E come sessant'anni fa, si è dimostrato nuovamente che le costruzioni sobrie – per ora solo nei progetti e solo nelle rare realizzazioni – riescono alla pari dei loro precursori spirituali a entrare bene nel ricco ambiente delle città storiche ceche. Le costruzioni barocche su lotti gotici, il neorinascimento diventato popolare e il giocoso Liberty in questo contesto fungono da ferma chiave di volta.

Si sta ritornando a una situazione che richiede un programma. Un programma portante per la società e ugualmente portante per l'architettura, la quale vuole servire a questa nuova società risanata, la vuole esprimere, caratterizzare. Scegliere il tema è stato facile. Scegliere gli autori e i loro progetti non tanto. Anche in ciò si ripete, o piuttosto si ricorda la situazione degli anni Venti e Trenta. La corrente è ampia ed equilibrata, senza picchi particolari. Ma in essa c'è una diversità che ne rafforza la compattezza, che l'arricchisce per il futuro sviluppo. Vi sono duri puristi, che evocano la poeticità da una severità quasi non emozionale, vi sono puri funzionalisti meditativi, costruttivisti e tecnologi razionali o ugualmente ironici che per propria esperienza affrontano tutto con giocosa e forse anche beffarda esagerazione. A tutti è comune il desiderio di verità, l'ammirazione per la purezza della forma, della funzione, della struttura. Alla Biennale viene presentata solo una scelta, limitata dalle dimensioni del Padiglione ceco, una scelta concentrata su progetti che devono trovare realizzazione.

Radomíra Sedláková

Jakub Cigler, progetto di ponte, s.d.

DA Studio (Martin Rajnis, Jaroslav Zima, Tomás Prouza, Stanislav Fiala), progetto di una scuola media a Rybinsk, URSS, 1990.

Petr Keil, progetto per un motel a Drahelcice, 1988.

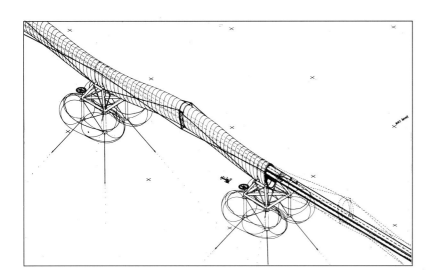

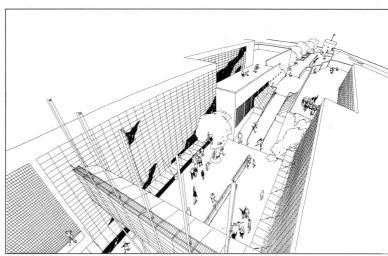

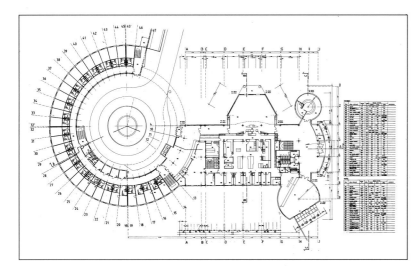

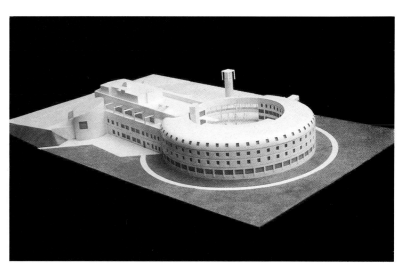

Roman Koucky, progetto di restauro di una segheria idraulica a Hostinné, 1990.

Martin Krupauer, Jiri Strèútecky, progetto per un centro sportivo a Cèeské Budejovice, 1991.

Ladislav Lábus, progetto per un edificio commerciale per la società Tuzex a Praga, 1990.

Jan Louda, Tomás Kulík, Zbysek Styblo, progetto di restauro del cinema circolare nell'area fieristica di Praga, 1991.

Jan Línek, Vlado Milunic, Jirí Sezemsky, Vera Dubská, progetto per un padiglione ospedaliero a Praga, 1990.

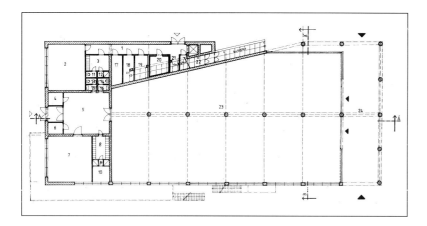

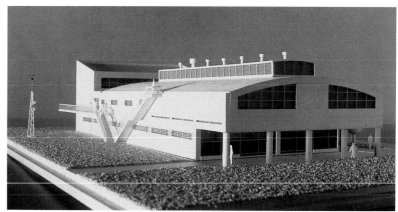

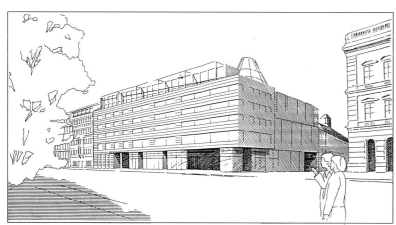

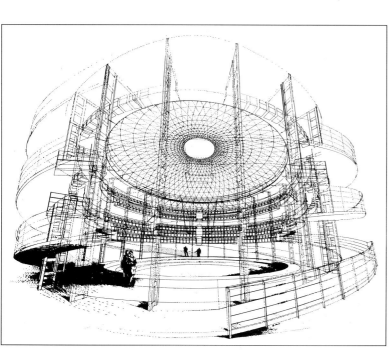

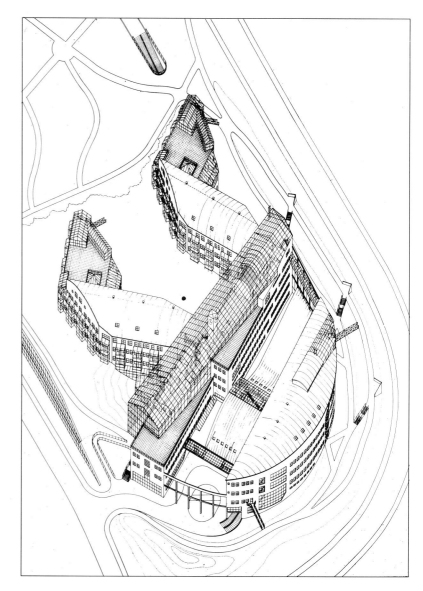

Josef Pleskot, progetto per
il policlinico di Benesov presso
Praga, 1990.

Jan Stempel, Jaromír Syrovátka,
Karel Novotny, progetto di un rifugio
e stazione di funivia sul monte
Snézka, 1989.

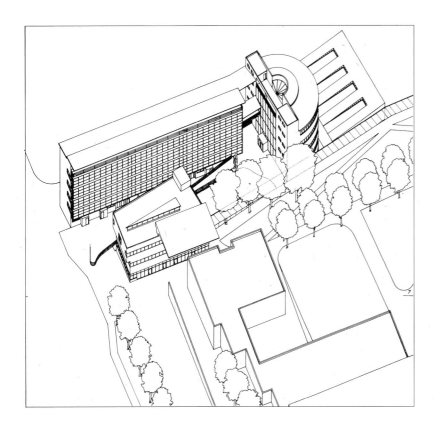

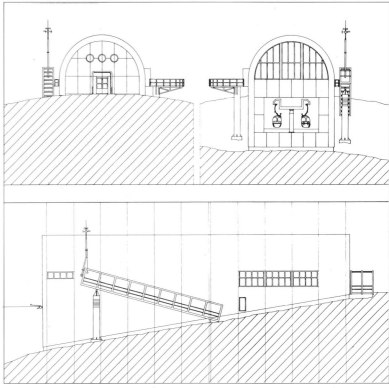

Alena Srámková, progetto per
un edificio commerciale per
la società Tuzex a Praga, 1990.

Ján Stempel, Martin Nemec,
progetto per il Padiglione
cecoslovacco all'Expo '92
di Siviglia, 1991.

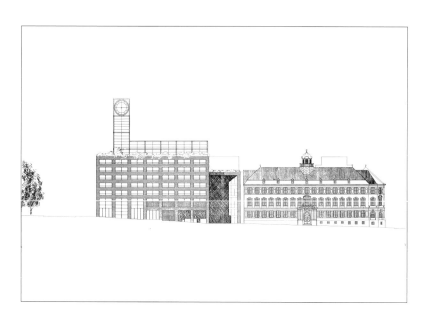

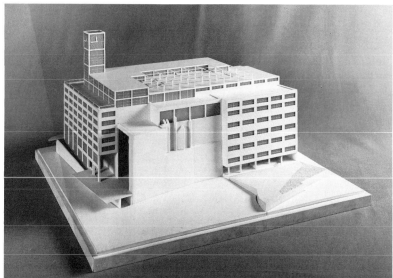

Architetti slovacchi

Il tempo del XX secolo si compie man mano e a questo punto non ci resta che porci una domanda: fino a che punto si sono realizzati i sogni sulle possibilità di questo secolo, così come li ha nutriti la generazione interbellica? Una generazione che aveva sognato la libertà, la democrazia, la giustizia sociale, la razionalità, la creazione della comune cultura mondiale.

La storia d'Europa sfila nella nostra memoria: la maggior parte delle speranze non si è realizzata fino al giorno d'oggi, alcune invece sono state capovolte, oppure hanno avuto vita assai breve. Dall'altra parte nascevano delle realtà così positive o negative che nessuno allora sognava.

La Cecoslovacchia all'epoca faceva parte degli stati più giovani d'Europa, il che però non significa che anche sul suo territorio, fin d'allora, non si siano consumati tutti i movimenti della storia europea.

Fino alla nascita dell'architettura moderna, però, tutte le ondate stilistiche provenienti dall'Occidente finivano sul margine della cultura orientale, che cresceva dalle radici bizantine.

L'architettura funzionalistica per la prima volta ha fuso le forze creative d'Europa, le tendenze culturali orientali e quelle occidentali. L'originalità e il celere sviluppo dell'architettura funzionalistica su tutto il territorio della Cecoslovacchia sono ammirevoli. Per la nascita di questo fenomeno hanno giocato un ruolo anche lo stretto legame e il nesso con i vicini centri dell'architettura moderna, Vienna e Stoccarda, l'alto livello della cultura costruttiva di allora, oltre che la formazione dello Stato moderno, democratico, dotato di nuove istituzioni, propulsore dello sviluppo urbano.

Il nuovo stile è velocemente diventato una rilevante espressione della giovane architettura slovacca. Questo stile nasceva soprattutto nell'ambito delle città esistenti ed era espressione di una concezione architettonica piuttosto che urbanistica. Fa parte dei paradossi dello sviluppo della nostra architettura, che i parametri urbanistici adottati solo negli anni Sessanta siano derivati dalla pratica così diversa dell'architettura sovietica.

Volgiamo al finire del secolo e nella cultura europea chiedono di nuovo la parola le correnti e le manifestazioni individuali dell'eclettismo. L'inclinazione alle radici regionali e nazionali conduce a una nuova valutazione dei valori locali dell'architettura. È uno dei motivi per cui l'architettura contemporanea slovacca attinge anche dagli stili del periodo che nel suo sbocciare erano al passo con la dinamica architettonica europea dell'epoca.

Il nuovo funzionalismo non costituisce la corrente prevalente nell'architettura slovacca: la ricerca delle proprie radici e l'individuazione di un linguaggio capace di far tesoro della storia recente si manifestano attraverso le diverse impostazioni creative.

Il ritorno alle caratteristiche positive dell'architettura funzionalistica, crea una continuità nello sviluppo, a suo tempo incrinato, della cultura architettonica slovacca.

Klára Kubičková

Ján Bahna, Lubomír Závodny, Fedor Minárik, Marián Fábry, centro commerciale Danubio a Bratislava, 1990.

Michal Bogár, Lubomír Králik, Ludovít Urban, con Klaus G. Musil (Vienna), progetto di concorso per l'ampliamento del Museo Tecnico di Vienna, 1990.

Peter Cavara, Lubomír Závodny, progetto per l'hotel Turf a Bratislava, 1991.

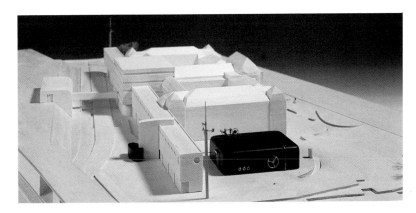

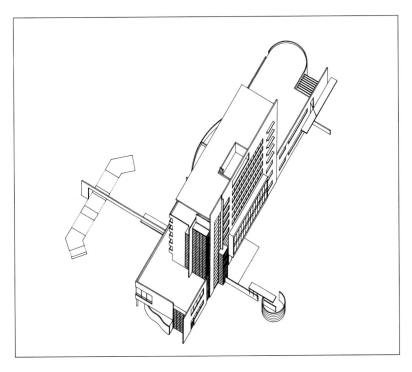

Peter Cavara, Lubomír Závodny,
progetto per l'hotel Turf
a Bratislava, 1991.

Vladimír Scepán, Vladimír Zigo,
complesso residenziale a Bratislava,
1990.

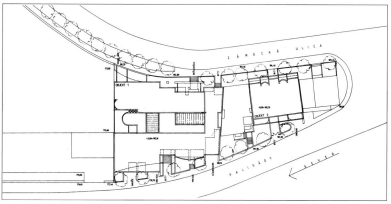

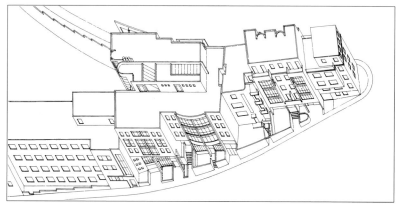

Peter Bauer, Martin Kusy, Pavol
Panák, Eduard Suter, progetto
per l'Istituto Slovacco delle
Assicurazioni dello Stato
a Bratislava, 1990.

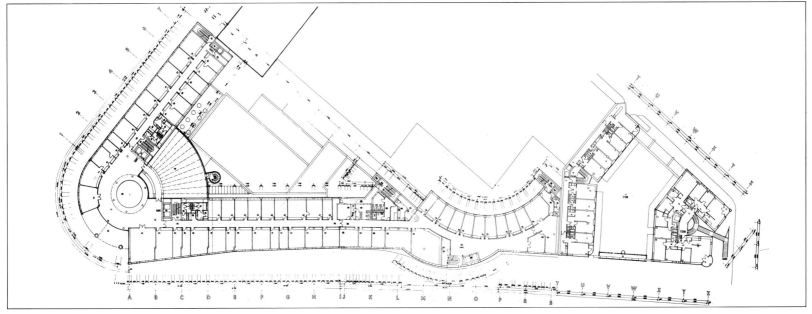

Danimarca

Commissario
Bente Beedholm

La mostra organizzata dalla Danimarca per la Quinta Mostra Internazionale di Architettura presenta una serie di opere realizzate sulla base degli esiti di altrettanti concorsi. È generalmente riconosciuto che gli alti standard dell'architettura danese sono anche il risultato della tradizione secondo la quale molti incarichi professionali vengono assegnati sulla base dei risultati forniti dai concorsi. La Federazione degli architetti danesi è stata coinvolta, a partire dal 1907, in più di ottocento concorsi. Il fatto che gran parte di questi concorsi si sia poi conclusa con la realizzazione delle opere progettate è la dimostrazione della fiducia che i committenti ripongono in questa pratica che consente loro di poter vagliare gamme di diverse opzioni progettuali. Nel campo della pianificazione più del 60 per cento dei progetti è stato poi utilizzato, mentre per quanto riguarda l'architettura la percentuale raggiunge il 90 per cento. La maggior parte dei concorsi sono aperti e ai partecipanti non sono richieste particolari qualifiche. A differenza di quanto accade in altri paesi, i concorsi più importanti offrono in Danimarca ampie possibilità di affermarsi ai giovani architetti e l'esperienza dimostra che molti dei più noti architetti danesi ha avuto modo di segnalarsi inizialmente proprio attraverso i concorsi. Il favore riservato dai committenti a questo modo di procedere va posto in relazione col fatto che le giurie sono di norma composte in maggioranza da membri che rappresentano gli interessi della committenza. La Federazione degli architetti danesi è coinvolta direttamente nell'organizzazione dei concorsi. Allorché un committente decide di bandire un concorso contatta la Federazione che elabora il preventivo e il programma del concorso, assumendosi al contempo l'onere della gestione finanziaria dello stesso. Notevole importanza è annessa alle mostre che concludono di solito l'iter concorsuale. Queste procedure consentono alla Federazione un costante aggiornamento circa le tendenze della ricerca progettuale e garantiscono la continua funzionalità dello strumento concorsuale. Notevole è l'interesse che gli architetti dimostrano per questi appuntamenti, tanto che in media il numero dei partecipanti a un concorso è di circa sessanta, mentre nei casi più importanti si arriva anche a duecento progettisti, dati questi che vanno valutati alla luce del fatto che complessivamente in Danimarca operano circa cinquemila architetti. Meno interessante è per i professionisti danesi la partecipazione a concorsi internazionali, nonostante essi abbiano ottenuto ottimi risultati in tali occasioni.

Nella mostra vengono esposte le seguenti opere: Tegnestuen Vandkunsten (Copenhagen), complesso residenziale a Herfølge; Hanne Kjaerholm (Copenhagen), Museo d'Arte a Holstebro; A5 Tegnestuen A/S (Copenhagen), scuola a Aarhus; Kjaer & Richter A/S (Aarhus), centro musicale a Aarhus; Dall & Lindhardtsen (Helsingoer), ospedale a Slagelse; Eryk Bystrup, Torben Bregenhøj (Copenhagen), trasformazione residenziale; Bente Aude, Boje Lundgaard (Copenhagen), Museo d'Arte Trapholt a Kolding; Claus Bjarrum, Jorgen Hauxner (Copenhagen), centrale elettrica; Johan Otto von Spreckelsen (Hoersholm), Tête-Défense a Parigi; Arkitektgruppen i Aarhus A/S (Aarhus), insediamento residenziale; Boje Lundgaard, Lene Tranberg (Copenhagen), piano per Odense; Nielsen, Nielsen, Nielsen (Aarhus), complesso residenziale a Odense; Anna Maria Indrio, Paul Jensen (Copenhagen), chiesa a Slagelse; Krohn & Hartvig Rasmussen (Virum), Museo in Bahrain; Dissing+Weitlin A/S (Copenhagen), Museo a Düsseldorf.

Claus Bjarrum, Jørgen Hauxner, centrale elettrica, s.d.

Anna Maria Indrio, Paul Jensen, chiesa a Slagelse, s.d.

Johan Otto von Spreckelsen, Erik Reitzel, Tête-Défense a Parigi.

Nielsen, Nielsen, Nielsen, complesso residenziale a Odense, s.d.

Kjaer & Richter A/S, centro musicale a Aarbus, s.d.

Johan Otto von Spreckelsen, Erik Reitzel, Tête-Défense a Parigi.

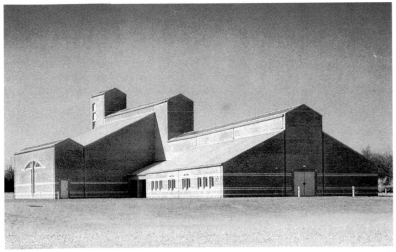

Egitto

Commissario
Mohamed Zaki Hawas

Alla Quinta Mostra Internazionale di Architettura della Biennale l'architettura italiana e quella egiziana si confrontano ancora una volta nel quadro di una mostra che accoglie opere provenienti da tutto il mondo. In questa occasione vengono presentate alcune opere di due grandi architetti egiziani; esse costituiscono la premessa per gli sviluppi dell'architettura contemporanea egiziana.

La prima sezione della mostra è riservata ad Hassan Fathy, all'opera che egli ha realizzato in Egitto e all'estero e comprende, tra l'altro, il progetto per il villaggio di Gourna nell'alto Egitto. La seconda è dedicata a Mahmoud El-Hakim e, in particolare, al Nubian Museum a Aswam, realizzato in collaborazione con l'Arab Office for Design and Technical Consultations, una istituzione pubblica collegata con il Ministero dei Lavori Pubblici e con l'UNESCO. Hassan Fathy (Alessandria, 1900-1989) è stato il più importante interprete dell'architettura araba del XX secolo. Sulla sua vita e sulla sua opera è disponibile una vasta bibliografia riportata anche nel volume di J. Steele, *Hassan Fathy*, Londra 1988. Gli studi fondamentali di Fathy sono: *Gourna: A Tale of Two Villages*, Cairo 1969; *Urban Architecture in the Middle East*, Beirut 1971; *Architecture for the Poor*, Chicago 1973; *Construire avec le peuple*, Parigi 1978; *Natural Energy and Vernacular Architecture*, Chicago 1986.

Mahmoud El-Hakim, Nubian Museum a Aswam.

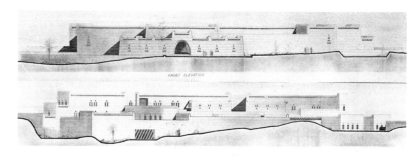

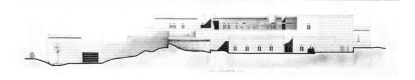

Hassan Fathy, villaggio Nuova Gourna, la moschea e le abitazioni, 1948.

Hassan Fathy, casa Kallini a Menia, prospetto, pianta, sezione, 1945.

Hassan Fathy, villaggio Nuova Gourna, la moschea e le abitazioni, 1948.

Hassan Fathy, locanda a Nuova Gourna, sezione e pianta, 1948.

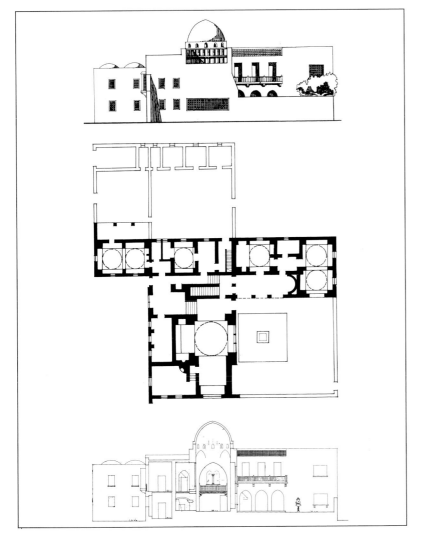

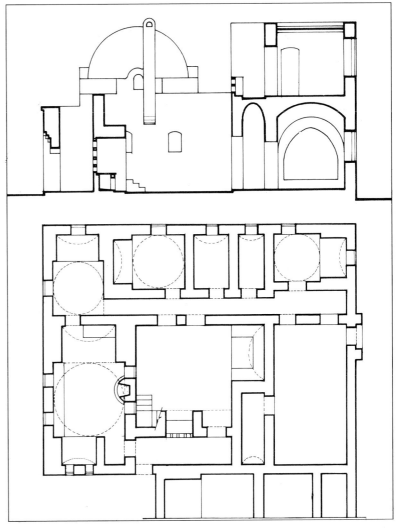

Hassan Fathy, locanda Greiss
a Abusir, 1980.

Hassan Fathy, villaggio di Nuova
Bariz, coperture del souk, pianta,
prospetto e sezione.

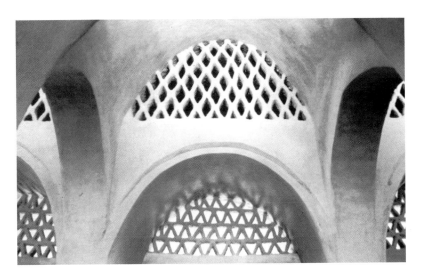

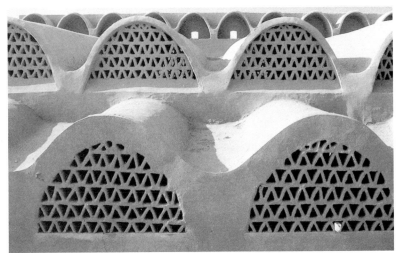

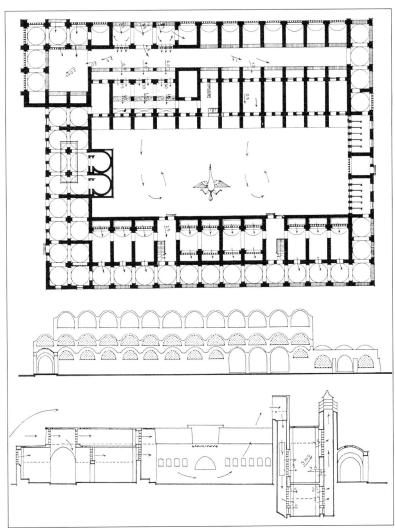

Finlandia

Commissario
Marja-Riitta Norri
Commissario aggiunto
Timo Keinänen

Il mondo di Juhani Pallasmaa

"Sono ormai scomparse le forme dei tetti, i dettagli dei camini degli edifici così familiari nell'infanzia, ma sento ancora nelle ossa la gioia di ascoltare, al riparo, il tamburellare della pioggia sul tetto, o di scaldarsi le membra gelate davanti al fuoco, rientrando dal freddo. Non riesco più a ricostruire un'immagine chiara del tavolo di assi nel tinello di mio nonno, ma mi ci vedo ancora seduto accanto, rivivendo in questo punto focale di ogni casa di campagna la forza che teneva unito il nostro ambiente familiare e i visitatori occasionali".

In queste immagini dell'ambiente da cui proviene Juhani Pallasmaa si cristallizza l'essenza della sua architettura. I suoi edifici e i progetti sono una stratificazione di esperienze culturali diverse. Le case sono radicate nella terra del Nord, nel loro ambiente immediato, sono la struttura della vita di ogni giorno, simboli del più intimo, rassicurante e unitario compito della costruzione. Alla ruvidezza arcaica degli spazi si unisce una sensibile e sofisticata attenzione al dettaglio che invita all'intimità. È un'architettura che agisce su tutti i sensi.

Col passare degli anni i pensieri e le idee di Juhani Pallasmaa hanno trovato espressione in molti campi diversi, dal lavoro tradizionale dell'architetto alla progettazione di esposizioni, pubblicazioni e oggetti, alla letteratura. Direttore del Museo dell'Architettura Finlandese dal 1978 al 1983, ha contribuito in modo determinante all'internazionalizzazione delle sue attività, esponendo più di dieci anni fa le opere di architetti come Tadao Ando, Alvaro Siza e Daniel Libeskind, che solo più tardi hanno conquistato fama mondiale. Nei primi anni Settanta è stato preside dell'Università di Design Industriale di Helsinki, oltre che docente di architettura all'Università di Addis Abeba.

Nelle sue lezioni e negli scritti Pallasmaa ha spesso espresso opinioni destinate ad esercitare grande influenza. Per chi lo ascoltava come per chi lo leggeva i suoi contributi hanno avuto un effetto radicalmente rivoluzionario; nessuno poteva rimanere indifferente. A qualsiasi campo Pallasmaa abbia rivolto l'attenzione, la forza dei risultati discende sempre dall'impegno totale e da un autocontrollo che è insieme categorico e appassionato.

Le opinioni di Juhani Pallasmaa non sono rimaste immutate negli anni: con lo stesso entusiasmo con cui parla oggi dell'intuito, negli anni Sessanta difendeva il pensiero razionale, insistendo sull'importanza della conoscenza e della tecnologia. Queste idee hanno lasciato un segno indelebile sui suoi progetti di quel periodo, in buona parte realizzati in collaborazione con Kirmo Mikkola.

Nel 1967 Pallasmaa scriveva: "La progettazione sta allontanandosi dall'intuito individuale verso un controllo metodologico collettivo, dalla progettazione di siti isolati ai sistemi e alle strutture generali, dalla progettazione immutabile e definitiva alla progettazione disponibile, mutevole, variabile. Al disegno delle forme si va gradatamente sostituendo il controllo e l'organizzazione dei poteri che dalle forme emanano (tecnologico, economico, sociale, psicologico). Il processo continuo sostituisce il permanente, la circostanza la forma visiva fissa. Ciò ha comportato una fondamentale modificazione dei compiti e dell'arte del progettista". L'architettura, a suo vedere, non era "un attributo mistico dello spazio, bensì l'organizzazione, l'ordinamento dei fatti. Anzi la parola bello andrebbe sostituita dalla parola giusto. Quindi l'arte è la capacità di fare le cose per bene".

La revisione delle proprie idee è spesso un processo lento e faticoso. In questo senso le opinioni di Juhani Pallasmaa sono cambiate lungo un filo logico, grazie all'intuito dei problemi del momento, ma sempre caratterizzate da una salda fiducia nella forza espressiva dell'architettura moderna.

Un tempo Pallasmaa dedicava una quantità maggiore delle sue energie al di fuori della sfera tradizionale dell'architetto; oggi dirige uno studio di ragguardevoli dimensioni con importanti commesse in patria e all'estero, ma non ha mai dimenticato gli altri settori di attività.

"Compito dell'architettura non è di abbellire o 'umanizzare' il mondo della realtà quotidiana, ma di aprire una finestra sulla seconda dimensione della nostra coscienza, la realtà dei sogni, delle immagini e delle memorie. Dopo il baccanale del post-modernismo, è ritornato il tempo del neo-minimalismo, del neo-ascetismo, della neo-negazione e della sublime povertà. La qualità, la dimensione della profondità spirituale, si riconfermano come unico criterio dell'arte" (1986).

"Sono convinto che oggi sia necessaria un'architettura ascetica, concentrata e contemplativa. Aspiriamo a un'architettura che rifiuti il rumore, l'efficienza e la moda. Occorre un'architettura che non insegua lo spettacolo, ma punti piuttosto a liricizzare le cose reali della vita di ogni giorno. Aspiriamo all'ordinarietà e alla mondanità radicali, a un'architettura naturale del tipo che ci colma la mente di buoni sentimenti quando entriamo in una vecchia casa contadina o ci sediamo su una sedia artigianale. Accanto all'architettura che erompe dai propri confini e si ridefinisce, abbiamo bisogno di un'architettura del silenzio" (1990).

Marja-Riitta Norri

Juhani Pallasmaa, Roland Schweitzer
con Sami Tabet, Istituto Finlandese a
Parigi, 1987-90.

Juhani Pallasmaa, studio estivo
del pittore Vänö, 1970.

Juhani Pallasmaa, Museo d'Arte
di Rovaniemi, 1984-86.

Juhani Pallasmaa, prototipo
di sedia, 1990.

Francia

Commissario
Patrice Goulet

**40 + 40 architetti sotto i 40 anni.
Ritratto di una generazione
che costruisce**

Oxygène

Una costante: le storie dell'architettura e, in particolare, quelle dedicate all'epoca contemporanea, per quanto rare, paiono considerare unicamente la schiuma che affiora dalle riviste, vale a dire solo gli architetti e le costruzioni che hanno avuto l'opportunità di venir pubblicati. Sembra quasi che il terreno sia stato completamente esplorato e nulla dimenticato, che un colpo d'occhio basti per mettere ordine tra le cose. Ma le cose non stanno veramente così. Per dare una risposta a questa situazione l'Institut Français d'Architecture ha intrapreso un lavoro profondo che deve tradursi nella pubblicazione di cataloghi e indici, di una sorta di dizionario, di un lavoro che costituisce la sezione sommersa di un iceberg, la cui parte emersa invece è rappresentata da mostre dedicate a questioni ritenute significative, com'è il caso della prima che viene ora qui presentata, dedicata a un fenomeno eccezionale, l'emergere di una generazione di architetti giovani che ha avuto accesso alla committenza, potendo così dar prova di sé grazie alle opportunità offerte dai concorsi.

Abbiamo preso in considerazione progettisti con meno di quarant'anni, autori di almeno una costruzione. "Autori" nel senso "cinematografico" del termine: personaggi capaci di rischiare, dotati di una certa disinvoltura ma anche di carattere, della capacità di sorprendere, disposti all'azione, capaci di respirare l'aria dei tempi. Ma, per essere chiari, l'oggetto della nostra attenzione non sono individualità ma un "gruppo", e ciò si riflette nella struttura della mostra, simile a un catalogo.

Difficile prendere le distanze rispetto a questa generazione; ma certo negli ultimi dieci anni la situazione è mutata. Dieci anni fa gli architetti in Francia erano personaggi marginali, "eroi" reduci da disperate battaglie contro le istituzioni, le amministrazioni, i monumenti storici, le imprese, persino i clienti. L'architettura appariva bloccata poiché l'intransigenza era l'unica arma a disposizione, l'esclusione l'unica garanzia di integrità, la modernità una religione monoteista, poiché essere diversi o più semplicemente attenti e aperti era già un crimine, e tentare nuove strategie, esplorando nuovi territori, atti di connivenza con il nemico. Ogni progetto era il risultato di una battaglia non solo con l'ambiente ma con il progetto stesso, tale era lo stato di glaciazione caratteristico della riflessione teorica e della professione. Oggi regna un'apparente facilità, una forma di innocenza, una "leggerezza", tanto che ogni progetto o costruzione pare più il frutto di un piacere che di un combattimento. Non che ora vi sia meno bisogno di coraggio, ostinazione e abnegazione, ma è un fatto che attualmente una costruzione non deve più essere un'opera offensiva o difensiva: l'atmosfera non è più così negativa né la disciplina così introversa e dogmatica. Certo, gli architetti delle nuove generazioni possono sembrarci viziati: tutto è a loro disposizione; la modernità è acquistabile nei supermercati. Eppure bisogna sapersene servire. Dieci anni fa nessuno avrebbe potuto immaginare che potesse esistere un edificio come l'Institut du Monde Arabe o che il programma delle BCP (Biblioteche Centrali di Prestito) potesse aver successo, ma è bastato aprire le porte perché ricomparissero sulla scena nuovi "creatori" e architetture di qualità. Il livello medio cui far riferimento è così oggi migliorato, e idee inquietanti sulla supposta crisi dell'architettura e sulla – questa sì – reale crisi della città spingono l'architettura sulla strada giusta, che non può che essere quella della modestia.

Ma se bisogna parlare di crisi dell'architettura, cosa si dovrebbe dire degli anni in cui regnava la "pianificazione pesante"? E se bisogna discutere della condizione delle città, come dimenticare quegli anni senza cultura? La cosa peggiore sarebbe calare sull'architettura una nuova cappa di piombo e pretese di razionalità ("urbana") che bloccherebbero l'evoluzione in corso e ricondurrebbero la cultura in un ghetto. La cultura è legata all'avventura e al rischio, per questo piuttosto che preoccuparsi dell'apparente disordine che ne deriva sarebbe meglio tentare di rilanciare una politica che riapra le porte piuttosto che chiuderle. Grazie a quelle aperture gli architetti qui presentati hanno potuto esprimersi: una cultura per svilupparsi ha bisogno di ossigeno.

Patrice Goulet

Francia

Pierre du Besset, Dominique Lyon, sede di "Le Monde" a Parigi, 1990.

Pierre Lafon, Marion Faunières, sistema di collegamento a Kernilien, 1988.

Joseph Almudever, Christian Lefèbvre con Atelier L, spazio espositivo, Tolosa, 1989.

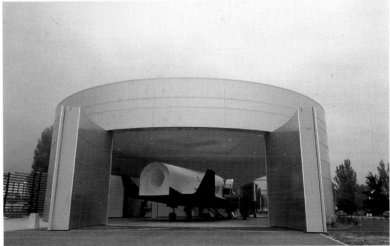

Studio Arche, Liceo agricolo
E. Herriut a Mizerieux, 1991.

Tetrarc, trasformatore EDF
a Bougnenais, 1989.

François Roche, casa del Giappone
a Parigi, 1990.

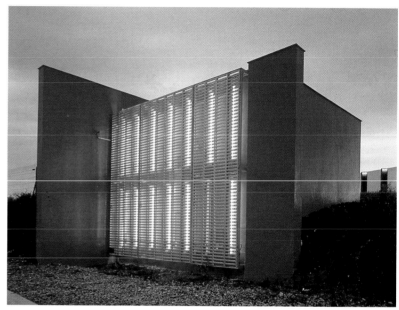

Canal (P. Rubin, D. Rubin, A. Le Bot),
Mediathèque J.P. Melville
a Parigi, 1989.

Catherine Furet, complesso
residenziale e commerciale
a La Courneuve, 1989.

Michel Roulleau, Claude Puaud,
cimitero a Bougnenais, 1991.

Germania

Commissario
Vittorio Magnago Lampugnani
Progetto scientifico
Marco De Michelis
Coordinamento
Annette Becker
Plastici
Igor Silic
Restauri
Barbara Schulze, Valerian Wolenik
Trasporti
Hasenkamp
Si ringraziano i prestatori
Karl Buttmann, Wulsbüttel
Joachim Brüninghaus, Regensburg
Hans Cronau, Hannover
Lore Troje-Elkan, Eindhoven
Karl Keller, Winterthur
Godber Nissen, Amburgo
Ulrich Scheibler, Winterthur
Annegret Tödtmann, Gütersloh
Tilman Zorn, Berlino
Archivio della città, Dresda
Archivio della città, Magdeburgo
Archivio della città, Pössneck
Archivio della città, Rostock
Deutsches Hugenottenmuseum,
Bad Karlshafen
Comune di St. Moritz
Institut Dalcroze, Ginevra
Institut für Denkmalpflege, Dresda
Landesarchiv, Berlino
Nationale Forschungs und
Gedenkstätten der Klassischen
Deutschen Literatur, Weimar
Nederlands Architectuur Instituut,
Amsterdam
Sächsische Wohnungsgenossenschaft,
Dresda
Schweizerische Theatersammlung,
Berna
Staatliche Mussen Stiftung
Preussischer Kulturbesitz
Kunstbibliothek, Berlino
Zentralarchiv, Berlino
Stadtarchiv, Berlino
Technische Universität, Berlin
Universitätsbibliothek, Plansammlung
Technische Universität, München
Architekturmuseum

Heinrich Tessenow, 1876-1950

La mostra che viene presentata nel Padiglione tedesco è stata progettata da Marco De Michelis su incarico del Settore Architettura della Biennale negli anni 1989-90. Nello stesso periodo Igor Silic ha costruito alcuni modelli destinati ad accompagnare l'esposizione. Limiti di bilancio hanno impedito alla Biennale di realizzare la mostra nei tempi previsti. Di fronte a questa difficoltà la Biennale ha aderito volentieri all'iniziativa del Deutsches Architektur Museum di Francoforte sul Meno che ha portato alla realizzazione del progetto elaborato da Marco De Michelis. Naturalmente il Settore Architettura ha accolto con grande piacere, contribuendo alla sua realizzazione, la decisione della Repubblica Federale di trasferire la mostra su Heinrich Tessenow nel Padiglione Tedesco a Venezia in occasione della Quinta Mostra Internazionale di Architettura.

La mostra è realizzata in collaborazione con la Kunstbibliothek, gli Staatliche Museen, la Stiftung Preussischer Kulturbesitz, Berlino.

Se la storia dell'architettura del XX secolo non viene ottusamente interpretata, a Heinrich Tessenow spetta il ruolo di grande maestro accanto a Bruno Taut, Walter Gropius e Mies van der Rohe. Egli si dedicò a tutti i temi architettonici del moderno tedesco: dalla casa al monumento, dalle tecniche artigianali alla costruzione in serie, dalla residenza unifamiliare alla città, dalla casa per il minimo esistenziale alla casa del Popolo. In tali ambiti, Tessenow, a differenza della maggior parte degli esponenti dell'avanguardia, non inseguì il nuovo in sé: cercò di unire il nuovo con l'antico, con la tradizione, con l'archetipo. Le architetture che ne derivarono non furono particolarmente spettacolari. Anche oggi che il nostro sguardo si sta mano a mano stancando dell'eccentrico, bisogna guardare l'opera di Tessenow molto da vicino per poterne cogliere le qualità. A un esame superficiale tutto sembra normale. Solo in un secondo momento si scopre che si tratta di una normalità squisita. Essa non è il prodotto di uno sforzo artistico ridotto, bensì di un lavoro creativo talmente intenso da superare se stesso. Come nell'allegoria del *Marionettentheater* di Kleist, la conoscenza architettonica di Tessenow della semplicità, dell'uniformità, dell'umiltà – tutti termini ricorrenti nei suoi testi teorici – è una conoscenza di ordine superiore. A fronte di tale discrezione non vi è da meravigliarsi se Tessenow per lungo tempo è rimasto nell'ombra della cultura architettonica tedesca e della sua storiografia. È pur vero che Giorgio Grassi ha pubblicato nel 1978 in Italia la sua opera principale, *Osservazioni elementari sul costruire*, che Gerda Wangerin e Gerhard Weiss nel 1976 diedero alle stampe una monografia sull'architetto e che alcuni anni fa Waltraud Strey ne ha pubblicato i disegni, ma dalle canoniche storie dell'architettura moderna, sia internazionali che tedesche, Tessenow è restato escluso e importanti omaggi gli vennero negati. Ora il Deutsches Architektur Museum, che si è posto come obiettivo principale il rinnovamento della storiografia dell'architettura tedesca del XX secolo, ha organizzato la prima grande mostra monografica sull'opera architettonica di Tessenow. In questa occasione il Museo ha utilizzato e incanalato le energie di due importanti istituzioni amiche, la Kunstbibliothek, proprietaria della maggior parte dell'archivio Tessenow, e il Settore Architettura della Biennale di Venezia che già alcuni anni fa aveva preso l'iniziativa di una mostra sull'architetto. Il Museo ha poi potuto usufruire del sapere che lo storico Marco De Michelis ha accumulato durante il suo decennale lavoro di ricerca su Tessenow. La mostra implica dunque anche una fondamentale reinterpretazione dell'opera di un architetto che anche quando non è stato del tutto dimenticato è stato però, anche volutamente, frainteso.

Vittorio Magnago Lampugnani

Casa Metzges a Remagen, 1909-10, plastico di Igor Silic, 1991.

Casa Otto nella città-giardino di Falkenberg, Berlino, 1912-13, plastico di Igor Silic, 1990.

Monumento a Hindenburg, Magdeburgo, 1936-39, plastico di Igor Silic.

Casa Doret a Csomahaza, 1918-19, plastico di Igor Silic.

Studio di un ingresso, 1916 ca.

Scuola con internato a Klotzsche nei pressi di Dresda, 1925-27, la corte centrale.

Promotori
Bundesministerium
für Raumordnung
Bauwesen und Städtebau
Bund Deutscher Architekten BDA
Allestimento
Wolfgang Heffe
Segreteria
Bund Deutschen Architekten

**Molteplicità di accostamenti:
l'architettura tedesca del futuro**

La nostra epoca, che vede l'unione dei due Stati tedeschi sullo sfondo dell'unità europea, pone con forza il problema di un'architettura nuova, aperta ai problemi, trasparente nelle proprie intenzioni sia nel settore pubblico che in quello privato.

I processi che hanno caratterizzato le trasformazioni culturali e politiche si riflettono nel variegato panorama dell'architettura degli anni Ottanta. La ricerca di nuovi riferimenti e modelli non si è affatto esaurita e segue direzioni diverse, dal classicismo postmoderno al modernismo storicista, dal razionalismo tematico al nuovo regionalismo, dall'*high tech* al decostruttivismo, dal restauro critico alla ricerca del grazioso nostalgico, dai modelli di trasformazione urbana ispirati all'ecologia all'edilizia che mira al risparmio energetico. Il mutamento politico verificatosi in Germania non può non influenzare l'architettura. Una delle più odiose opere architettoniche degli anni Sessanta, il muro di Berlino, non divide più il paese; gli architetti sono ora chiamati a confrontarsi con i problemi di una nazione più vasta, dotata di una più complessa cultura architettonica. In questa situazione è impossibile pensare il ritorno a una prassi progettuale di stampo tecnocratico. I grandi problemi che angustiano il territorio dell'ex Germania Orientale e la decisione del Bundestag di fare di Berlino la sede del Parlamento e del governo federale richiedono mentalità diverse. Il fascino della ricerca formale non può far passare in secondo piano problematiche di ordine planetario quali il disequilibrio delle condizioni sociali e delle situazioni ecologiche tra periferie e centri urbani, l'ingiusta distribuzione del benessere, che possono essere affrontate proprio a partire dalle metropoli dei paesi industrializzati più ricchi.

Il superamento delle tensioni tra Est e Ovest ha liquidato l'eredità del dopoguerra. La conservazione delle nostre città per il futuro è ora una responsabilità collettiva. "Il principio della storia – come ha scritto Ernst Bloch – è l'uomo che lavora, opera, trasforma e supera l'esistente. Allorché l'uomo giunge a comprendere se stesso e a radicarsi nella vera democrazia libera dall'alienazione, allora si rivela una condizione che appare nella fanciullezza ma che mai è stata raggiunta: l'*Heimat*".

A queste parole si ispira il contributo che la Repubblica Federale Tedesca offre alla Quinta Mostra Internazionale di Architettura della Biennale e che consiste nella presentazione delle opere di numerosi giovani architetti che esemplificano la molteplicità di approcci e il dibattito in corso nel paese; nei ritratti sommari di alcuni tra i più autorevoli architetti degli ultimi vent'anni quali Günter Behnisch, Gottfried Böhm, Frei Otto, Karljosef Schartner, Oswald Matthias Ungers; una presentazione video di Klaus-Dieter Weiss dell'architettura tedesca del Novecento; una ricognizione sull'attività progettuale e edilizia in Germania. Un apposito catalogo accompagna la mostra.
Carl Steckeweh

Dörte Gatermann, Elmar Schossig,
Stamperia Asmuth, Amburgo, 1990.

Karl Dudler, Max Dudler, Pete
Welbergen, fabbrica a Berlino, s.d.

Karl Dudler, Max Dudler, Pete
Welbergen, edificio sulla Lützowplatz
a Berlino, s.d.

Andreas J. Keller, progetto di
concorso per il Museo Nazionale
Scozzese a Edimburgo, 1991.

Christoph Mäckler, Il moderno
rimaterializzato, 1991.

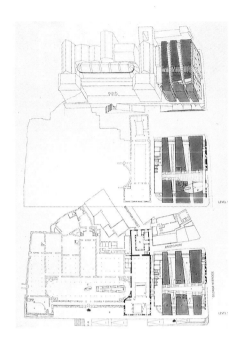

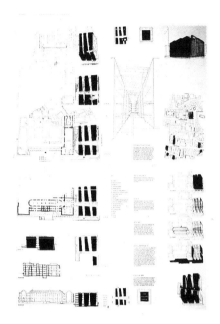

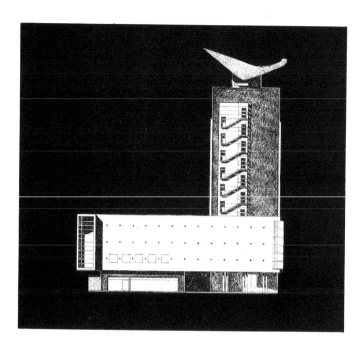

Johann Eisele, Nicolas Fritz,
progetto per la sede dell'emittente
televisiva ZDF, Mainz, 1989.

Rüdiger Kramm, abitazione
a Darmstadt, 1988.

Rüdiger Kramm, ufficio
e abitazione a Darmstadt, 1990.

Andreas Brandt, Rudolph Böttcher
con Liliana Villanueva, progetto per
il centro di Hellersdorf a Berlino,
1990.

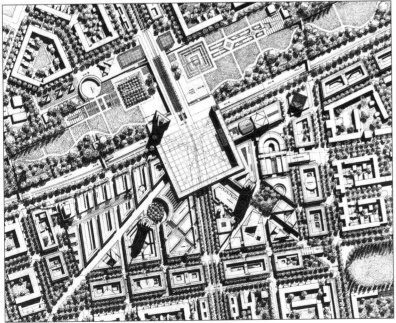

Hans Kollhoff, Alexanderplatz
"una piazza per Döblin", 1990.

Axel Schultes (Bangert, Jansen,
Scholz, Schultes), Friedrichstadt,
Berlino, 1990.

Torsten Krüger, Uwe Salzl, Bertram
Vandreike, Deutsches Historisches
Museum a Potsdam, 1991.

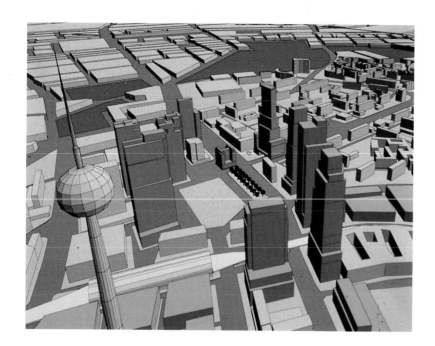

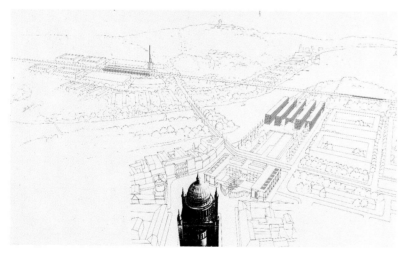

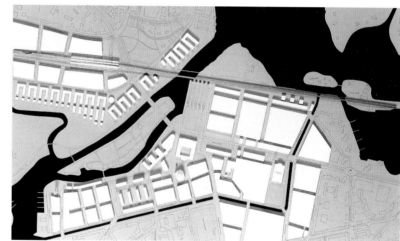

Christoph Langhof, Urbane Akupuntur, progetto per "una città bianca" a Berlino, 1991.

Benedict Tonon, Centro Comunicazioni e Stampa a Berlino, 1990.

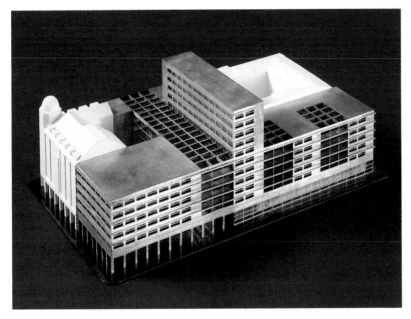

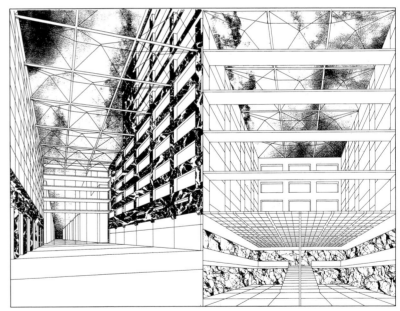

Giappone

Commissario
Kiyoshi Kawasaki
Vicecommissario
Mana Takatori

Cinque architetti giapponesi: Shin Takamatsu, Kazuhiro Ishii, Arata Isozaki, Fumihiko Maki, Seizo Sakata

Desidero presentare qui i cinque architetti giapponesi presenti alla Quinta Mostra Internazionale di Architettura della Biennale. Essi possono, per vari motivi, essere considerati rappresentanti del Giappone e inoltre sono gli stessi che sono stati invitati al concorso per la progettazione del nuovo auditorio a Kyoto, il cui vincitore è stato prescelto in giugno. Poiché finora le loro opere non sono state ancora presentate, mi è difficile pronunciarmi con un qualsiasi giudizio, ma non nutro alcun dubbio sulla loro capacità di evidenziare i diversi aspetti e tendenze presenti nel mondo dell'architettura contemporanea giapponese. Sicuramente per gli stessi architetti queste opere sono state realizzate superando difficoltà ben più ardue che in passato, e questo principalmente perché tutte le opere sono state realizzate intorno a un'unica tematica, quella del luogo-spazio. Quel concorso era stato organizzato all'interno di una serie di manifestazioni per celebrare il milleduecentesimo anniversario della fondazione della città di Kyoto. Come a Parigi per i duecento anni dalla Rivoluzione francese sono stati realizzati grandiosi progetti, così anche a Kyoto sono state organizzate manifestazioni e iniziative, tra cui la costruzione del nuovo auditorio. Kyoto è stata capitale del Giappone dal 794 al 1868 ed è stata la culla della civiltà e della cultura tradizionali, come testimoniano i numerosi edifici storici ancora conservati. Ma alla fine del XIX secolo profondi mutamenti politici e istituzionali portarono al trasferimento della capitale all'odierna Tokyo e anche Kyoto fu coinvolta nel processo di modernizzazione e di europeizzazione che investì tutto il Giappone.

Dal punto di vista urbanistico furono realizzate alcune trasformazioni, non paragonabili però alla ristrutturazione avvenuta a Parigi e nemmeno al processo di ricostruzione realizzato a Tokyo e Osaka, entrambe colpite più volte dai bombardamenti. In realtà, ciò che è avvenuto a Kyoto è stato un graduale processo di modernizzazione e di trasformazione della parte antica, interamente costruita in legno, in una città moderna dove coesistono edifici tradizionali e moderni in una compresenza che è la peculiarità del panorama urbanistico di Kyoto. Questa apparente armonia nasconde però un profondo contrasto tra tradizione e modernità, anche perché è ancora radicato in taluni il concetto che la città di Kyoto debba preservare il vero stile tradizionale giapponese. Quel che dunque si presenta come problema da risolvere è come il moderno possa diventare il degno successore della tradizione del passato, in altre parole, come sia possibile realizzare degli spazi che siano radicati nella cultura e in un ambiente locale piuttosto che in uno internazionale. La soluzione del problema potrebbe rappresentare un'apertura nel panorama urbanistico della città.

I cinque architetti presenti a questa edizione della Biennale sono tutti nati nel periodo tra il 1928 e il 1948, e hanno cominciato la loro attività tra il 1960 e il 1980. Proprio in quegli anni si era manifestata la crisi dell'architettura concepita in termini moderni e profondi cambiamenti nello stesso concetto di architettura stavano facendosi largo. Questi cinque artisti si sono inseriti nel nuovo processo: la loro attività si pone a livello internazionale e le loro opere sono note in Giappone e all'estero. Sicuramente essi non sono gli unici degni rappresentanti dell'architettura giapponese, ma trovo giusto dar loro l'opportunità di poter rappresentare l'architettura giapponese in questa edizione della Biennale. Il loro repertorio spazia dal moderno al postmoderno, dal popolare al nostalgico e alla più alta tecnologia. La loro ricerca è incentrata sul modo in cui rappresentare l'identità giapponese e insieme la realtà ambientale di Kyoto. L'onore andrà poi a chi avrà saputo esprimere al meglio della sua individualità l'integrazione nel moderno e le metamorfosi che il concetto di bellezza giapponese ha subito nel tempo. È interessante anche capire come essi comprendono il concetto di diversità all'interno della loro generazione e come questo si sia realizzato nell'ambiente di Kyoto. Ugualmente interessante sarebbe capire se le loro opere sono da considerarsi esempi di un XX secolo che sta tramontando o di un XXI secolo che sta sorgendo.

Interrogativo che spero verrà risolto da questa edizione della Biennale.
Kawasaki Kiyoshi

Kazuhiro Ishii, nuovo auditorio
a Kyoto, 1990.

Arata Isozaki, nuovo auditorio
a Kyoto, 1990.

Fumihiko Maki, nuovo auditorio
a Kyoto, 1990.

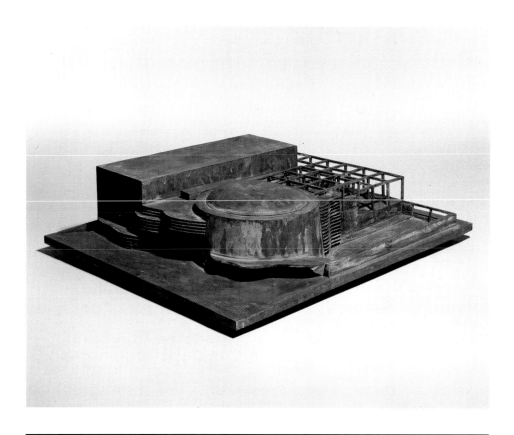

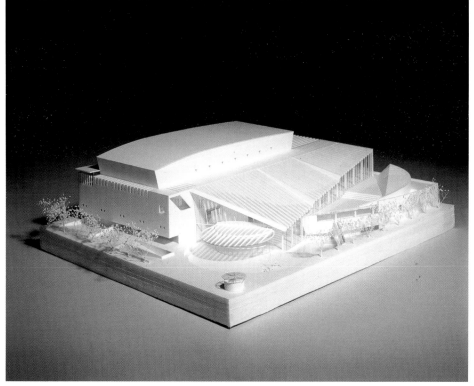

Shin Takamatsu, nuovo auditorio
a Kyoto, 1990.

Seizo Sakata, nuovo auditorio
a Kyoto, 1990.

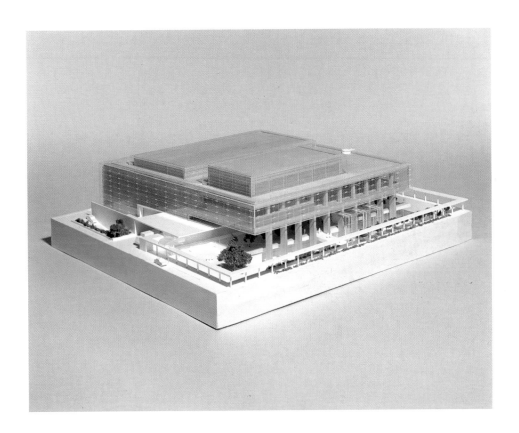

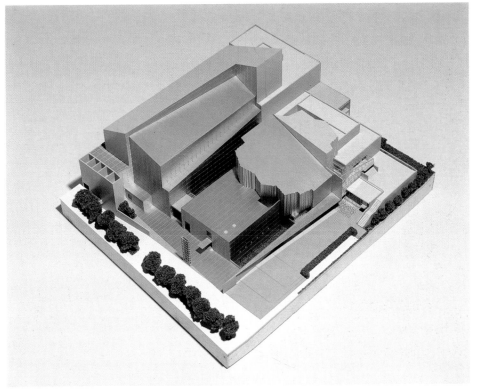

Gran Bretagna

Commissario
Henry Meyric Hughes, The British
Council

Architettura inglese d'oggi:
sei protagonisti

La partecipazione inglese alla Quinta
Mostra Internazionale di Architettura
della Biennale intende fornire l'opportunità di conoscere il lavoro e l'opera
di sei tra i maggiori architetti britannici. La rassegna si inserisce nella continua discussione che si svolge in Gran
Bretagna circa i meriti e demeriti dell'architettura contemporanea, in concomitanza con il crescente interesse
che si registra a livello internazionale
per questa disciplina. La rassegna è
una sezione significativa ma non esaustiva dello stato dell'architettura contemporanea inglese anche se paradossalmente Sir Norman Foster, Sir
Richard Rogers e James Stirling hanno
contribuito al formarsi di una tradizione per lo più con opere realizzate all'estero. Negli ultimi anni Nicholas Grimshaw, Michael Hopkins e John Outram
hanno contribuito al rafforzarsi di questa tradizione con realizzazioni di diversa impostazione stilistica e formale.
Ma il carattere inglese di questi architetti non si esprime nell'uniformità
dello stile o dei metodi, quanto piuttosto nel pragmatismo e nell'abilità costruttiva.

James Stirling (1926) espone alla Biennale una selezione retrospettiva dei
propri progetti, dagli anni Cinquanta
al 1990. Norman Foster (1935) ha affidato all'artista Ben Johnson il compito
di fotografare quattro delle sue opere
più recenti. Richard Rogers (1933), attualmente assai impegnato con incarichi in Giappone, espone una selezione
dei suoi progetti per Tokyo. Nicholas
Grimshaw (1939) indaga il rapporto
tra architettura e produzione industriale esponendo un solo progetto.
Eric de Mare, uno dei migliori fotografi
inglesi, analizza l'opera di Michael
Hopkins (1935). John Outram (1934)
espone opere che evidenziano i suoi
interessi per i temi della decorazione e
della tradizione del pittoresco.
Jacqueline Ford

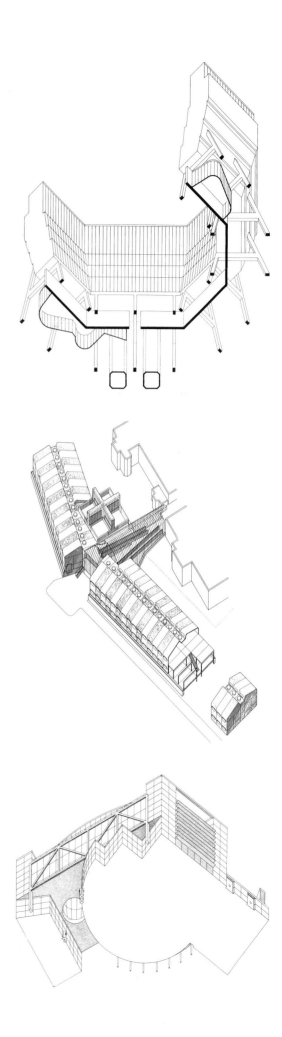

James Stirling, progetto per
il Queens College a Oxford, 1966.

James Stirling, centro di formazione
Olivetti a Haslemere, 1969.

James Stirling, progetto per la sede
della direzione di Channel Four
a Londra, 1990.

Norman Foster, aeroporto
di Stansted, 1981-91.

Richard Rogers, K1 Tower Exhibition
Space, Tokyo, 1990.

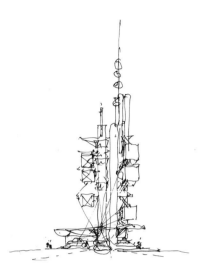

Nicholas Grimshaw, Financial Times
Printing Works, Londra, 1986-88.

Nicholas Grimshaw, Sainsbury Store
a Camden Town, 1985-88.

Nicholas Grimshaw, Grand Union
Walk a Camden Town, 1985-88.

Michael Hopkins, casa Hopkins, Londra, 1976.

Michael Hopkins, laboratori Schlumberger, Cambridge, 1982-84.

John Outram, Storm Water Pumping
Station, Londra, 1985-88.

John Outram, edificio
al 200 di Queen Victoria Street,
Londra, 1989.

Grecia

Commissario
Helen Fessas Emmanouil

Dimitris Pikionis, 1887-1968

Dimitris Pikionis ha svolto un ruolo decisivo per lo sviluppo dell'architettura e dell'arte moderna in Grecia nel XX secolo. Sin da giovane egli venne educato a una attenzione particolare per la tradizione classica e per i problemi dell'arte moderna. Nel 1903 si iscrisse al Politecnico di Atene, frequentando i corsi di ingegneria civile. Durante questo periodo stabilì rapporti di amicizia con De Chirico e Bouzianis. Risalgono a questi anni anche gli incontri con lo scrittore Dimitris Kambouroglou, con il poeta Perikles Yannopoulos, con il pittore Parthenis, il più importante innovatore della pittura moderna in Grecia. Costoro persuasero il padre di Pikionis a consentirgli di recarsi a Monaco per studiare pittura. Da Monaco Pikionis si trasferì a Parigi, ove tra il 1909 e il 1912 studiò pittura e architettura – disciplina, quest'ultima, alla quale finì ben presto per dedicare tutta la propria attenzione. Come ebbe modo di scrivere, ricordando gli anni parigini e il lavoro svolto per l'architetto Chifflot, "l'architettura esercitava una certa attrazione estetica su di me [...] ma ciò è sostanzialmente diverso dal complesso approccio ai problemi della costruzione che un architetto deve attraversare. La lettura di Guadet mi ha fatto da guida e mi ha sentimentalmente stimolato alla conoscenza di epoche e luoghi diversi". Nel 1912 Pikionis ritornò in Grecia. Lo stile architettonico prevalente era allora il neoclassicismo, sebbene fossero attivi alcuni progettisti impegnati a interpretare il volto della nuova Grecia moderna. Pikionis era allora solito trascorrere l'estate a Egina, ove si dedicava allo studio dell'arte popolare, come dimostra il suo primo articolo intitolato *La nostra arte popolare e noi stessi*. Con altri amici pittori fondò poi la rivista "Terzo occhio". Come scrisse in quegli anni, "tutti i sintomi stanno a indicare che ci avviamo a un'epoca critica. Un nuovo spirito, che in realtà è l'antico spirito dell'architettura, sta nascendo. Architettura, pittura e scultura, tutte le arti sono chiamate a sottomettersi alle esigenze dello spirito costruttivo". Con la realizzazione di casa Karamanos (1925) e della scuola elementare di Atene del 1932, egli si confrontò con le coeve esperienze del movimento moderno, che in seguito ebbe a criticare, come dimostrano alcune sue affermazioni: "A un certo punto i miei principi estetici mutarono [...] certamente ciò che è bello appartiene all'organico, ma non necessariamente tutto ciò che è organico è bello [...] la concezione razionalista della forma non può essere valida in ogni occasione [...] l'architetto non deve inventare nuove forme ma deve re-inventare forme esistenti per adattarle ai nostri bisogni contemporanei". Tali principi ispirarono la scuola sperimentale che avviò a Salonicco e il lavoro compiuto a partire dagli anni Cinquanta. L'opera più importante di questo periodo è rappresentata dalla sistemazione dell'area circostante l'Acropoli di Atene. Pikionis dedicò a quest'opera ogni attenzione, lavorando personalmente alla realizzazione delle proprie soluzioni e soprintendendo di persona a ogni fase del lavoro. L'ultima opera fu un campo giochi per il quartiere di Filotei ad Atene, realizzato ancora seguendo il lavoro nella maniera più diretta, poiché come egli ebbe a scrivere, "ciascuno sa che la forma di un'opera d'arte affiora dal vero rapporto tra l'artista e gli altri uomini e che non è il risultato del lavoro di un singolo ma di molte persone, e che all'interno di ogni lavoro vi è qualche cosa di fondamentale che lo rende proprietà di tutti. In altre parole essa possiede, con le parole del nostro poeta Solomos, "il comune e il proprio", per cui quella forma ci appare obiettiva e non mera espressione personale". Pikionis trascorse appartato gli ultimi anni della sua vita che ebbe fine il 28 agosto 1968.
Agnes Pikionis

Tendenze dell'architettura greca contemporanea

Un numero limitato di edifici pubblici di costruzione recente, progettati da architetti maturi e affermati, che provengono da diverse esperienze culturali, ideologiche ed estetiche. Gli architetti sono: Nicos Valsamakis, Suzana Antonakakis e Dimitris Antonakakis, fondatori dell'Atelier 66, e Alexander Tombazis, fondatore dello Studio A.N. Tombazis and Associates.
Nicos Valsamakis, nato nel 1924, è un protagonista del modernismo e del postmodernismo in Grecia, che si è costantemente preoccupato di mantenersi al livello delle maggiori correnti architettoniche contemporanee. Pur avendo lavorato in parallelismo con le tendenze internazionali prevalenti (il minimalismo miesiano, il purismo neocubista, il neorazionalismo), è riuscito ad assimilarle nella sua opera come elementi di una matura espressione personale. Gli ultimi lavori di Valsamakis dimostrano la sua intenzione di fondere gli stili internazionali più attuali, come il neorazionalismo, con i corrispondenti linguaggi dell'architettura pubblica neoellenica.
Suzana (nata nel 1935) e Dimitris (nato nel 1933) Antonakakis hanno coltivato fin dall'inizio un atteggiamento critico nei confronti della corrente principale dell'architettura internazionale. Nei loro primi lavori si provavano a stemperare la razionalità del modernismo ricorrendo a materiali indigeni e alla massima sensibilità per il contesto. Gli ultimi lavori degli Antonakakis rivelano la loro eclettica aspirazione a fondere elementi degli sviluppi meno convenzionali, lo strutturalismo olandese, l'empirismo e il neoespressionismo con motivi e tecniche costruttive tradizionali.
Anche Alexander Tombazis, nato nel 1939, ha lavorato con un occhio attento agli sviluppi architettonici meno convenzionali, come il brutalismo e il metabolismo giapponesi, ma buona parte dei suoi progetti di maggior respiro esprimono un forte interesse per le tecnologie produttive più avanzate. Attraverso il suo studio di architettura Tombazis ha dimostrato di saper controllare tutti gli aspetti delle procedure di progettazione e produzione. Per questo motivo i suoi edifici hanno spesso conquistato i massimi livelli di qualità e precisione tecnica. Dal 1977 Tombazis si è avventurato lungo percorsi poco battuti, come gli edifici riscaldati con energia solare attiva e passiva.

18 progetti per il Padiglione greco alla Biennale di Venezia

Il compito di organizzare la seconda sezione del Padiglione greco è stato affidato alla direzione di "Tefchos", una rivista d'architettura, arte e design internazionale pubblicata ad Atene. Vengono esposte diverse proposte di progetto per la ricostruzione del Padiglione greco alla Biennale che illustrano gli orientamenti ideologici e stilistici della giovane generazione di architetti greci. La sezione è stata curata da Takis Koubis, Yorgos Simeoforidis, Yorgos Tzirtzilakis e Theodoros Stephanopoulos.

Dimitris Pikionis, 1887-1968. Scuola elementare ad Atene, 1932. Scuola sperimentale a Salonicco, 1935.

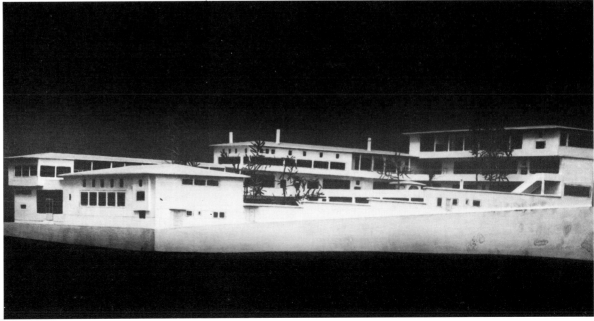

Sistemazione dell'area circostante
l'Acropoli, Atene, 1951-57.

Terreno di gioco per bambini
ad Atene, 1961-65.

Nicos Valsamakis, edificio bancario
ad Atene, 1979-91.

Nicos Valsamakis, casa Lanaras
a Anavyssos, 1961.

Atelier 66 (Suzana Antonakakis, Dimitris Antonakakis, Th. Fotiou), Scuola per infermiere, Università di Creta, 1982.

Atelier 66 (Suzana Antonakakis, Dimitris Antonakakis, Th. Fotiou), hotel Lythos, Anissaras, Creta, 1974-76.

Alexander Tombazis and Associates, grande magazzino al Pireo, 1986-89.

Alexander Tombazis and Associates, progetto del memoriale della battaglia di Creta, Lania, Creta, 1990.

ARSIS (K. Moraitis,
T. Athanasopoulos, K. Helidoni, N.
Molohadi).

Catherine Diakomidis, Nicolaos
Haritos, Crisis Architectural Design.

Maria Kokkinou, Andreas
Kourkoulas, C. Paniyiris, D. Korres,
A. Vasilakis.

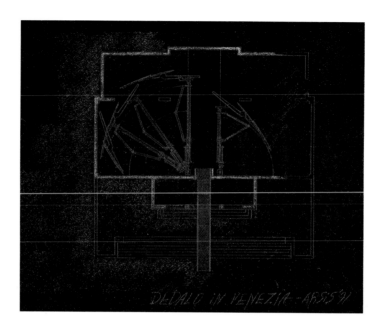

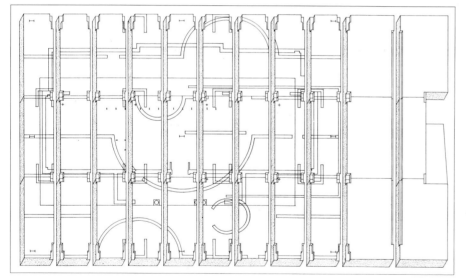

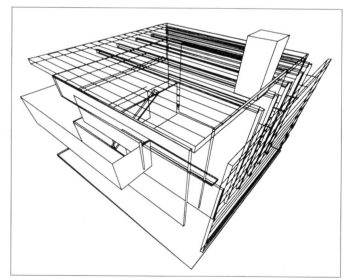

Pantelis Nikolakopoulos

Mimnermoi 2 Architects
(A. Spanomaridis e I. Zachariades).

Panos Koulermos con Mark Gangi,
Giulian Reid, Sotiris Papadopoulos,
Costas Costopoulos.

Lois Papadopoulos, George
Papakostas.

Morpho Papanikolaou Pappa, Irena
Sakellaridou.

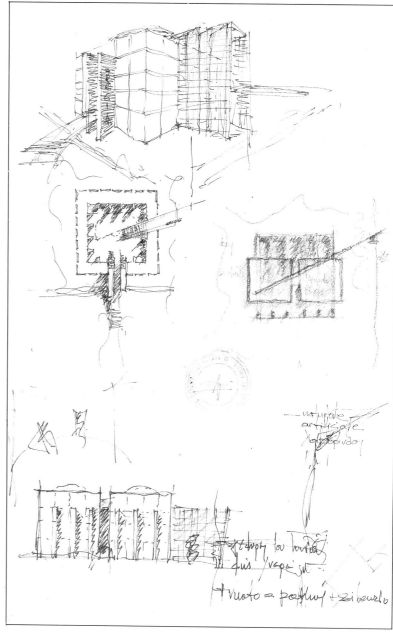

Christos Papoulias.

Costantino Patestos, Dimitri Tsakalakis.

Architectural Design Office YPNOS.

George Triantafillidis.

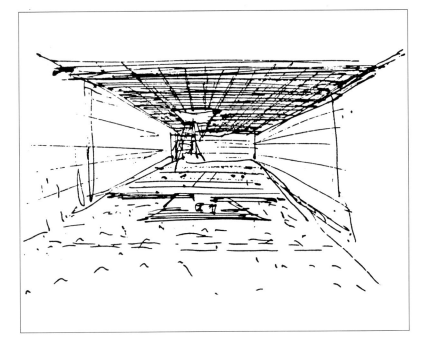

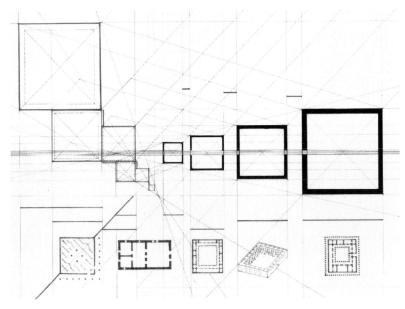

Israele

Commissario
Peter Szmuk

Quattro luoghi, due città: il progetto come dialettica

L'architettura in Israele va considerata sullo sfondo dell'amalgama culturale della società israeliana moderna e delle svariate influenze cui è stata esposta. Anche nella breve durata della storia moderna sono diverse le fonti di ispirazione locali ed europee interagenti nella ricerca di un'adeguata espressione formale dell'identità nazionale. Oggi in luogo di un insieme predominante e omogeneo di influenze, esiste invece una miriade di fonti di ispirazione. L'aspetto caratteristico della progettazione in Israele è l'incessante sensibilità all'interazione di questi precedenti. Come progettisti stiamo imparando a rendere coerenti fra loro queste fonti diverse oltre che a rappresentare taluni conflitti e opposizioni ad esse inerenti. Invece di ricadere nella riaffermazione sentimentale e semplicistica delle influenze contestuali e regionali, la progettazione sta imparando a convivere con la dialettica.

La più importante di queste contrapposizioni teoriche è data dal contrasto tra l'innovazione, da un lato, e il localismo e la tradizione, dall'altro. Gerusalemme e Tel Aviv possono essere considerate le espressioni di questi valori dialettici. Il contrasto tra città storica e città moderna, il senso della tradizione e dell'innovazione, rappresentati dai rispettivi linguaggi architettonici, sono emblematici di questo dualismo.

La centralità di Gerusalemme nell'immaginazione, nella storia e nel pensiero di tre grandi religioni ha creato una mistica che trascende i confini fisici e geografici per divenire parte della coscienza nazionale. Questa città, immersa nell'atmosfera della continuità storica, è dotata di uno straordinario senso di presenza. È una città a molti livelli, nel senso fisico come in quello metaforico; e per il progettista la sua prepotenza può renderla ermetica. La via d'uscita più semplice dalla fobia del contesto è il *pastiche*: l'orientalismo è un segno appunto della patologia del contesto. Per non cadere vittima di questa strategia, la progettazione deve farsi ermeneutica, deve essere esplorazione e ricerca del significato; il progettista dunque, per poter progettare, deve sbrogliare l'intrico delle istituzioni spaziali e concettuali della città.

Tel Aviv è la città aperta e dinamica di una società laica, con tradizioni urbane modernistiche e europee. Qui è stato esplorato lo stile internazionale, realizzandone, nella giovane città sulla riva del mare, il potenziale architettonico e urbano. L'impulso all'innovazione si è materializzato nel lessico di un modernismo tradotto in linguaggio mediterraneo. L'aspetto bianco, geometrico del cuore pianificato di Tel Aviv è un artificio concettuale e intellettuale, un'immagine progressista per una società nuova. La dignità di un tessuto urbano costruito con la coerente sintassi dei blocchi isolati e degli spazi urbani ridotti, l'integrazione delle funzioni all'interno della struttura dei blocchi residenziali, hanno creato un senso affatto unico di urbanità. Ma il fatto di confinare con il Mediterraneo ha introdotto anche influenze vernacolari locali e regionali, che temperano tanta razionale purezza.

Viviamo e lavoriamo contesi tra i miti di queste due città: Gerusalemme, una vitale fonte di poesia e metafore, ricca di contesto e di atmosfera; Tel Aviv, la città dinamica e aperta, che possiede comunque una propria tormentosa presenza storica. Ognuna di queste città, inoltre, intrattiene un rapporto notevole con la natura che la circonda: Gerusalemme con le colline di Giudea e la discesa verso il deserto; Tel Aviv, la città della pianura e del Mediterraneo. Nelle due città si trasfigura un altro dualismo, quello della città e del paesaggio. La manipolazione del paesaggio e del suo contenuto simbolico, la resurrezione delle tipologie, il radicamento di un linguaggio comune nella sfera pubblica: questi alcuni dei problemi lungo la via della costruzione di un paesaggio regionale.

A queste qualità delle due città si sovrappone una complessa stratificazione di fattori culturali, sociali e politici. Si aggrava così l'impossibilità di una qualsiasi affermazione omogenea dell'identità nazionale: la consapevolezza della cultura mediterranea, della tradizione giudaico cristiana, della cultura e dell'architettura dell'Islam, contribuisce a quella che potremmo definire un'ipercontestualità.

Se è possibile abbozzare le linee di una coscienza progettuale nazionale, di una sensibilità che trascenda le creazioni individuali, è in vista di questo obiettivo che abbiamo scelto questi quattro lavori per rappresentare alla Quinta Mostra di Architettura della Biennale gli interessi e i valori della progettazione in Israele. Siamo convinti che questi lavori siano reciprocamente complementari, costituendo un insieme che delinea appunto queste opposizioni e talune strategie artistiche per superarle. È questo il mezzo attraverso il quale speriamo di poter illustrare la dialettica concettuale sottesa al discorso architettonico in Israele.

Abbiamo scelto questi quattro luoghi perché in essi si materializzano le sfide implicite nella ricerca di un'identità; per la loro capacità di contenere e simboleggiare queste complessità senza scendere a compromessi e per la loro ricerca di strumenti espressivi trascendenti le semplici formule del regionalismo vernacolo. E, infine, per la loro inquietante e suggestiva potenza visiva.

Dani Karavan, piazza Bianca
a Tel Aviv.

Moshe Safdie, Hebrew Union College
a Gerusalemme.

Shlomo Aronson, la passeggiata
Gabriel Sherover a Gerusalemme.

Zvi Meker, Spiral House a Ramat
Gan.

Jugoslavia

Serbia

Commissario
Svetlana Isaković
Vicecommissari
Mariana Teofanović
Dragan Zivković

Croazia
Commissario
Davor Matićević
Assistente
Tihomir Milovac

Branislav Mitrovic, complesso
residenziale a Novi Sad, 1986.

Branislav Mitrovic, Scuola
di Belle Arti a Belgrado, 1987.

Vasilije Milunović e Branislav Mitroviv, architetti

Vasilije Milunović e Branislav Mitrović si impongono all'attenzione negli anni Settanta partecipando a alcuni concorsi in Jugoslavia e all'estero, le uniche occasioni per loro di lavoro per lungo tempo. Ora, in età più matura, sono impegnati nell'esecuzione dei loro incarichi con professionalità senza aver smarrito però l'entusiasmo giovanile. Le origini del loro lavoro vanno ricercate nella tradizione architettonica jugoslava. I principi classici, lo spirito medievale, l'influenza della cultura urbana ma anche del folklore sono mescolati nelle ricerche spaziali di questi due architetti.

Vasilije Milunović è nato a Cetinje nel 1948 e si è laureato alla Facoltà di Architettura di Belgrado nel 1974. Ha ricevuto diversi premi e dal 1978 ha costruito alcuni edifici tra i quali due scuole a Belgrado.

Branislav Mitrović è nato a Bor nel 1948 e si è laureato alla Facoltà di Architettura di Belgrado nel 1974, dove in seguito è divenuto docente. Ha ottenuto molti riconoscimenti e la sua opera comprende diversi complessi residenziali e la nuova Scuola di Belle Arti di Belgrado.

Dragan Zivković

La casa con sei stanze uguali

La *Casa con sei stanze uguali* ha una struttura che le conferisce una natura astratta. Si presta a interventi creativi. Suscita nuove reazioni di fronte al rapporto forma-funzione e si colloca al di fuori delle convenzioni. Ha una pianta razionale e una facciata poetica. La pianta è simbolica, la facciata in stile. La pianta semplice è abbracciata dalla facciata semplice. La *Casa con sei stanze uguali* nasce da una arguzia grafica; è un ideogramma circa l'adattabilità delle stanze d'abitazione. Secondo un'ipotesi di origine strutturalista – "qualsiasi cosa non può stare insieme se non può stare sola nei confronti del resto" – tutto è relativo sia nella realtà che in assoluto, quindi ogni funzione è considerata paritetica. Per ogni azione viene approntata o negata una stanza uguale. Tutte le stanze sono collegate da o divise da porte; l'unico spazio è il corridoio. Poiché le porte separano e collegano, tutta la casa può diventare un unico spazio, e lo spazio può diventare una stanza.

Davor Crnković

Davor Crnkovic, La casa con sei stanze uguali.

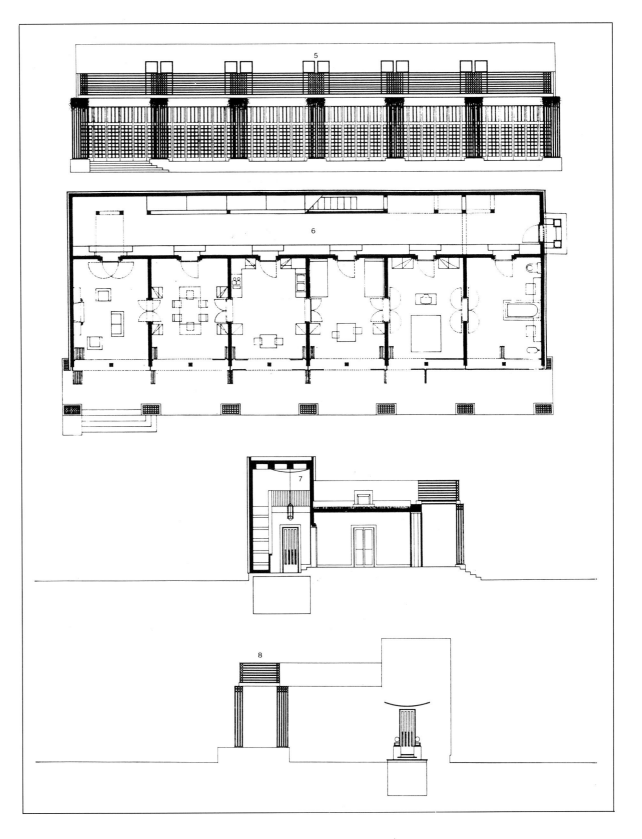

Lussemburgo

Commissario
Lucien Kayser

Ermann e Valentiny architetti: dilemmi lussemburghesi

Grazia e vastità si fondono nel paesaggio lussemburghese, che richiederebbe il pennello di Poussin e la cui capitale è stata così ben descritta da Goethe. Luogo di passaggio di molti eserciti, il Lussemburgo è ricco di testimonianze di architettura militare e la capitale, chiamata anche la "Gibilterra del Nord", è oggetto delle attenzioni degli storici per il suo ingegnoso sistema di fortificazioni. Dato il suo passato ed essendo un paese essenzialmente agricolo preoccupato per la propria sicurezza, il Lussemburgo non pare una realtà in grado di favorire le innovazioni e la conservazione del patrimonio storico prende spesso il sopravvento. Al proposito si può ricordare un caso sintomatico: per costruire un museo di arte contemporanea, il governo aveva ritenuto di aver individuato un'area ideale, di fronte al più antico quartiere della capitale, su uno sperone roccioso e verde. La presenza di un'antica fortificazione à la Vauban ha fatto esplodere immediatamente la polemica tra i difensori dell'integrità del luogo e quanti favorivano l'integrazione della vecchia costruzione nel nuovo progetto affidato a I.M. Pei. Il medesimo problema, l'eterna questione del rapporto tra antico e moderno, è al centro anche del lavoro di Hubert Hermann e Francy Valentiny, l'uno austriaco e l'altro lussemburghese, che rinnovano con la loro collaborazione l'antico asse delle relazioni tra Lussemburgo e Vienna. Al riguardo non mancano i precedenti storici e basterebbe ricordare ancora una volta il nome di Steinmetz(er) per averne una prova. Ma veniva dal Tirolo anche la famiglia di architetti Mungenast, alla quale appartenevano Paul e Simon, i costruttori dell'abbazia di Echternach, mentre oggi dall'alto dello Schlossbrücke (1735), nella valle dell'Alzette, si può ammirare, sul sito della vecchia prigione, una delle migliori opere di Hermann e Valentiny.

Se una volta le scuole belghe e francesi attiravano i giovani lussemburghesi, ora, come dimostra la vicenda di Rob Krier, il rapporto con Vienna si è rinsaldato nello spirito dell'affermazione di Valentiny: "Se a Vienna ho conosciuto un mondo da cui posso trarre nutrimento spirituale, in Lussemburgo ho trovato un ambiente razionale".

Hermann e Valentiny reagiscono alla "modernità" snaturata e svuotata dal tecnicismo e dalla tecnocrazia degli anni 1950-70, anche se al riguardo bisogna evitare di evocare il termine "postmoderno", una espressione polemica e che richiede troppe definizioni. Se gli anni Ottanta hanno portato alla fioritura di una nuova fantasia, l'uso schematico di questa definizione rischia di appiattire la realtà degli avvenimenti. Hermann e Valentiny non sempre hanno rinunciato all'uso della citazione, come ha ricordato il loro insegnante Wilhelm Holzbauer parlandone come di "due studenti brillanti, dotati di un vasto vocabolario, forse troppo inclini alle sollecitazioni dell'attualità". Ma nell'ultimo decennio hanno sviluppato "una aspirazione sempre più radicata a esprimere analiticamente i compiti della costruzione", conseguendo in tal modo un sempre maggior rigore, accorciando sempre più le briglie della fantasia.

Non è facile definire il linguaggio dei nostri due architetti. Termini generali quali geometria, simmetria, densità valgono ma fino a un certo punto ed è preferibile riferirsi a esempi precisi della loro opera, come al posto di frontiera tra il Lussemburgo e la Germania sull'autostrada sopra Wasserbillig. Estetismo e formalismo qui convivono felicemente con materiali diversi, con le colonne e la copertura metallica, all'interno di volumi netti, in un gioco vivace di linee. È una costruzione imponente, che segna il paesaggio apparendovi però con leggerezza. Anche nelle loro residenze e abitazioni individuali a Berlino, Vienna e in Lussemburgo, Hermann e Valentiny perseguono solidità ed eleganza, inclinando a volte, come i maestri viennesi, verso un certo classicismo che contrasta con l'arditezza strutturale come accade nel loro progetto per un padiglione destinato all'Esposizione universale di Siviglia. L'opera di Hermann e Valentiny, in definitiva, si traduce in un'architettura, per citare ancora Wilhelm Holzbauer, "capace di imboccare di fronte a ogni nuovo bivio una strada inesplorata e sorprendente".

Lucien Kayser

Schizzi di studio.

Edificio per convegni
a Lussemburgo, dettagli, schizzi
di studio e veduta generale
dell'intervento con l'abbazia
e la vecchia prigione, 1988-89.

Edificio della dogana sull'autostrada
Lussemburgo-RDT, 1984-87.

Norvegia

Commissario
The Norwegian Museum
of Architecture

Sverre Fehn

Sverre Fehn (nato nel 1924) si laurea in architettura a Oslo nel 1949. Dopo aver lavorato nello studio di Jean Prouvé a Parigi, diviene professore della Facoltà di architettura dell'Università di Oslo nel 1971. In seguito insegna anche negli Stati Uniti (Cooper Union School, New York; School of Architecture, Yale University). Membro onorario di diverse associazioni professionali nazionali ha realizzato tra l'altro: il Padiglione norvegese all'Expo di Bruxelles del 1958; il Padiglione dei Paesi scandinavi alla Biennale di Venezia (1975); casa Schreiner a Oslo (1963); il Museo di Røros (1980); il Glacier Museum a Fjaerland (1991). Le opere di Fehn sono state pubblicate dalle principali riviste internazionali e sono presentate nel volume P.O. Fjeld, *Sverre Fehn, the Thought of Construction*, New York 1983.

Intervista a Sverre Fehn

M.P.: Recentemente, in occasione di due mostre dedicate ad Asplund e Lewerentz è stato posto l'accento sui loro rapporti con la tradizione classica e sulla loro ricerca di fondamenti. L'espressione *dorian sensibility* è stata utilizzata per connotare l'intreccio di questi due atteggiamenti. Nel suo lavoro molti aspetti richiamano questo stesso spirito.

S.F.: "Classicismo"... non ho pensato molto a questo problema. Se si percepisce qualche cosa di classico nel mio lavoro, ciò è dovuto probabilmente al fatto che io disegno molto dal vero. La luce e la natura sono per me fattori fondamentali, anche se è difficile definire il rapporto tra natura e cultura, se non in maniera romantico-sentimentale. [...] Se, per esempio, si deve costruire in Grecia, è la luce che crea l'architettura: basta incidere il marmo con l'unghia dell'indice e la luce rende visibile l'incisione... ma qui, nella luce del Nord, nulla sarebbe visibile; ciò rende il mondo della nostra architettura privo di ombre.

M.P.: Il suo lavoro è stato accomunato alla tradizione moderna; che senso attribuisce a questa definizione?

S.F.: Anche se non ho mai pensato a me stesso come a un modernista, soprattutto all'inizio nel mio lavoro è penetrato l'antimonumentalismo e l'universo pittorico di Le Corbusier. Con il funzionalismo si è scoperto un nuovo mondo rappresentato, in particolare, dai piccoli villaggi greci, italiani e del Nordafrica. Non voglio dire che i pionieri del funzionalismo si siano recati in quelle regioni e poi abbiano cominciato a disegnare i propri progetti, ma è stato là che l'"architettura primitiva" ha rivelato i fondamenti della concezione funzionalista. Noi che siamo nati all'ombra del modernismo ci siamo recati in quelle regioni per vedere con i nostri occhi le medesime cose – van Eyck, Utzon, io stesso e molti altri – scoprendo in scala 1:1 le origini delle murature di Mies e dei tetti di Le Corbusier, osservando così il chiudersi del cerchio. Ma poi travi e pilastri hanno cominciato ad affollare le mie costruzioni, e il rapporto con la natura è mutato; le risposte alle mie domande vengono ora piuttosto dall'Asia e dal Giappone – con l'intromissione di Wright. Utzon ha segnato una croce sull'Europa: nel suo mondo di libri e fantasie egli cercava una realtà radicalmente diversa, una coscienza assoluta, rifiutando di ripercorrere i sentieri già battuti che portano dall'Egitto al neoclassicismo. I suoi lavori rivelavano influenze messicane e asiatiche aprendo a noi nuove prospettive. Ciò ha lasciato un segno sul mio modo di intendere l'architettura e, pertanto, se vi è una origine "modernista" nei miei lavori, questa poi si è perlomeno assai ampliata.

M.P.: Più di altri architetti lei è disposto a parlare delle sue fonti di ispirazione; vuole ritornare sull'argomento?

S.F.: Ci si rende attuali attraverso le idee-mondo di altri, e io non faccio che ripetere questo processo. Ad esempio, gli studenti sono sempre terrorizzati di copiare; io li incito a essere meno ansiosi a questo proposito, dato che ciascuno dovrebbe essere felice di imbattersi in qualche cosa che gli piace: non vi è molto di buono in giro, ma, volendo, se ne può trattenere un frammento. Dopo di che l'uso che ne fai dipende solo da te, dalla tua personalità. Non ho visto molti degli edifici di Wright, ma recentemente in California ho visitato diverse piccole costruzioni che conoscevo solo dai libri: è stato come vagabondare da una poesia all'altra, pagina dopo pagina, attraverso un mondo che era mio da molti anni. Ma ultimamente ho attraversato un periodo segnato dalla presenza della Vienna di Loos e di Wittgenstein. Questo mosaico di impressioni è il mio spazio architettonico che si espande o cozza con altre prospettive, ma dal quale derivo quanto è necessario per manifestare ciò che appartiene al "mio istante".

M.P.: Lei è stato definito come *a poetic modernist*, e del suo lavoro si sono sottolineati sia gli aspetti razionali che quelli spirituali. Qual è la sua opinione al proposito?

S.F.: Io procedo in maniera piuttosto razionale. Il rapporto con l'ambiente fisico è per me estremamente importante; nella realtà della Norvegia non vi è null'altro per esprimere le proprie concezioni al di fuori del rapporto con la natura. È dallo scontro tra elaborazione intellettuale e natura che deriva la bellezza, benché non si debba essere sentimentali al riguardo. Non si debbono celebrare messe in onore del paesaggio; quanto più precisi si è nel rielaborarlo, tanto più forte sarà la manifestazione del significato dell'incontro e la sua espressione architettonica. Io non cedo ad alcuna accondiscendenza; i grandi giardini giapponesi esprimono una infinita brutalità: ogni albero è stato lì torturato (cioè "coltivato") allo scopo di produrre una copia in una nuova dimensione di un originale. La tensione tra ciò che si pone sulla terra e la terra stessa, la topografia del paesaggio, in un certo senso creano l'architettura. Ma che cosa si dispone sulla terra? Si dispongono pensieri costruiti, scritti ricorrendo all'uso di molte lettere, calcestruzzo, pietre, vetro, legno, ferro... e la storia così scritta è una poesia riferita a una famiglia, a una città, un acrobata, un prigioniero, un moribondo, un attore, un pianista... Come si arriva a questa storia? Tutto procede in fretta; in un istante si consuma un incontro nella profondità della coscienza e il cervello ha già completato l'edificio. La battaglia consiste poi nello scavare sotto tutti i progetti e le costruzioni concepiti e realizzati in precedenza. Più è facile rendere tutto fluido, tanto maggiore è la sensibilità acquisita nel disegnare, tanto più semplice sarà individuare la soluzione. Ma la psiche, il corpo e i suoi movimenti possono impedirti di portare avanti questo progetto; gli schizzi che vengono alla luce sono spesso inaccettabili: descrivono un istante nel momento del suo trascorrere. La composizione di una costruzione pare perciò essere spesso un processo lontanissimo.

Mathilde Petri, da "Skala", n. 23, 1990

Hedmark Museum a Hamar, 1970.   Clacier Museum a Fjærland, 1991.

Clacier Museum a Fjærland, 1991.

Padiglione nordico alla Biennale
di Venezia, 1962.

Museo a Røros, 1980.

Casa Schreiner a Oslo, 1963.

Olanda

Commissario
Evert Rodrigo

Modernismo senza dogma: architetti della nuova generazione in Olanda

Le tendenze postmoderne non sono diffuse nei Paesi Bassi, benché in alcuni architetti più giovani ne traspaiano alcuni elementi. Nonostante anche i giovani architetti olandesi sembrino ispirarsi esclusivamente al passato moderno, esistono due tendenze molto distinte. Da un lato, gli architetti più giovani sono più disinvolti nei rapporti con quanto per le generazioni precedenti è stato un passato canonizzato. La maggiore disinvoltura si manifesta sotto forma di un atteggiamento relativistico nei confronti di tale passato e di riferimenti che non si identificano solo con maestri europei come Duiker, Le Corbusier, Mies van der Rohe e Aalto. Tanto la tradizione moderna quanto il modernismo regionale di architetti come Luigi Snozzi e Alvaro Siza, costituiscono fondamentali punti di riferimento. D'altro canto, gli architetti più giovani dimostrano un rinnovato interesse nei confronti della tradizione intellettuale del modernismo, come si vede nei tentativi di conservarne i principi.

Nell'architettura olandese gli atteggiamenti risultano così poco conflittuali innanzitutto perché non esistono nette contrapposizioni tra le diverse generazioni. Che Frits van Dongen si sia associato con il suo ex maestro Carel Weeber nello studio Architecten Cie. è in questo senso indicativo, come pure lo sono le differenze tra il razionalismo radicale di Weeber e la libera interpretazione dello stesso da parte di van Dongen.

Un altro motivo per cui è difficile parlare di conflitti generazionali è che al momento attuale i giovani architetti non si stanno muovendo tutti in una medesima direzione. Le intenzioni dei laconici Frank Roodbeen e Willem Jan Neutelings, per esempio, sono molto diverse da quelle del serissimo Wiel Arets, benché tutti attingano al passato moderno: nel primo caso per un desiderio di continuità dello schietto razionalismo attraverso progetti lineari realizzati con materiali semplici dall'aspetto talvolta volutamente povero; nel secondo a causa della semplicità metafisica ispirata a Mies van der Rohe. Si tratta in realtà di un individualismo relativo che determina soprattutto una posizione particolare nei confronti dell'architettura moderna.

I giovani architetti sono accomunati anche dal fatto di avere nel frattempo raggiunto una certa maturità. Considerando la fase specifica in cui ognuno di essi si trova, si è potuto stabilire un criterio più affidabile di quello che tiene conto esclusivamente dell'età, per quanto anch'esso molto vago. Alcuni infatti imboccano una propria direzione appena terminati gli studi, mentre altri solo in seguito trovano la propria strada. Tali differenze risultano ulteriormente accentuate nel caso in cui l'inizio dell'attività sia segnato dalla vittoria in un concorso importante, come è accaduto per Mecanoo o Neutelings e Roodbeen. Altri architetti invece iniziano più gradualmente, come per esempio Koen van Velsen che ha esordito alla fine degli anni Settanta con piccoli lavori e in seguito ha ottenuto incarichi sempre più importanti. I suoi lavori sono assolutamente originali poiché van Velsen non si occupa molto degli sviluppi in campo internazionale ed è un architetto attivo: non gli interessano le teorie e ha un atteggiamento molto pragmatico nei confronti di eventuali restrizioni.

Lo stesso si può dire di Bert Dirrix, che ha aperto uno studio assieme a Rein van Wylick: i due si dedicano principalmente a progetti di dimensioni ridotte nelle province meridionali dove il contesto architettonico è influenzato dal conservatorismo più ancora che in quelle occidentali, urbanizzate.

Jan Pesman, Jan Benthem, Mels Crouwel, Frits van Dongen, Dolf Dobbelaar, Herman de Kovel e Paul de Vroom dello studio DKV, gli architetti di Mecanoo e Willem-Jan Neutelings, che si sono formati all'Università di Delft, non possiedono particolari caratteristiche comuni ma spesso vengono raggruppati sotto l'etichetta di "razionalisti di Delft", anche se è vero solo in parte che l'insegnamento a Delft segua linee razionaliste. Tuttavia, dopo la fine degli anni Settanta, il razionalismo conobbe un notevole revival a Delft, grazie soprattutto a Carel Weeber e Rem Koolhaas e nonostante che l'approccio tipologico di insegnati come Max Rissalada e Henk Engel abbia influenzato diversi architetti come per esempio Francine Houben, Erick van Egeraat, Henk Döll e Chris de Weijer dello studio Mecanoo. Nelle loro prime

confronti dell'architettura moderna. opere tale influsso si è tradotto in adattamenti talvolta molto letterali di progetti di Aalto, Le Corbusier e Lubetkin – per citare solo qualche esempio. Nei lavori più recenti i progettisti di Mecanoo si sono liberati di influssi troppo vincolanti. Anche altri architetti formatisi a Delft nutrono interesse particolare per le questioni tipologiche, come dimostra lo studio DKV, per esempio.

Un'analoga spinta verso la sistematicità e il razionalismo si avverte in Jan Pesman di Cepezed e in Jan Benthem e Mels Crouwel che si trovano davanti all'importante incarico di ampliare Schiphol, il più importante aeroporto del paese.

Chi si situa decisamente al margine di questa selezione di giovani architetti è Ben van Berkel, formatosi presso l'Architectural Association School di Londra. Più dei suoi coetanei van Berkel ha progettato opere di carattere civile come il ponte sulla Mosa a Rotterdam e un edificio per la centrale elettrica di Amersfoort.

Esiste infine ancora un aspetto caratteristico dell'odierna generazione di giovani architetti: il fatto innegabile di operare cronologicamente dopo Rem Koolhaas. È stato Koolhaas infatti a organizzare – in occasione del proprio ritiro dall'insegnamento presso l'Università di Delft – il convegno dal titolo: "Quanto è moderna l'architettura nei Paesi Bassi?". La domanda polemica da cui il convegno prese spunto era stata dettata a Koolhaas dal desiderio di scuotere quanti, nei Paesi Bassi, con troppa facilità si rifacevano al modernismo. All'epoca, tra gli architetti qui menzionati, intervennero Ben van Berkel, Mels Crouwel e Herman de Kovel; quest'ultimo dichiarò ciò che gran parte dei giovani architetti olandesi ritengono quanto meno implicito: "L'architettura moderna, a mio parere, può ancora avere significato, purché di volta in volta venga interpretata in modo diverso".

Da quest'affermazione risulta che il modernismo serve tuttora da fonte di ispirazione e può essere utilizzato liberamente senza l'idealismo attribuitovi dalle prime generazioni di modernisti. Dal rapporto sereno con l'architettura del passato più recente risulta un modernismo senza dogma, inventivo e ricco di forme.

Hans Ibelings

Frits van Dongen, De Architecten Cie, nuovo teatro a Leeuwarden, 1990-93.

Architektenburo Koek van Velsen, progetto di sistemazione e ampliamento della Accademia di Belle Arti di Amsterdam, 1990-91.

Neutelings e Roodbeen Architecten, progetto per l'Ufficio europeo dei brevetti di Leidschendam, 1989.

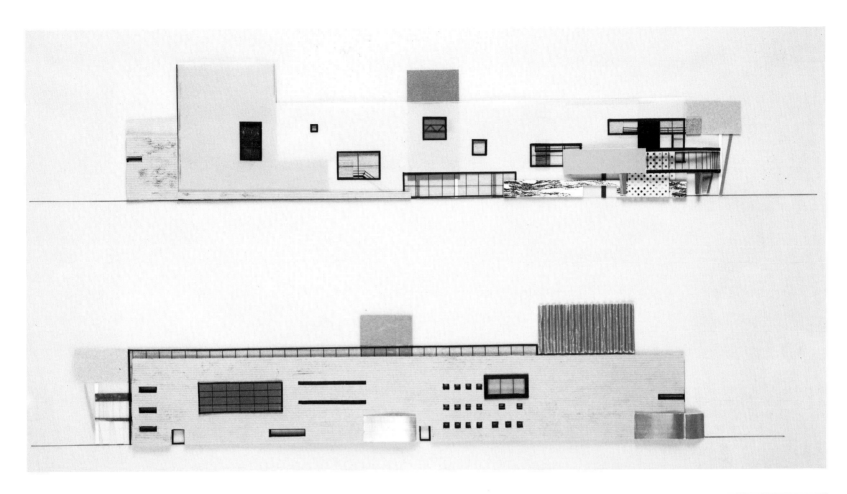

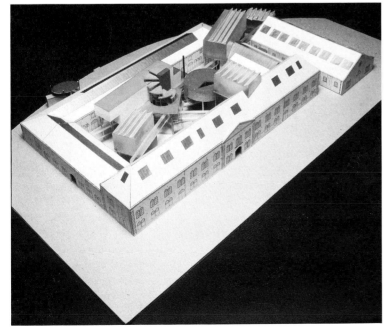

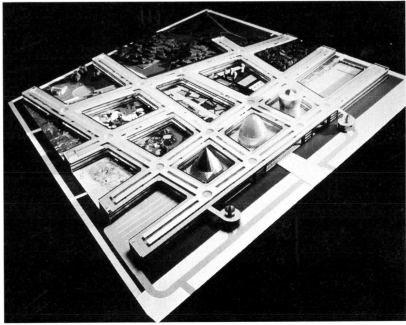

DKV (Dobbelaar, de Kovel, de Vroom),
edificio di abitazione a Rotterdam,
1984-88.

Mecanoo Architekten, padiglione
De Boompres a Rotterdam, 1989-90.

Benthem Cronwel Architekten,
progetto di ampliamento
dell'aeroporto di Schiphol, 1989.

Van Berkel & Bos
Architectuurbureau, progetto per
un ponte a Rotterdam, 1990.

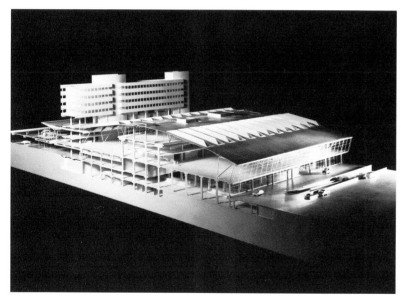

Wiel Arets & Wim van den Bergh, progetto per l'Accademia Jan van Eyck a Maastricht, 1989-90.

Jan Pesman, Cepezed, edificio per abitazione a Delft, 1989-90.

Dirrix van Wylick Architekten, ampliamento di una villa a Eindhoven, 1988-90.

Polonia

Commissario
Aleksander Wojciechowski

Dom i Miasto '84, centro didattico per l'associazione F. Chopin a Varsavia, assonometria generale e pianta.

Appunti da un inferno architettonico

"Lasciate ogni speranza voi che entrate" potrebbe essere l'iscrizione adatta a introdurre la visione del paesaggio polacco, devastato dagli esiti del totalitarismo accoppiato alle utopie dell'architettura del XX secolo. Lo stile dell'architettura polacca dopo il 1945 è stato totalitario, espressione di uno Stato abile nel mutare tutto per mantenere tutto uguale e quindi capace di conservare lo stile totalitario anche come occasione di fuga dal realismo socialista. A spiegare la situazione dell'architettura polacca non basta però il richiamo alle pratiche totalitarie dello Stato. Dopo il 1945, in realtà, si è verificata una saldatura tra il totalitarismo del sistema e il totalitarismo del pensiero architettonico. Il tessuto canceroso costituito dai grandi complessi residenziali ha invaso il mondo, ma mai come nei paesi socialisti.

"Totale" dal nostro punto di vista è l'aggettivo che esprime il tentativo di abbracciare tutta la società in ogni sua espressione. Ciò che rende inquietante l'idea lecorbusieriana della casa-macchina o l'idea stalinista della strada come scenario per parate non è la concezione estetica che esse esprimono, quanto l'idea di umanità che vi è sottesa, secondo la quale l'uomo è solo un ingranaggio di una razionale macchina sociale.

Lo sviluppo "totale" del paesaggio urbano polacco, incomparabile con quello delle città occidentali, è da porsi in relazione con l'avversione degli architetti per tutto ciò che è frammentario, incompleto, frutto di compromessi. In Polonia gli stili costruttivi non sono cambiati in relazione alle trasformazioni di regolamenti e norme edilizie, bensì in virtù di mutamenti legislativi che di volta in volta hanno decretato l'affermazione di una "nuova architettura". Il totalitarismo architettonico si è manifestato nella convinzione di poter comprendere in un unico progetto, formulando un'unica previsione, tutti i fenomeni coinvolti nella definizione dello spazio. La convinzione di vivere una condizione storica assolutamente nuova ha indotto a porre in discussione tutte le regole vigenti nella città storica; è stato annullato il gioco che coniuga il diveni-

re delle scelte estetiche con le trasformazioni delle norme e delle leggi. Durante gli ultimi quarant'anni gli architetti hanno precorso con le proprie concezioni totalitarie il totalitarismo del sistema in cui hanno vissuto.

Come uscire da questo secolo, come accedere a una grande trasformazione, come liberarsi del retaggio dell'"utopia al potere"? Il contributo dell'architettura non può che essere quello di tentare di costruire nel paesaggio polacco qualche segno di civilizzazione, rendendo percepibile l'antinomia di sacro e profano.

Ma i segni della nuova architettura potranno essere decifrati solo quando avremo compreso appieno la pagina di

storia che fortunatamente ora abbiamo voltato.

Alla Quinta Mostra Internazionale di Architettura della Biennale vengono esposte le opere di due formazioni di architetti, Dom i Miasto '84 (Czeslaw Bielecki, nato nel 1948; Jerzy Heymer, nato nel 1957; Maria Twardowska, nata nel 1945) e Atelier 2 (Konrad Kucza-Kuczynski, nato nel 1941; Andrzej Miklaszewski, nato nel 1940). Lo studio Dom i Miatso '84 espone i complessi residenziali realizzati a Kazimierz e a Stezyca, il centro didattico dell'associazione F. Chopin a Brochòw e progetti urbani per Varsavia e Jastrzebie; l'Atelier 2 quattro edifici religiosi a Varsavia, Siedlce e Lomza.

Czeslaw Bielecki

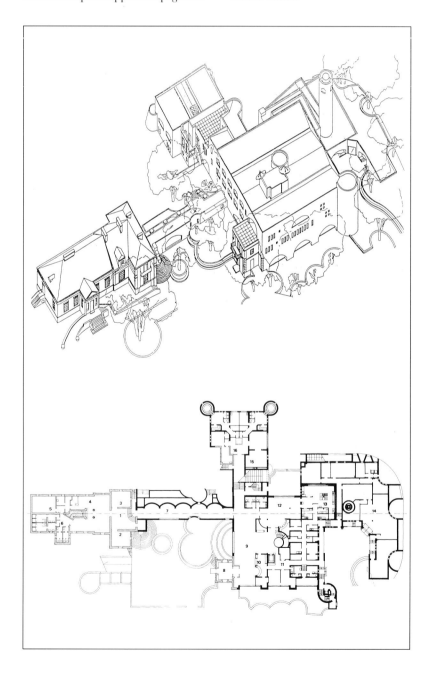

Dom i Miasto '84, casa di campagna
a Podgórz.

Dom i Miasto '84, villa
di campagna a Stezyca,
assonometria.

Dom i Miasto '84, abitazione
unifamiliare a Varsavia,
assonometria.

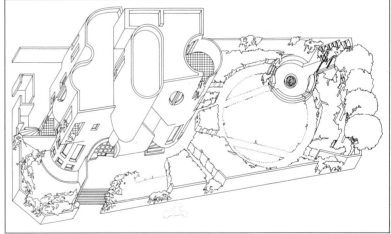

Atelier 2, chiesa della Misericordia a Lomza.

Atelier 2, chiesa di San Paolo a Varsavia.

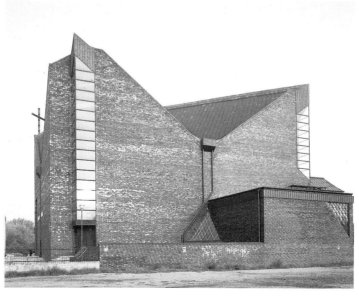

Atelier 2, chiesa del Buon Pastore
a Varsavia.

Atelier 2, chiesa e convento
a Siedlce.

Romania

Commissario
Stefan Lungu

Per la Quinta Mostra Internazionale di Architettura sono stati selezionati tre gruppi di opere significative dei problemi dibattuti attualmente in seno alla cultura architettonica rumena.

Il primo gruppo è costituito da una serie di progetti elaborati in occasione del concorso bandito per trovare soluzioni alla devastante presenza della Casa del Popolo nel centro di Bucarest. Il secondo è formato da progetti per edifici di culto e, in particolare, per chiese ortodosse. Il terzo gruppo è costituito da progetti elaborati per concorsi internazionali o come ipotesi di ricerca, in particolare da giovani architetti.

Il concorso-dibattito sulla Casa del Popolo è aperto a tutti gli abitanti della Romania ed è volto a individuare alternative alla presenza del più brutale intervento promosso dalla dittatura nel centro di Bucarest. Qui la Casa del Popolo è stata edificata nel luogo più significativo, ove sorgeva anticamente il monastero di Mihai Voda, poi la corte principesca, luogo al quale sono legati i ricordi degli atti di eroismo compiuti dai difensori della città, ritenuto dai cittadini una sorta di acropoli.

Dopo la fine della dittatura anche la Chiesa deve fronteggiare la necessità di erigere nuovi edifici di culto. Nelle più diverse località le comunità dei fedeli hanno promosso più di seicento incarichi per la costruzione di nuove chiese.

I giovani architetti che partecipano con le loro opere alla terza sezione della mostra sono stati selezionati sulla base della dimostrata capacità di resistere alle attività ufficiali e alle prescrizioni della dittatura. Nella mostra sono raccolti i lavori di Dana Harhoiu, Raluca Putnariu, Andrei Vlad, Andrei Sassu, Nicolae Barbu (Architetti Associati); Florin Biciusca; Serban Cornes, Dan Dutkay, Florin Tanasoiu, Paul Hirtescu; Mihai Nuta, Bogdan Stoica, Gabriel Jelea, Silviu Mustata; Libiu Gligor, Florinel Radu, Mihai Preanu; Stefan Dorin; Marius Marcu Lapadat; Horea Gavris, Marius Marcu Lapadat; Mihai Opreanu, Stefan Manciulescu, Rodica Turicu Crisan, Ruxandra Clint Sirbulescu; Ian Andreescu, Vlad Alexandru Gaivoronschi; Dan Senciuc; Costantin Gorcea, Costantin Stroescu, Dan Spineanu; Florin Languri; Adrian Blod; Serban Cornea, Paul Hartescu, Dan Dutkay, Florin Tanasoiu; Florin Languri; Adrian Blod.

Marius Lapadat Marcu, da "Gli effetti del buon governo" di Ambrogio Lorenzetti, 1988.

Marius Lapadat Marcu, Omaggio a Vignola, 1988.

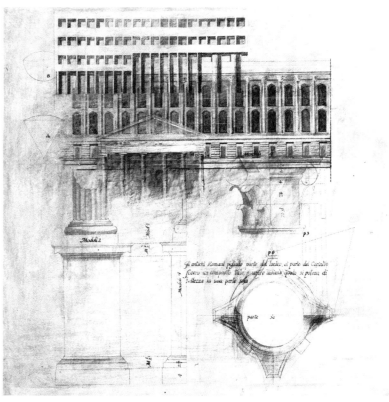

148

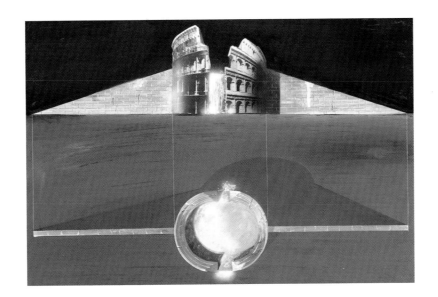

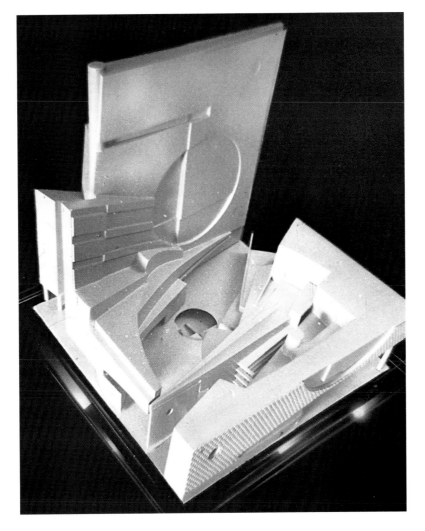

Horea Gavris, Marius Lapadat
Marcu, La città nel 2001, s.d.

149

Commissario
José Llaguerri

Barcellona 1992:
strategie della riforma urbana

Uno dei principali obiettivi dell'amministrazione cittadina eletta a Barcellona nel 1979 è stato quello di puntare su una nuova strategia urbanistica per porre rimedio a modi di sviluppo urbano caotici e conquistare i cittadini alla nuova condizione democratica. Tale strategia si è sviluppata su tre linee, l'una propositiva per la trasformazione delle strutture fisiche della città, la seconda di natura emblematica per dimostrare il carattere tecnocratico della situazione precedente, una terza volta a privilegiare gli interventi sugli spazi pubblici, il tutto accompagnato da una riformulazione delle scale progettuali, trattando l'ambiente urbano come soggetto a interventi unitari. Tra il 1980 e il 1986 vengono attuati numerosissimi interventi, soprattutto per quanto concerne la sistemazione di piazze, parchi e centri di quartiere. Nell'ottobre 1986 Barcellona viene poi prescelta quale sede per le Olimpiadi del 1992, promuovendo una politica urbanistica ancor più ambiziosa. Tale scadenza rende così possibile l'attuazione di progetti che la situazione normale avrebbe escluso. Le opere avviate seguono tre direttrici. Vi sono gli interventi attuati sui sistemi generali urbani, settore questo trascurato dagli investimenti durante gli ultimi cinquant'anni. In secondo luogo la portata delle opere è tale da obbligare l'amministrazione cittadina a coordinare i propri sforzi con quelli dello Stato e della Generalitat, il governo autonomo di Catalogna. Infine la localizzazione degli interventi principali fa sì che la politica urbanistica avviata per il 1992 si rivolga soprattutto alla periferia della città e tenda a sviluppare aree nuove del territorio metropolitano.

La mutata portata dei progetti non ha cancellato le esperienze fatte sino al 1986: gli incarichi professionali sono stati assegnati su criteri di massima diversificazione, avvalendosi della collaborazione dei migliori architetti e ingegneri. In tal modo viene ribadita la coerenza della recente storia architettonica di Barcellona la quale risiede non tanto in opzioni stilistiche comuni, quanto nella capacità di dare concretezza a strategie di intervento che mirano alla riforma urbana puntando sulla qualificazione degli spazi pubblici e delle infrastrutture.

José Antonio Acebillo e Pep Subirós

E. Torres, J.A. Martinez Lapeña, M. Usandizaga, SOM (Skidmore, Owings & Merril), J. Juanpere, L. Peña, villa Olimpica, palazzo dei Congressi e hotel delle Arti.

F. Correa, A. Milá, J. Margarit,
C. Buxadé, J. Diamante,
urbanizzazione dell'Anello olimpico
di Montjuïc.

F. Correa, A. Milá, Gregotti
e Associati, J. Margarit, C. Buxadé,
Anello olimpico, facciata dello stadio
di Montjuïc.

S. Calatrava, maquette della Torre de Telefónica a Montjuïc.

Foster Associates Ltd, in collaborazione con Ove Arup and Partners, maquette della torre di Telecomunicazioni a Collcerola.

R. Arandes, J. Balta, A. Carreras, J. Moya, A. Seuye, P. Barragan, B. de Sola, J. Laviña, R. Garcia-Bragado, T. Pou, J. Raunch, IDOM, galleria di servizi.

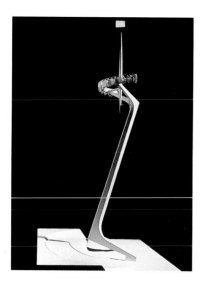

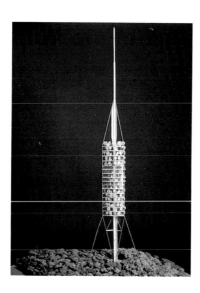

Maquette della sezione tipo del Segundo Cinturón (seconda circonvallazione).

A. Isozaki, Palau San Jordi a Montjuïc.

R. Amadó, Ll. Doménech, A. Alsina,
collaboratore R. Doménech,
Fondazione Tapies.

Taller de Arquitectura R. Bofill,
rimodellazione dell'aeroporto di
Barcellona.

R. Moneo, pianta della situazione
e sezione del nuovo auditorium.

R. Meier & Partners, maquette
del Museo d'Arte Contemporanea.

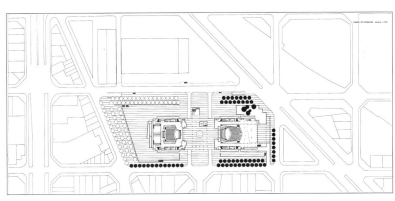

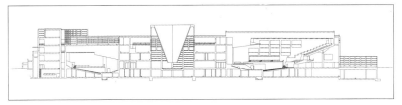

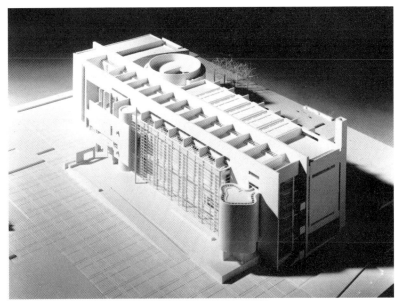

Stati Uniti d'America

Commissario
Philip Johnson

Peter Eisenman
Progetto per il College of Design,
Architecture, Art and Planning
dell'Università di Cincinnati

La nuova ala del College of Design, Architecture, Art and Planning dell'Università di Cincinnati intende dotare le quattro scuole esistenti di un nuovo servizio comune, tale da aggiungere una struttura di 144.000 piedi quadrati a quella esistente di 145.000 piedi quadrati. Il nuovo edificio raccoglie funzioni esistenti al di fuori del campus integrandole a un auditorium per 350 persone, una biblioteca, aule per seminari, uffici amministrativi, laboratori ecc. Tra la nuova ala e il vecchio edificio si è creata una College Hall, quale spazio rappresentativo per mostre e incontri. La realizzazione del progetto è prevista per il 1993. Le forme curve e ritorte di questo progetto derivano dalle caratteristiche del luogo e dall'andamento dei rilievi dell'area. Queste forme si oppongono a qualsiasi riduzione astrattamente geometrica. L'impianto ricurvo e la sezione contorta non concedono alcuna possibilità di individuare assi ordinatori. Queste forme rifiutano la riduzione cartesiana risultando oblique alla vista ortogonale e non possono essere rappresentate in piani e sezioni singoli. Questo intreccio di linee può in realtà essere descritto come un insieme di relazioni tra segmenti accostati. Senza che fosse previsto all'atto della loro segmentazione, queste strutture definite concorrono senza riferimenti alla configurazione delle linee curve che non hanno andamento radiale né risultano estendibili.

La mostra del progetto è stata resa possibile da The Knoll Group; The College of Design, Architecture, Art and Planning, The University of Cincinnati, Ohio; Rizzoli International; John Nichols Gallery.

Peter Eisenman

Studi diagrammatici.

Modelli di studi e vedute del plastico.

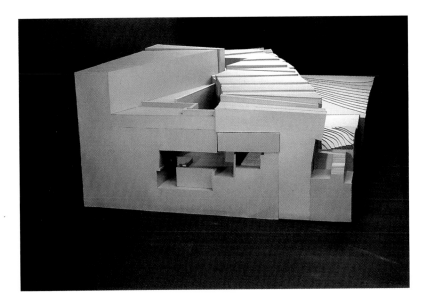

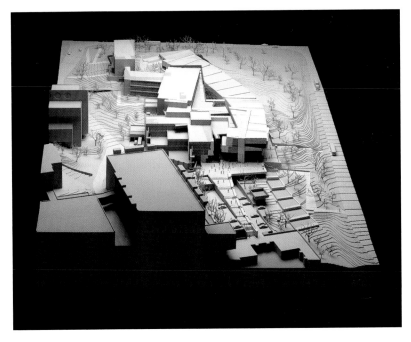

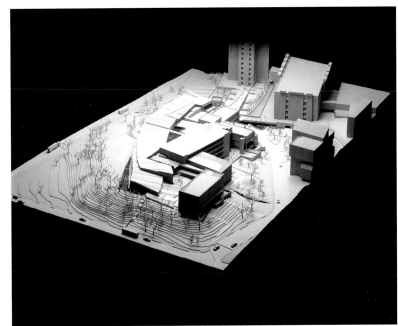

Prospetti e sezione.

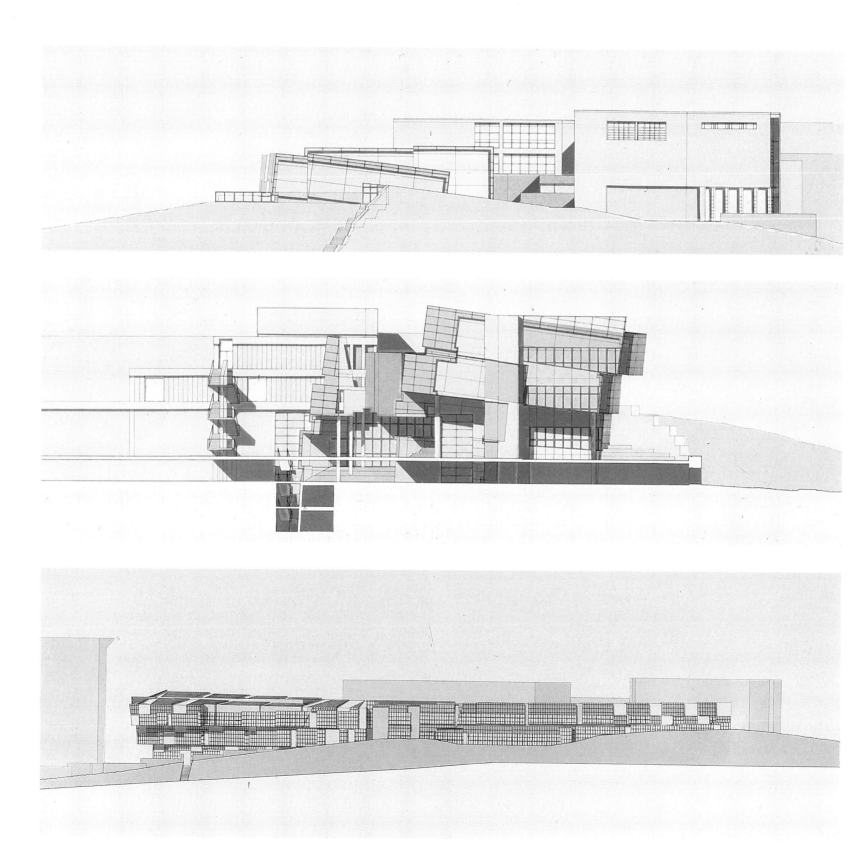

Prospettive interne.

Frank Gehry
Walt Disney Concert Hall, Los Angeles

Situata in un'area del centro storico e culturale di Los Angeles, la nuova sala da concerti è destinata a diventare la sede della Los Angeles Philharmonic. L'area si trova a Bunker Hill tra la First Street e la Grand Avenue, tra il Music Center e il nuovo Museum of Contemporary Art. Il progetto è stato elaborato per un concorso a inviti; in seguito ha subito importanti modificazioni che hanno comportato l'eliminazione del programma costruttivo di una sala per concerti da camera e di un albergo di 350 stanze. La configurazione dell'auditorium segue considerazioni di carattere acustico. Le modificazioni subite dal programma hanno fatto sì che nel progetto finale la Concert Hall si trovi al centro del lotto assegnato trattato come un vasto giardino. La *lobby* dell'edificio si estende sulla strada e grandi pannelli di vetro mobili garantiranno la comunicazione tra la varie zone di servizio dell'edificio.

Attualmente il progetto si concentra sulla definizione della grande sala da concerti per 2400 persone, i cui interni sono modellati sulla base di considerazioni puramente acustiche e visive. La forma è quella di una grande nave e lo spazio è caratterizzato dalla presenza di un organo e dalle grandi aperture posteriori che unitamente all'illuminazione naturale dall'alto consentono un uso diurno della sala. Esteriormente l'edificio sarà caratterizzato da un rivestimento di pietra chiara e rappresenterà una forte presenza scultorea nella prospettiva della Grand Avenue. La struttura del foyer alla base della costruzione sarà realizzata con vetri ondulati che assumeranno la forma di un'onda. Un garage per 2500 automobili verrà ospitato nei sei piani sotterranei, collegati all'auditorium da una cascata di scale mobili. La superficie della costruzione è di circa 200.000 piedi quadrati.

Frank O. Gehry

Schizzi di studio.

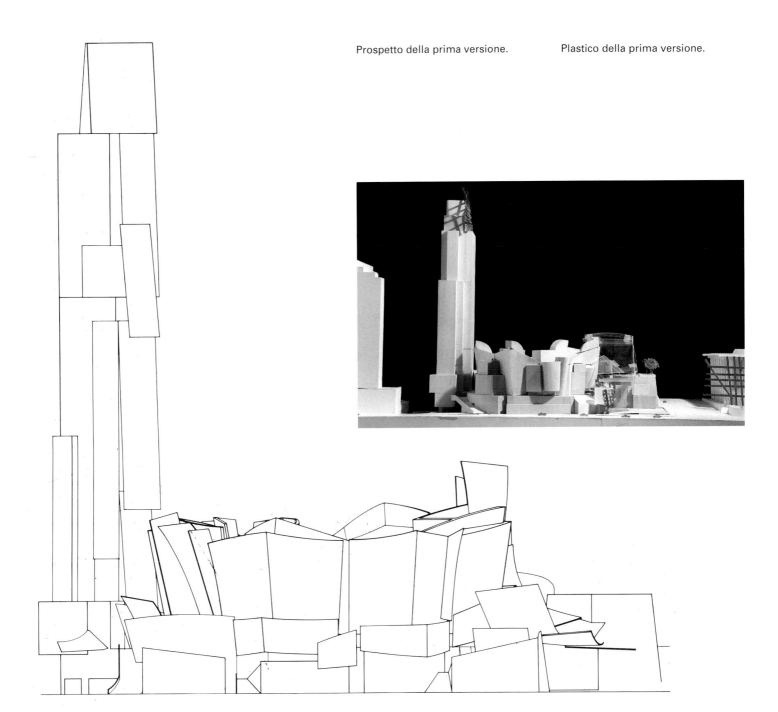

Prospetto della prima versione.   Plastico della prima versione.

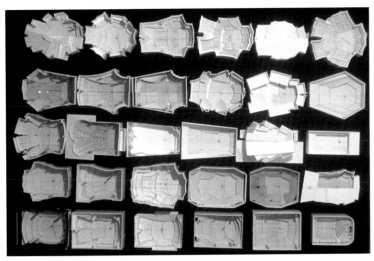

Modelli comparativi per la
definizione della tipologia della sala
da concerti.

Pianta e prospetto della soluzione
finale.

Planimetrie e sezioni
(non definitive).

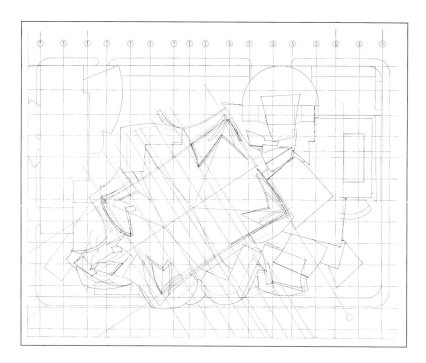

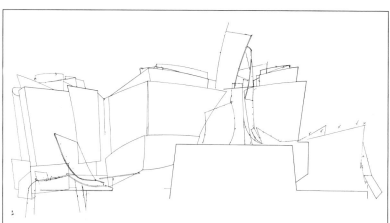

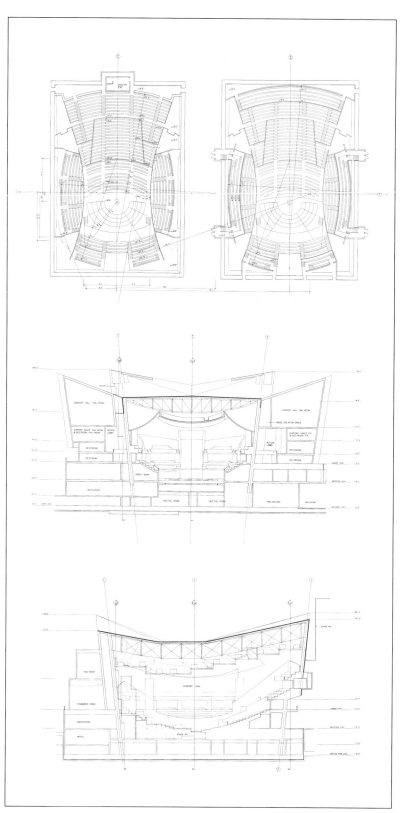

Plastico della sistemazione
della sala da concerti.

Plastico della soluzione definitiva.

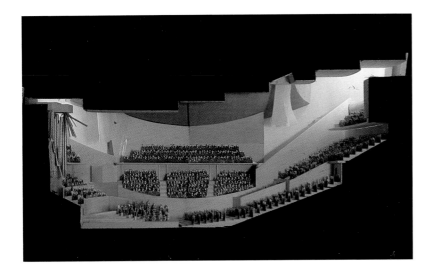

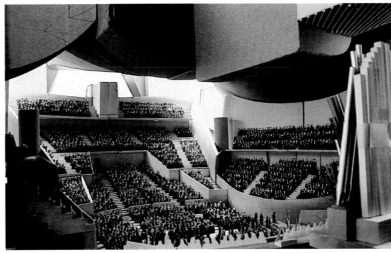

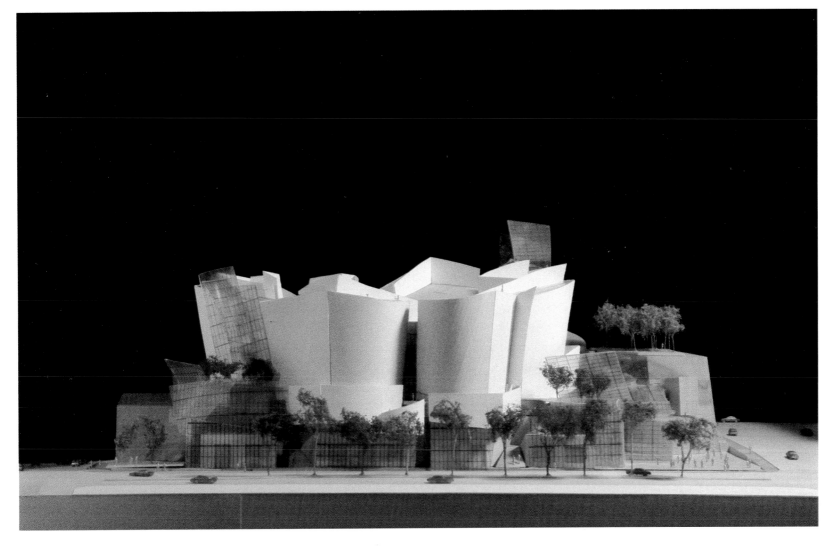

Svezia

Commissario
Joran Lindvall

Jan Gezelius

Non è facile spiegare il senso dell'architettura di Gezelius. Una serie di contraddizioni quasi volute la contraddistingue. Nella sua opera si fondono componenti raffinate e popolari, anarchiche e rigorose; ciò che appare romantico ha in realtà fondamenti classici; l'attenzione per la diversità convive con l'interesse per il ripetibile; i progetti per le piccole abitazioni si alternano a quelli per grandi sistemazioni paesaggistiche. Per il suo lavoro una parola chiave è "marginalità". La sua attività privata è svolta ai margini dell'impegno pubblico nei campi della pianificazione e dell'insegnamento. Le sue case come le sue sistemazioni paesaggistiche sono realizzate ai margini delle grandi concentrazioni urbane. Gezelius si è preso cura della marginalità con la stessa dedizione con la quale si è occupato dei contrasti, tanto che a una propria mostra alla Galleria di Architettura di Göteborg, nell'autunno del 1988, egli diede un motto tratto da *Mästaren Ma* di Willy Kyrklund: "La mia carenza è la mia competenza".

Jan Gezelius nasce nel 1923. Dopo la guerra studia archeologia e sociologia a Uppsala e lavora nel campo della pianificazione con Holford a Londra. Tra il 1949 e il 1953 studia architettura al Politecnico di Stoccolma e lavora presso l'ufficio urbanistico del comune della stessa città. Nel 1961 inizia la propria attività professionale (casa del Pescatore a Böda e Museo degli uccelli migratori a Ottenby).

Dal 1964 al 1967 è a capo della sezione per i parchi dell'amministrazione di Stoccolma. Studia la sistemazione del paesaggio intorno alla centrale elettrica costruita sul fiume Ume e strutture per il tempo libero nelle isole di Gotland e Tjust. Nel 1972 viene pubblicata villa Drake, costruita a Borlänge. Dopo aver vinto il concorso per il Museo di Västerås (con Gunnar Mattsson, 1968), nel 1973 viene incaricato di realizzare il Museo Etnografico di Stoccolma in collaborazione con Mattsson. La casa Fgelstrom a Rådmansö (1980) è la realizzazione più perfetta di questo genere, cui fa seguito il Museo di Eketorp nell'isola di Öland. A partire dai primi anni Ottanta egli progetta diversi uffici postali e nel frattempo insegna al Politecnico di Göteborg (1981-88).
Claes Caldenby

Casa del Pescatore a Böda, 1961.

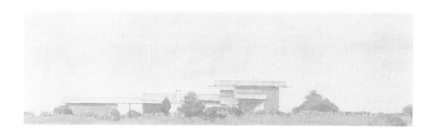

Museo degli uccelli migratori a
Ottenby, 1961.

Museo Etnografico di Stoccolma,
dal 1973.

Museo di Eketorp, dal 1981.
Ufficio postale a Yxlan, dal 1981.
Villa Nilsson, 1963.

Villa Drake a Borlänge, 1972.

Svizzera

Commissario
Cäsar Menz

Jacques Herzog e Pierre de Meuron

Rendere superflua l'architettura, lasciarla sparire dalla nostra coscienza, rivolgere l'attenzione a qualche cos'altro: così la città diventa come la natura. Non servono più invenzioni, non può essere allargata, è onnipresente, non può essere copiata ancora una volta, poiché si è già copiata all'infinito. L'entropia dell'architettura.

Qual è l'architettura che cerchiamo, quella cui corriamo incontro? L'architettura che ci spinge e ci motiva, che vuole essere scoperta, stanata dal suo nascondiglio nella nostra coscienza architettonica, o meglio nel nostro inconscio? Quale architettura, attratta come un insetto verso la luce, nel toccarla compie il suo destino inevitabile? Perché questa architettura e non un'altra, sebbene esista un numero infinito di alternative? L'architettura per cui combattiamo, che tentiamo di definire come presa di posizione, che lasciamo definire ai critici amici, prezzolati o spontanei, per far sì che questa architettura, divenuta presa di posizione, possa essere difesa contro altre prese di posizione, nate dall'inesauribile moltitudine delle altre forme, degli altri corpi, delle altre superfici, di un altro sistema statico e di un'altra trasparenza. L'architettura che pensiamo, disegniamo, immaginiamo, descriviamo, che fotografiamo e circumnavighiamo con il video, che differenziamo come corretta, più corretta o quanto meno più importante di altre architetture più antiche o contemporanee; l'architettura che amiamo, o che abbiamo amato almeno durante una fase della nostra vita, che abbiamo inseguito, che accompagnamo con tutta l'energia della nostra percezione di giorno e di notte, entro la quale penetriamo col corpo e con la mente, quella che senza di noi non esisterebbe come noi non esisteremmo senza di lei.

L'architettura che ci attrae come un campo magnetico. E che dire di noi, che creiamo questo campo elettromagnetico per i nostri progetti? Queste superfici su cui proiettarsi, questi livelli di sovrapposizione, la quasi identità tra architettura e architetti. E proprio noi creiamo questa tensione e ci arrendiamo ad essa nonostante anni di esperienza professionale, nonostante l'indifferenza, nonostante le prese di posizione senza passione? Il progetto architettonico è, come denota la parola stessa, una proiezione, una proiezione mentale e spirituale da corpo a corpo. L'architettura è l'espansione dal corpo dell'architetto a nuove forme di apparenza proiettate. È una sorta di riproduzione, un'impressione, o meglio un'espressione della totalità dell'esperienza sensuale dell'architetto. In questo è come il film per il regista, il quadro per il pittore, la canzone per il musicista.

È la presenza fisica sensuale del film nel cinematografo e del suono nell'altoparlante (e non una qualsiasi componente biografica o spettacolare) ad affascinarci, a commuoverci, a consentirci di far fronte alla nostra stessa presenza fisica.

L'architettura dunque, creata da noi, radicata nella nostra biografia, sarebbe una parte corporea di noi stessi? Una progettazione costantemente proiettata da noi, che subito rinunciamo a questo per nuovi progetti, infedeli, spietati, allontanandoci da lei, gettandola via come il bossolo usato di un proiettile.

E l'architettura? Per parte sua prende le distanze da noi – posseduti da tempo, forse utili e usati come investimento, ma sicuramente dotati di comunicazione con gli altri – efficace nella sua mera identità, libera dai nostri accidenti biografici. Sta lì, come se si fosse creata da sé, senza la ridicola particolarità di un autore, senza una calligrafia, senza impronte digitali, né macchie di sudore e nemmeno quei danni che derivano da un fallito parto col forcipe. L'architettura è comprensibile solo attraverso se stessa, senza stampelle; può essere costruita solo dall'architettura, non dagli aneddoti, dalle citazioni o dai sistemi funzionali. L'architettura è la sua essenza al suo posto.

Edificio per uffici a Basilea
(con D. Gyrin), 1991.

Magazzino Ricola a Laufer,
1986-87.

Ungheria

Commissario
Péter Gáborjáni

L'architettura organica ungherese

"L'architettura armonica si rivolge agli uomini feriti la cui sensibilità reagisce al mondo intero. Esisterà sempre un'architettura di questo tipo, finché il volto dell'uomo rimarrà simmetrico", così scriveva Imre Makovecz, uno dei personaggi principali dell'architettura organica ungherese. Volto e anima, metacomunicazione umana, che esprime in egual modo la dignità e la debolezza dell'uomo: questa è l'attività della costruzione organica. Non edifici destinati all'eternità, ma un esperimento per occupare il nostro posto in Europa, un richiamo alla meraviglia e alla fallibilità della natura umana.

Negli anni Sessanta, il paese di Kodály e Bartók, a parte la relativa stabilità sociale, era avvinto dalle catene dell'ideologia. Il paternalismo del potere non concedeva riconoscimenti alle creazioni individuali o alle personalità straordinarie. Un protagonista dell'architettura organica, György Csete, capo del Gruppo dei Giovani di Pécs negli anni Sessanta, volle guidare gli ambienti intellettuali nella lotta contro la degradazione sociale. La guerra di sterminio nei loro confronti ebbe pieno successo: il gruppo fu sciolto con la violenza. Oggi, entrambi i maestri, a suo tempo banditi dall'Università Tecnica di Budapest, hanno numerosi discepoli e seguaci.

Qual è la migliore descrizione dell'architettura organica ungherese? In primo luogo va detto che non può essere descritta con gli strumenti tradizionali della filosofia dell'arte. Quando si tratta di valutare l'architettura "impersonale", lo storico dell'arte si trova in una posizione relativamente più semplice: misura gli elementi dati, come fa Christopher Alexander, e attraverso un'analisi comparativa giunge alla rilevazione delle diverse influenze e alla presentazione delle caratteristiche stilistiche, e quindi coglie l'occasione per collocare il tutto all'interno di qualche scuola o tendenza. L'architettura organica è abbastanza vecchia da aver conosciuto gli effetti della Secessione ungherese alla svolta del secolo, ma non ha raccolto i risultati formali di quel periodo. Si considera discendente non dell'architettura, ma dell'essere umano. Sono la nostra pelle, la stoffa che copre il nostro corpo, le pareti e il tetto che accolgono le nostre attività a determinare gli spazi fondamentali. Esiste, certo, qualcosa di più importante: da questo tipo di architettura emanano i sentimenti umani, l'onestà e la dignità. È collegata all'arte della Secessione, caratteristica dell'impegno culturale nazionale, quanto l'architettura di Ödön Lechner, così descritta dallo storico dell'arte Lajos Fülöp nel 1918: "Cercando il nazionale, ha trovato l'internazionale; cercando l'Asia ha trovato l'Europa; cercando il particolare ha trovato l'universale; e cercando l'antico ha trovato il moderno, l'attuale". Essa impiega consapevolmente gli elementi simbolici dell'arte popolare, non per le analogie della forma, ma per il loro contenuto antico, genuino. Per questo ama e usa soprattutto materiali naturali. Legno, mattone, canna, sono tutti simili a creature viventi: nascono, vivono e muoiono, ricongiungendosi con i materiali della terra. La sua dimensione ecologica nasce da questo; non si limita a dichiarare, ma coltiva l'economia ecologica.

Se è il caso di individuare un rapporto tra questo e la filosofia di Rudolf Steiner, riesco a identificare il loro impegno soprattutto con il programma della scuola alternativa di Waldorf. Questa pratica concreta dell'idea steineriana vive oggi una rinascenza, così come la "generazione nomade" fu il momento di rottura degli anni Sessanta, che divenne la struttura portante dell'architettura organica ungherese.

L'indicazione delle fonti non sarebbe completa senza il nome di Károly Kós, architetto transilvano, che considerava l'arte popolare tra le principali fonti di ispirazione: "Il terreno su cui posa la nostra arte popolare è l'arte del Medioevo, la base della nostra arte nazionale è l'arte popolare".

Oggi, l'attività degli artefici dell'architettura organica si esprime in chiese, edifici pubblici, luoghi di riunione e case. Il nostro padiglione nazionale per l'Expo '92 di Siviglia, progettato da Imre Makovecz nasce nello stesso spirito, e verrà presentato al mondo per dar conto di questa architettura così originale.

Imre Makovecz, facciata
del tempio cattolico di Paks.

Imre Makovecz, facciata
del tempio evangelico di Siofok.

Imre Makovecz, interni del tempio
cattolico di Paks.

Imre Makovecz, interni del tempio
evangelico di Siofok.

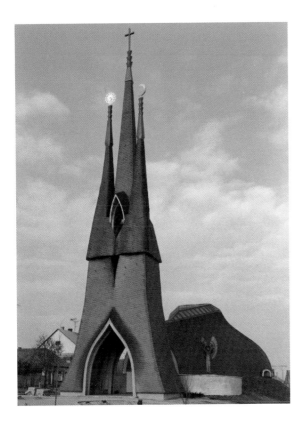

András Erdei, colonia artistica a Velem, 1978.

Anikó Szentesi, colonia artistica a Tiszavárkony, 1986.

Ferenc Salamin, scuola secondaria a Fonyód, 1986.

Gábor Tamás, edificio scolastico a Torolas, s.d.

László Zsigmond, edificio scolastico a Fonyód, 1987.

Dezsó Ekler, campo culturale a Nagykálló, sala da ballo, 1986.

Kószeghy Attila, edificio di abitazioni a Debrecen, 1987.

László Vincze, abitazione fantastica, 1988.

Ervin Nagy, complesso polifunzionale, s.d.

Tibor Heil, edificio polifunzionale, s.d.

György Csete (Gruppo Pécs), Casa delle fontane, 1970-71.

György Csete (Gruppo Pécs), cappella a Füzér, 1984-86.

György Csete (Gruppo Pécs), chiesa di Santa Elisabetta a Halásztelek, 1976-82.

György Csete (Gruppo Pécs), ristorante Ciprus-Csárd a Szarvas, 1982.

Tibor Jankovics (Gruppo Pécs), hotel e club house a Keszthely, 1983.

Tibor Jankovics (Gruppo Pécs), hotel a Fadd, 1977-79.

Antal Füzes (Gruppo Pécs), complesso balneare a Héviz, 1984.

István Kistelegdi (Gruppo Pécs), centro commerciale a Pécs, 1991.

István Kistelegdi (Gruppo Pécs),
cappella a Siklós, 1971-73.

István Kistelegdi (Gruppo Pécs),
edificio residenziale a Pécs, 1980.

Gábor Sánta, György Csete,
ristorante Gulya-Csárola a
Balatonszentgyörgy, 1985-90.

Péter Oltai, club house a Pécs,
1974-75.

Urss

Commissario
Alexander Riabušin
Coordinatore
Andreai Nekrasov
Direttore della mostra
Natalya Rudenko
Responsabile per il catalogo
Nadežda Smolina
Collaborazione all'allestimento
Studio di Architettura Cammara
Relazioni pubbliche
Rudi Brescia, Maria Grazia Chiappedi
Consulenti
Alessandra Latour
Anna Soudakova Roccia
Organizzatori
Commissione di Stato per
l'architettura e la pianificazione
Istituto per la ricerca architettonica
e la teoria della pianificazione urbana
Partecipanti
Unione degli Architetti dell'URSS
Accademia d'Arte dell'URSS
Unione degli Architetti della RSFSR
Istituto di Architettura di Mosca
Museo Statale per l'Architettura A.V.
Ščušev
INREKON
Istituto per la ricerca architettonica
e la teoria della pianificazione urbana

L'arte dell'architettura in URSS

È la prima volta che l'architettura sovietica nel suo complesso viene presentata alla Biennale di Venezia. In tre periodi diversi la nostra architettura ha dato dimostrazione piena delle proprie potenzialità e in ognuna di queste epoche sono emersi nuovi paradigmi creativi, nuovi modi di percezione, nuove mentalità, nuovi sistemi formali e strategie compositive. Il primo periodo coincide con quello delle avanguardie degli anni Venti, le cui posizioni erano connesse con quelle dell'"arte di sinistra"; il secondo con gli anni 1930-50, durante la dittatura staliniana, allorché si affermò l'"architettura del realismo socialista"; il terzo con gli anni Ottanta caratterizzati dalla presenza di giovani avanguardie tese a fissare nell'"architettura di carta" le attese per il compiersi del secolo.

Questi tre periodi sono rappresentati nella mostra; i primi due sono documentati in termini storici, mentre il terzo è l'oggetto organicamente studiato dall'esposizione. Nella prima sala del Padiglione sovietico è documentata la storia dell'architettura sovietica dal 1917 al 1950; i disegni e i materiali esposti nella maggior parte dei casi vengono esibiti per la prima volta al di fuori dell'Unione Sovietica. Le pareti dello spazio che li ospita sono state dipinte di rosso, il colore della rivoluzione e delle tragedie degli anni 1930-50. La seconda sala è dedicata all'architettura contemporanea. Il colore qui utilizzato è il bianco, simbolo di speranza e rinnovamento. Sono rappresentati gli architetti più prestigiosi e di successo con accanto le opere dei progettisti più giovani e di maggior talento, interpreti delle nuove tendenze. Un terzo sistema espositivo è riservato ai lavori degli studenti dell'Istituto di Architettura di Mosca presentati in modo da dare l'impressione di una "cascata di idee". Lungo il piano di questa cascata che si conclude al primo piano del Padiglione sono disposti i modelli di alcuni edifici, poi plastici di oggetti e, infine, schemi di pianificazione urbanistica. Questo allestimento allude allo stato della ricerca e al fatto che la progettazione è il prodotto più fragile del lavoro dell'architetto. La terza stanza del Padiglione è dedicata al problema della conservazione e del restauro delle antiche città, dei monumenti ecc., un tema questo attuale in tutto il mondo ma particolarmente sentito in un paese ove le culture nazionali sono state sistematicamente distrutte durante gli ultimi decenni. L'illuminazione della sala vuole simboleggiare che i problemi qui presentati stanno riemergendo dall'oblio all'attualità. Una attenzione speciale è stata dedicata al programma di ricostruzione della città di Pskov, mentre i disegni esposti e le diapositive documentano gli interventi di restauro in via di attuazione a Mosca, Vladimir, Souzdal, Novgorod ecc. I programmi audiovisivi intendono riprodurre l'atmosfera che si è instaurata con la rinascita delle culture nazionali che ora possono sviluppare le proprie tradizioni.

La situazione è mutata: ci siamo liberati di paralizzanti vincoli ideologici e nuovi valori umani guidano il nostro tentativo di entrare nella comunità mondiale; vogliamo conoscere il mondo e farci conoscere dal mondo. Come uno specchio l'architettura ha riflesso le contraddizioni e i difficili progressi della nostra società. Ma nonostante i complessi problemi della vita contemporanea, il fine di questa mostra è di proporre nuovamente all'attenzione i valori eterni dell'arte architettonica, le opere che riflettono la saggezza e la bellezza della nostra professione, la libertà e i drammi che contraddistinguono la vita dell'arte.

Alexander Riabušin e Nadežda Smolina

Vladimir Krinsky, progetto per il Palazzo del Lavoro a Mosca, 1923.

Grigoriy Zakharov, progetto di concorso per il Museo della battaglia di Stalingrado, 1943.

Aleksei Shusheev, progetto per la stazione del metrò Komsomolskaya a Mosca, 1945-49.

Ivan Zholtovsky, progetto per un terminal marittimo a Matserta, 1936.

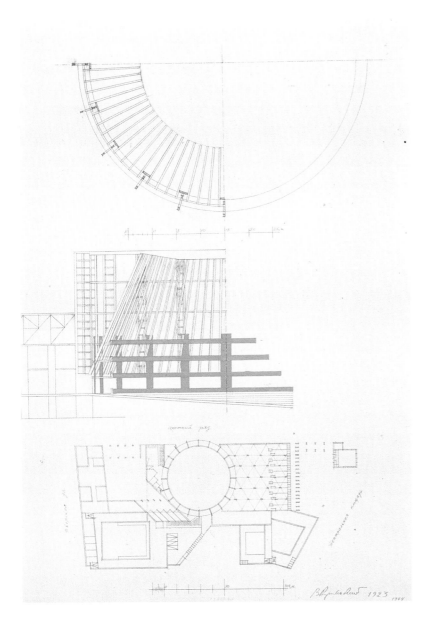

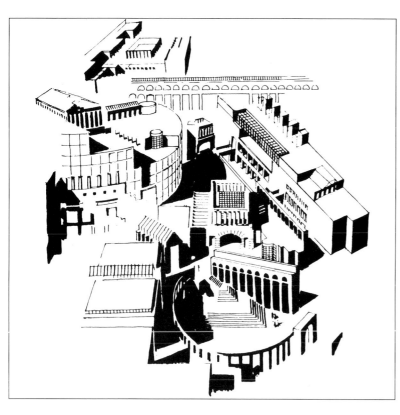

Abdula Akhmedov, progetto per un centro scientifico ed educativo a Satchi, 1990.

Euguueny Rozanov, edificio dell'ala Kuibishev del Museo Lenin, 1981.

Yury Platonov, Museo Paleontologico di Mosca, 1987.

Aleksandr Rotchegov, magazzini Moskovsky a Mosca, 1981.

Yakóv Belopolsky, progetto per la casa internazionale della Scienza e della Tecnica a Mosca, 1989-90.

Jim Torosian, stazione del metrò Sg. Republick a Mosca, 1975-82.

Aleksandr Brodsky, progetto per un ponte pedonale a Tacoma, USA, 1991.

Andrey Bokov, monumento ai cittadini sovietici a Copenhagen, 1990.

Aleksandr Larin, casa a Bobronisk (Belorussia), 1990.

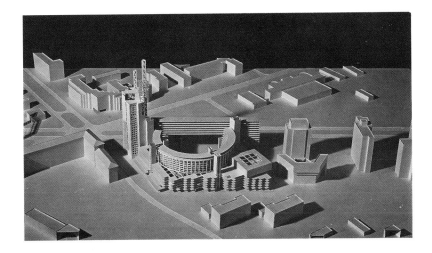

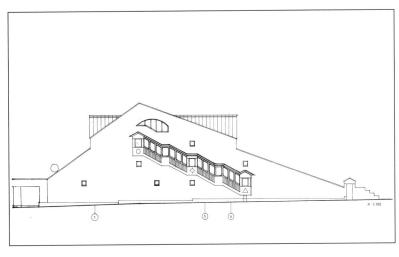

Dmitriy Velitchkin, Express-Architecture sotto la Perestroika, 1991.

Alexandr Nekrasov, progetto per un centro amministrativo e commerciale a Mosca, 1990.

Iskander Galimov, Mikhail Fadeev, cattedrale urbana, 1990-91.

Nikita Vikhodtsev, Marina Smolnikova, teatro e centro culturale Vladimir Visotski a Mosca, 1991.

Alexander Sokhatski, progetto per il Centro di commercio anglo-sovietico a Mosca, 1990.

Mikhail Labazov, Andrei Savin, Andrei Tcheltsow, Fattore spaziale n° 4, 1990-91.

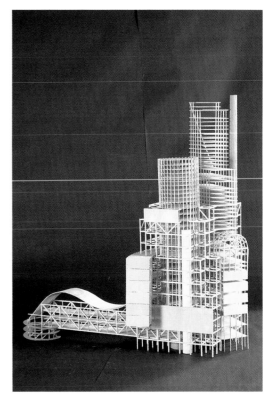

Pavel Ivanchikov, Vasilli Sotnikov, stazione spaziale a Mosca, 1990.

Boris Eremin (studente della Scuola di Architettura di Mosca), progetto di tesi, 1990-91.

Tatiana Vainstein (studente della Scuola di Architettura di Mosca), progetto per la ricostruzione del centro storico di Pskov.

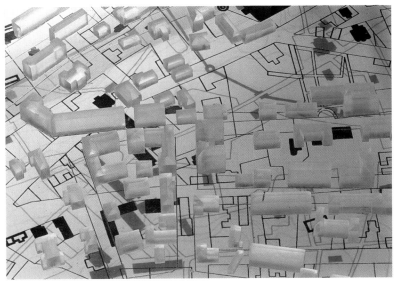

Venezuela

Commissario
Maria Teresa Novoa

Venezuela, architettura e tropico, 1980-90

Presentare l'esposizione "Venezuela, Arquitectura y Trópico", 1980-90, alla Quinta Mostra Internazionale di Architettura della Biennale di Venezia, è un'ottima opportunità per la Fundación Museo de Arquitectura, giovane istituzione venezuelana che si occupa della registrazione, della diffusione e dello scambio di idee sul lavoro architettonico nazionale e internazionale.

Abbiamo conseguito così uno degli obiettivi originari della Fundación Museo de Arquitectura, che mira a stringere un legame fra gli architetti e il pubblico in generale, ponendo speciale enfasi sul tentativo di far conoscere l'architettura venezuelana e latinoamericana.

Fundacion Museo de Arquitectura

Uno sguardo sugli ultimi dieci anni della produzione architettonica venezuelana ci consente di apprezzare la varietà delle sue espressioni formali, delle sue concezioni costruttive e delle proposte spaziali realizzate. Nel quadro di un panorama differente, ma caratterizzato dalle consuete tensioni in ambito economico e sociale, possiamo notare la creatività espressiva di una serie di proposte che, in un certo modo, offrono una risposta all'ambiente: si parla del luogo, della luce, del clima tropicale attraverso architetture capaci di appropriarsi del paesaggio naturale e di rispondere al paesaggio costruito e alla sua determinazione culturale.

Le realizzazioni che compaiono in questa mostra, impiantate nella geografia tropicale venezuelana, sottolineano le condizioni naturali del luogo: la *luce*, che al Tropico splende nella sua massima intensità; la *topografia*, che si esprime attraverso una geografia sinuosa accidentata; la *natura*, visione di un paesaggio che coniuga l'ambiente costruito e la bellezza naturale che esiste ancora con la forza propria di questa regione.

In questa sede si potrà osservare il modo in cui si manifestano le forme e lo spazio architettonico venezuelano, aspetto questo molto specifico, che in altre espressioni tipiche del nostro paese – come l'architettura tradizionale, regionale o spontanea – non viene preso in considerazione.

Senza ombra di dubbio gli anni Ottanta consentono la comparsa di una serie di interpretazioni particolari che hanno caratterizzato la nostra architettura contemporanea; cariche di apporti qualitativi al fatto architettonico, ma lontane dagli stili vigenti, queste interpretazioni ci parlano di realtà ambientali che ci riportano alla sua sintassi costruttiva.

Sembra in tal modo possibile suggerire l'osservazione di alcune costanti nell'opera degli architetti presenti alla mostra: il cortile interno aperto o chiuso, le terrazze, i balconi, la facciata aperta, la protezione solare quali elementi che compongono e talvolta determinano la forma architettonica. Queste costanti si esprimono nell'ambito urbano e nel paesaggio, offrendo così l'opportunità d'intervenire dal punto di vista architettonico. Riposano su questa base i tre assi espositivi sui quali si susseguono i quattordici progetti qui presentati: *Architettura e città, Architettura, forma e Tropico, Architettura e paesaggio*. A integrazione di questo panorama dell'architettura venezuelana ci accompagnano nella presentazione tre architetti apprezzati dalla critica per il loro lavoro attivo, originale e innovativo nell'interpretazione dell'architettura, Hannia Gómez, Edgard Cruz e Fernando Tabora.

a cura di María Teresa Novoa

Carlos Gomez De Llarena
e collaboratori, Parque Vargas
a Caracas.

Max Pedemonte e collaboratori,
stazione metro di Petare a Caracas.

Manuel Delgado, sistemazione del
viale ed edifici pubblici La Franja
a San Augustin del Sur, Caracas.

James Alcock, casa Bottome presso Caracas.

Joel Sanz, "La casa de mi madre".

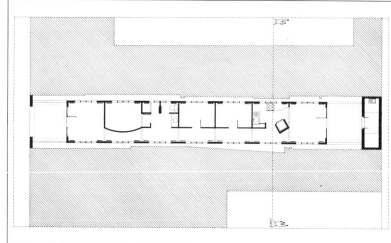

Celina Bentata, complesso residenziale Doral Castellana a Caracas.

Edmundo C. Diquez, Oscar B. González, José Alberto Rivas, palazzo Atrium a Caracas.

Helene De Garay, palazzo per uffici Fosforera Venezolana a Caracas.

Tomás Lugo Marcano
e collaboratori, teatro Teresa
Carreño a Caracas.

Jesus Tenreiro, monastero
nei pressi del lago di Valencia.

Jorge Rigamonti e collaboratori,
complesso industriale Carbonarca
a Città Guayana.

Esther Fontana de Añez, Lisette
Avila de Delgado, piazza del Sole e
della Luna sul canale Rául Leoni-Guri.

Miguel Carpio, casa Degwitz.

Fernando Tabora (Studdart e Tabora
architetti), Miguel Carpio, complesso
rurale El Monstrenco.

Padiglione Italia

Gae Aulenti

Studi per il nuovo "sistema stazione" Santa Maria Novella-Belfiore.

Nuovo accesso alla stazione di Santa Maria Novella, Firenze 1989-90

In occasione dei campionati mondiali di calcio dell'estate 1990 viene attuata da parte del Compartimento ferroviario di Firenze una serie di interventi di miglioramento dei servizi e di riqualificazione delle stazioni urbane.

In questo quadro si colloca la realizzazione del nuovo accesso diretto alla stazione di Santa Maria Novella dal piazzale a lato della fortezza da Basso che, conseguentemente alla recente sistemazione di un vasto parcheggio di superficie è divenuto uno dei principali ingressi alla stazione stessa.

Trattandosi di un collegamento tra luoghi per definizione appartenenti alla città, il nuovo accesso a Santa Maria Novella viene pensato come una strada urbana.

Il percorso prende l'avvio dal piazzale di parcheggio e sale in rampa continua lungo il rilevato ferroviario fino a raggiungere la quota della stazione. La lieve pendenza della rampa, inferiore a quella prevista dalle normative per l'abbattimento delle barriere architettoniche, ha consentito un percorso continuo senza introduzione di ripiani intermedi.

La rampa raggiunge il piano della stazione in corrispondenza del viale Strozzi, che viene sovrappassato mediante la realizzazione di un nuovo ponte pedonale. Qui il percorso si dilata in un ampio spazio di sosta (una sorta di piccola "stazione intermedia") coperto da un lucernario a falde inclinate e delimitato ai lati dalle alte torri laterizie binate che sorreggono la trave reticolare di sostegno del ponte. Il tema delle torri, per le quali è intuibile il riferimento formale alla fortezza che domina lo scenario urbano circostante, costituisce il segno architettonico utilizzato per caratterizzare, nell'immagine unitaria dell'intervento, gli episodi fondamentali del percorso. Una torre analoga segnala infatti l'avvio del camminamento alla base della rampa.

Dal ponte, ancora incanalato tra muri di mattoni che lo separano dal fascio dei binari, il camminamento prosegue verso la stazione alla quale va ad attestarsi alla conclusione dell'ultimo marciapiede.

A terra, i portali aperti nelle torri, sovrastati da arcate metalliche a sesto ribassato, consentono la totale percorribilità del marciapiede che fiancheggia la rampa, delimitato da un filare di paracarri interposti all'alberatura esistente.

Contenuto tra il vecchio muro di sostegno della rampa, il percorso si caratterizza a livello di immagine architettonica soprattutto per l'uso generalizzato del mattone a faccia vista. Una serie di dettagli accentuano tale caratterizzazione: dal disegno delle pavimentazioni che cita gli antichi selciati laterizi delle città toscane, al gioco dei corrimani, al tema continuo delle luci puntiformi incassate nel parapetto interno. Il mattone "a mano" utilizzato per le murature e le pavimentazioni, di dimensione analoga a quella del paramento murario della fortezza e del muro a retta del rilevato ferroviario, è stato appositamente realizzato per l'opera dalle fornaci San Marco di Venezia sulla base di attenti studi di grana, colore, contenuto in sali minerali.

La struttura interna delle torri è in cemento armato, realizzata utilizzando il paramento esterno come cassaforma perduta.

Un secondo materiale entra nel gioco a definire l'immagine architettonica dell'intervento, il ferro che ne evidenzia la matrice ferroviaria. La grande travata metallica di sostegno del nuovo ponte sul viale Strozzi, ripropone infatti nel disegno delle aste e dei nodi le travi dei ponti ferroviari.

Per tutta la carpenteria metallica è stato scelto un unico colore verde scuro: una tonalità cromatica che da lontano diviene neutra e quasi "naturalmente" appartenente al materiale.

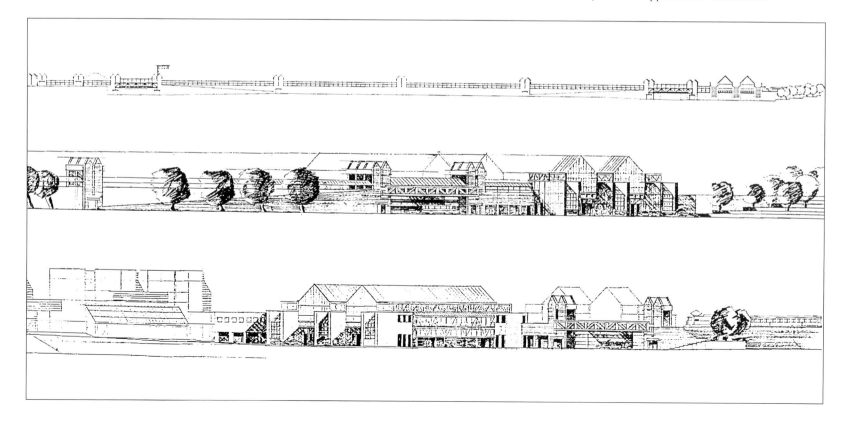

190

Proposta di interconnessione per Santa Maria Novella.

Veduta da viale Strozzi del nuovo ponte pedonale.

Il nuovo intervento visto dai binari della stazione di Santa Maria Novella.

L'arrivo alla stazione di Santa Maria Novella dal nuovo accesso.

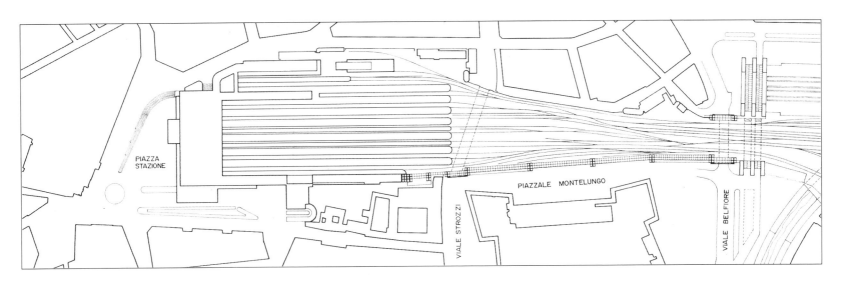

Aldo Aymonino

Villa sul lungomare laziale, 1990

Il lotto affaccia su una strada litoranea che separa la proprietà dalla spiaggia, su cui sono presenti numerosi stabilimenti balneari. L'idea base tipologica nasce dall'esigenza di mettere in condizione la zona soggiorno-pranzo della casa di poter godere della vista del mare, vista altrimenti preclusa da una disposizione tradizionale, zona giorno al piano terra – zona notte ai piani superiori. Avendo appurato che bastava invertire questa disposizione per dotare la zona collettiva dell'abitazione di un rapporto diretto con il paesaggio, si è tentato di evitare quell'aspetto altamente artificioso e approssimativo tipico delle case "sopraelevate" (dagli edifici su pilotis, agli insediamenti di bonifica con stalla al pian terreno e scala che conduce all'abitazione al primo piano). Si è pensato quindi che un leggero movimento geomorfologico del terreno avrebbe risolto egregiamente l'incongruità distributiva pur non ostacolando la funzionalità dell'abitazione. Le stanze da letto al piano terra affacciano su un "giardino segreto" con alberi e piscina, lontano dai rumori del traffico e della spiaggia; mentre la zona giorno, la veranda e la mansarda trovano nel terminale della piccola collina artificiale contenuta tra il confine del lotto e il muro lapideo in curva, il loro giusto rapporto con l'orizzonte, scavalcando visivamente la strada e le attrezzature balneari.

Progetto per una darsena a Ravenna, 1989

La proposta progettuale nasce dal tentativo di dare soluzione ai problemi generali creati dalla graduale dismissione delle attività portuali (e quindi quello di un inevitabile e progressivo cambio di destinazione d'uso nella zona) e dalla frattura della città risultante dal piano dei binari lungo l'asse nord-sud, oltre che dal tentativo di recuperare l'acqua non solo come immagine,

ma come vero e proprio elemento urbano da "usare" esattamente come una strada o una piazza.

Il progetto si compone di vari pezzi autonomi molto complessi al loro interno, che intendono acquistare forza e chiarezza nella semplicità quasi catalogativa dell'impianto urbano e nel ridisegno del nuovo "foro d'acqua".

Progetto per l'area del Circo Massimo, Roma, 1985

Il progetto cerca di riordinare l'immagine complessiva dell'intera area e prefigura un suo possibile uso come nuovo ingresso attrezzato al parco archeologico attraverso la connessione tra i Fori e le zone di bordo.

Esso si compone di vari pezzi autonomi che trovano i loro rapporti e il loro senso nella composizione complessiva. Il tracciato del Circo Massimo viene mantenuto inalterato e attorno ad esso si dispongono gli oggetti architettonici. Alcuni insistono sulle tracce esistenti (la spina e il podio); altri si accostano ad esse come nel caso del nuovo seltizonio che ripristina il segnale terminale della *regina viarum* Appia, diventando nello stesso tempo spazio espositivo; altri, come la scala di accesso al Pulvinar della Domus Augustana che ne riprende l'andamento curvilineo, riescono, senza toccare le rovine, a stabilire con esse un dialogo sia formale che funzionale, superando il dislivello esistente e diventando così l'accesso principale al Museo dei Fori.

Altri edifici infine (i musei) si discostano totalmente dalle memorie delle permanenze storiche per trovare una nuova unità di tracciati e di forme nella città presente e futura.

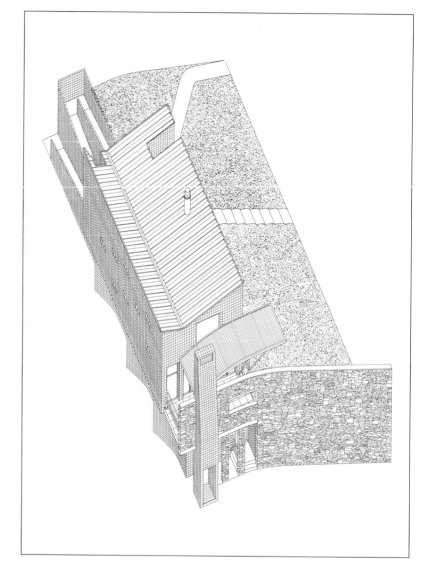

192

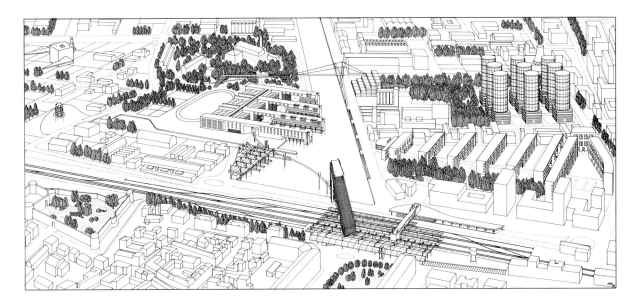

Edificio polifunzionale a Milano

L'isolato in cui è situata l'area di progetto appartiene alla zona di origine romana. In epoca medievale esso era delimitato dalle contrade di San Raffaele, di San Simpliciano e dalla corsia del duomo e comprendeva il monastero di Santa Radegonda. Fino alla seconda metà del Settecento l'isolato mantenne la sua configurazione medievale. Tra il 1782 e il 1784 Giuseppe Piermarini traccia la strada di Santa Radegonda che divide l'isolato e apre un percorso più largo e regolare tra il Teatro alla Scala e il Palazzo Reale. Il passo successivo delle trasformazioni rilevanti all'interno dell'area riguarda la costruzione della galleria Vittorio Emanuele a opera del Mengoni, la sistemazione della piazza del Duomo, l'apertura delle vie Foscolo e Berchet. La cuspide settentrionale dell'isolato si trova così a fare da sfondo al fornice del braccio orientale della galleria con la cortina continua degli edifici del lato est di via San Raffaele. Una presenza importante nell'isolato, tale da connotarlo oggi in modo predominante, è quella degli edifici a destinazione commerciale.

La condizione in cui si trova la proprietà comunale confinante a nord con la chiesa di San Raffaele, rappresenta una delle situazioni irrisolte nel centro storico di Milano, le cui cause risalgono all'ultimo conflitto. Gli edifici danneggiati ma non completamente distrutti resistettero fino al 1973 a svolgere almeno il ruolo di quinta edilizia a chiusura della visuale lungo l'asse est-ovest della galleria. Da quella data, anno di demolizione dei tre piani più alti per disposizione della Commissione prefettizia per gli stabili pericolanti, e anche a causa della costruzione, all'inizio degli anni Sessanta, dell'autorimessa della Rinascente realizzata senza alcuna considerazione per le caratteristiche storiche e ambientali del sito, lo scenario percepibile sullo sfondo del braccio est della galleria è tra i meno decorosi della città, soprattutto se si osserva che questo scenario è percepibile oltre che dalla galleria anche da piazza del Duomo lungo via San Raffaele e da piazza della Scala lungo via Marino. Data l'esiguità della superficie del lotto, per la peculiarità del sito e soprattutto per il rapporto con le proporzioni monumentali della zona, si è ritenuto importante che il piano particolareggiato, necessario per la definizione dell'intervento ai sensi della normativa vigente, fosse non solo prescrittivo nelle destinazioni d'uso e relative volumetrie ma direttamente "dedotto" dal progetto architettonico e tale da individuare l'intervento in modo architettonicamente definito all'interno del suo contesto. In questo senso si è mosso l'Ufficio urbanistico comunale che ha fornito una serie di studi preliminari dai quali ha preso le mosse la lunga sequenza di verifiche e ipotesi di soluzione che hanno portato all'attuale proposta progettuale. Nel valutare questi studi preliminari si è tenuto conto di alcune condizioni che in essi figuravano: la realizzazione di un passaggio coperto sull'asse di via Berchet e quindi tra via San Raffaele e via Santa Radegonda; la schermatura dell'autorimessa della Rinascente rispetto alle visuali sull'asse est-ovest della galleria; la mitigazione della presenza dei grandi muri ciechi della Rinascente per la visuale lungo via Marino; infine, la ricostituzione del perimetro originario dell'isolato, come era prima che intervenissero le demolizioni prescritte dal PRG del 1953, che fecero scomparire la sua appendice settentrionale. In conformità alla variante generale, l'area è destinata ad ospitare funzioni terziarie, commerciali e residenziali speciali e per funzioni con queste compatibili. Ne è derivato un programma progettuale che esprime un organismo polifunzionale, contenente attività commerciali, attività amministrative e attività ricettive per garantire una quota costante di abitanti.

Pianta del piano terreno e del secondo piano.

Modello dell'area.

Veduta dell'Ottagono della galleria Vittorio Emanuele.

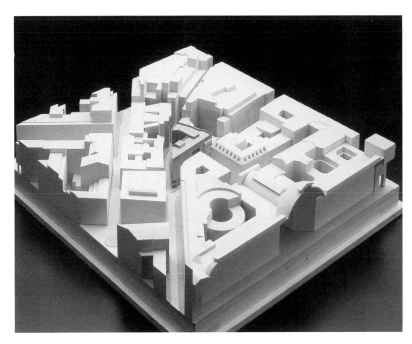

Salvatore Bisogni

Progetto per piazza Municipio, Napoli, 1990-91

Abbiamo enucleato alcuni temi progettuali per individuare i ben noti problemi insoluti del centro città a Napoli: il primo tema riguarda la possibilità di "ribastionare" Castel Nuovo, facendo appena affiorare (due o tre metri) il perimetro esistente dei vecchi bastioni elevandolo rispetto a un prato incassato, corrispondente all'originario fossato esterno.

Dentro gli spazi compresi nelle mura riemerse, si costruiscono fra percorsi e aree a verde anche nuovi edifici: sale per dibattiti, mostre, bar e ristoranti, negozi e servizi posti in corrispondenza del fossato esterno e di nuovi e vecchi accessi.

Senza ancora tentare il modo delle aggiunte rinascimentali, i nuovi corpi di fabbrica, francamente moderni, assieme ai bastioni, non dovrebbero mascherare il rivellino inferiore; ad eccezione del bastione di San Giorgio che, parzialmente, ridurrebbe l'inutile apertura creatasi con le vie San Carlo e via del Castello.

In quest'ultima strada e sotto il baluardo della Darsena il progetto prevede la costruzione di una pescheria, segnata all'esterno solamente da alcune "tettoie" e pochi banchi di vendita.

Il secondo tema riguarda il rifacimento del Molo Angioino, ottenuto innalzando di quattro metri (ricavati dalla riduzione di parte della pendenza di piazza Municipio) l'ingresso al porto.

In tal modo si verrebbe a costituire un manufatto di larghezza variabile sotto il quale verrebbero ubicati box per la sosta e per le compagnie di navigazione, nonché un percorso, nei due sensi di marcia e a diverse carreggiate, per pullman, furgoni e taxi.

A metà di tale percorso (cioè all'altezza dell'attuale stazione marittima, di cui l'ipotesi progettuale prevede la demolizione) inizierebbe una successione di edifici cubici alti otto metri, capaci di assolvere al ruolo di servizio e sosta per i turisti delle grandi crociere. Sopra il molo potrebbe giungere una linea filoviaria che, da piazza Municipio o da via Marittima, si spingerebbe fino ad un nuovo borgo, anch'esso costruito con edifici cubici alti dodici metri, "poggiati" sul mare e collegati da una rete di stradine e percorsi pedonali larghi sei metri, dove troverebbero sede edifici per la direzione portuale e per il tempo libero.

Il terzo tema riguarda il rifacimento del fronte del porto che sintetizza alcuni dei problemi inerenti il rapporto fra il mare e Napoli.

Sulle aree comprese tra il Molo Siglio e il Carmine (ovvero in corrispondenza della città storica) si potrebbero ubicare, al posto di silos e di magazzini in disuso, alcuni manufatti alti due piani da adibire alla produzione e al commercio; attività queste, oggi ubicate nei piani cantinati o nei bassi del centro antico di Montecalvario o dei "Quartieri Bassi" del Porto (il sommerso di Napoli).

Tali manufatti, alcuni costituenti nuovi moli per l'imbarco turistico, vengono allineati alle erigende torri di via Marittima, introducendo sul mare nuove e necessarie scansioni della città contemporanea, costantemente misurate da alcuni elementi cubici per l'artigianato.

Ma i problemi dell'intero fronte del porto possono essere risolti affrontando anche le questioni del traffico veicolare.

Un manufatto sopraelevato di quattro metri, sull'attuale Marittima, per la passeggiata e per mezzi pubblici, con sottostante strada può canalizzare il traffico privato nei due sensi (dal Molo Siglio al Carmine), pur collegandosi ai recenti progetti comunali del traffico interrato della linea di costa (la metropolitana "leggera").

Il manufatto in questione è pensato come quello di Morales a Barcellona, ovvero semi-aperto ai lati.

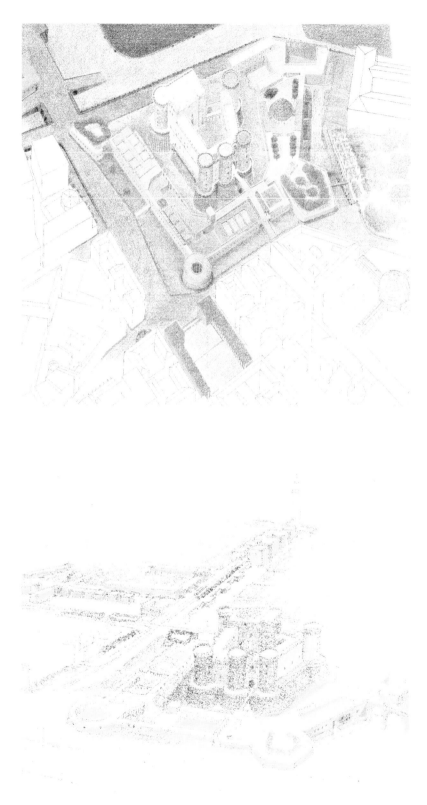

Veduta esterna dei volumi porticati
degli uffici e della mensa.

Prospettiva delle palestre
e dell'aula magna dalla nuova
strada di piano.

Come corollario, si pensa di pedonalizzare l'intero centro-città, interrando (creando i dovuti collegamenti ai previsti parcheggi interrati) parte del traffico che oggi blocca piazza Municipio, via Medina e piazza Plebiscito e ricollocando la fontana di via Medina e la statua del Gigante all'angolo della Reggia; non senza ripensare al ripristino del manufatto di chiusura della stessa via Medina (attualmente eccessivamente aperta su via Monteoliveto) e a due edifici bassi, di due piani, per attività rappresentative, posti davanti alla sproporzionata mole di palazzo San Giacomo.

Scuola media per il quartiere Traiano a Soccavo, Napoli, 1974 -89

La scuola media per 24 aule del quartiere Traiano di Napoli è relegata in un anfratto secondario del piano urbanistico del nuovo quartiere.

Da tale constatazione muove il tentativo di sottolineare il peso che le parti e gli elementi del complesso possono assumere, in quanto sede dell'istituzione scolastica, rispetto al ruolo "diffuso" della residenza.

Così, malgrado la parziale irregolarità dell'area, si è cercato di ridurre architettonicamente il complesso in un manufatto costituito da alcune parti fondamentali, caratterizzate, a loro volta, da alcuni elementi architettonici, disponendole lungo un asse che va dalla casa comunale ad un grande "polifunzionale" che sta sorgendo al centro di una vasta area libera a sua volta servita da una nuova strada.

Delle tre parti del manufatto, la prima è costituita da due corpi porticati ad un piano, destinati ad uffici, alla biblioteca e alla mensa; la seconda è anch'essa costituita da due corpi semplici di tre piani, ortogonali ai primi e misurati dalle aule e dai laboratori, ma unificati dalla ricorrenza di infissi a "filo" quadrati, nonché da due torri scale, di poco più larghe e più alte, con scale metalliche staccate dalle pareti; la terza parte è costituita da due palestre, con relativi servizi, nonché, al secondo livello, dall'aula magna raggiungibile sia dai collegamenti delle aule, sia da scale disposte in prossimità del futuro ingresso della nuova strada di piano.

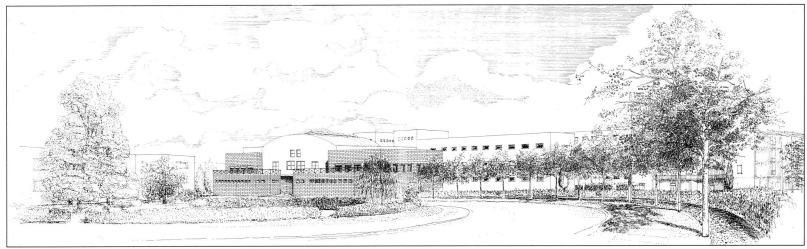

197

Gianni Braghieri

Impianto di depurazione delle acque reflue a Nosedo, Milano

L'impianto di Nosedo assorbirà le acque reflue di 1.100.000 abitanti di Milano (sarà il primo impianto di depurazione delle acque di Milano) e produrrà acqua "pulita" per l'irrigazione di 3670 ettari di terreno agricolo. Sorgerà in un territorio storicamente importante per la città, caratterizzato dalla presenza di una articolata rete idrografica di rogge e fontanili di elevato pregio paesistico e ambientale, delimitato a nord dalla cinta periferica urbana e a sud da emergenze architettoniche come l'abbazia di Chiaravalle. Il progetto cerca di trovare una sua identità e un'autonomia proprio nella esaltazione della sua funzione civile e sociale. L'edificio di rappresentanza e l'edificio dei servizi danno all'intero complesso, che impiega solo manodopera per la manutenzione dell'impianto, un carattere collettivo di cittadella. Gli edifici industriali presentano inoltre precise restrizioni planimetriche proprio per la loro funzionalità. L'intervento cerca, pur nel rispetto planimetrico dei singoli manufatti, di assemblarli e compattarli. L'esaltazione di materiali da costruzione come il mattone, il ferro, il rame usati in maniera non decorativa, intende restituire all'intero complesso il carattere unitario proprio della città. L'edificio di rappresentanza, scorporato e "isolato", viene a configurarsi come una nuova "villa" inserita in una triangolazione con cascina Vaiano Valle e cascina Ambrosiana. Per risolvere l'integrazione dell'impianto con i manufatti e il territorio irriguo si è adottata una recinzione – che definiamo "eclettica" – che invece di intervenire sul paesaggio ne assume i moduli e si integra a essi: innestandosi sulle rogge esistenti che, in parte, costeggiano il perimetro dell'impianto, vengono create delle rogge di progetto, larghe 5 metri, che danno luogo a una recinzione naturale. Lungo le rogge è prevista una piantumazione alternata con essenze arboree tipiche della pianura padana e dei contorni fluviali, che avrà lo scopo di rafforzare la recinzione, nonché una serie di piccole torri di smistamento nei punti dove il percorso delle rogge deve essere sotterraneo.

L'accesso al complesso del depuratore, sulla direzione est-ovest, taglia il progetto in due parti; a nord sono collocati gli edifici adibiti ai servizi, a sud l'impianto vero e proprio. Il vialone d'accesso è delimitato da muri in mattoni, interrotti da due cancelli simmetrici che introducono le due zone del complesso, riprendendo i modi tipici della villa. Una grande fontana circolare posta all'ingresso renderà chiaro ai visitatori il risultato finale ottenuto con la costruzione del depuratore. Dal cancello posto più a sud si accede al vero impianto organizzato secondo lo schema tipico dell'apparato industriale, con al centro il viale delle industrie che si conclude con la massa imponente delle vasche, ridotte in elevazione da un parziale interramento e interamente coperte. Sulla copertura è inoltre prevista la posa di un prato che contribuirà ulteriormente a mimetizzare la costruzione anche dalla prospettiva aerea. Nella scelta dei materiali si è ricercata la continuità con il contesto: in armonia con la tipologia della cascina, gran parte dell'edificato sarà in mattoni, con parti di intonaco ocra chiaro, tanto diffuso nelle case padane.

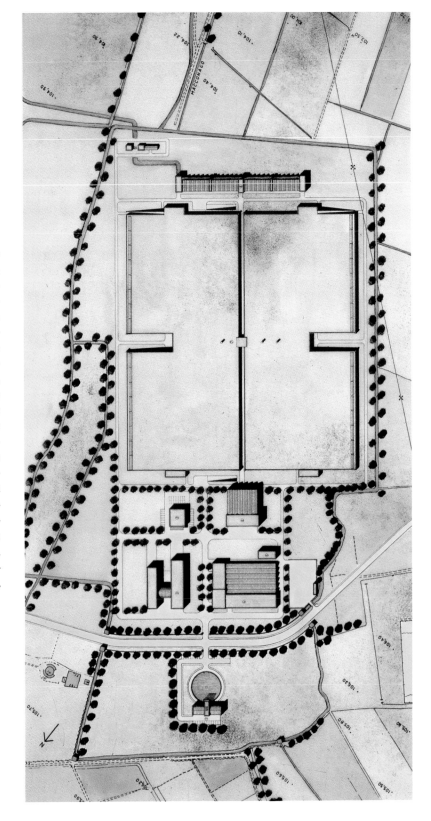

198

Modello, vista da nord. Edificio microfiltratura. Edificio rappresentanza.

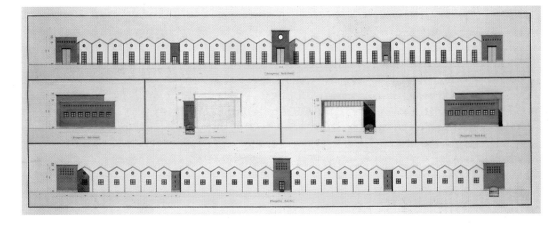

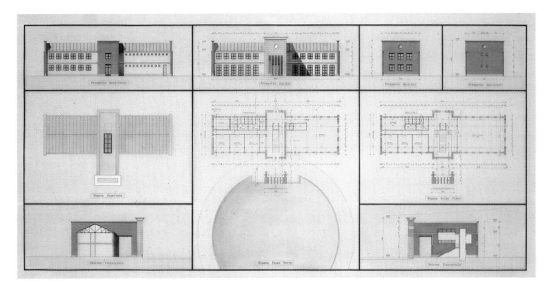

Augusto Romano Burelli

Il campanile della chiesa della Santissima Trinità in Magnano in Riviera, Udine, 1989

Nel progetto del campanile della Santissima Trinità, ci troviamo vincolati da una base superstite, rivestita in conci dal bugnato fortemente chiaroscurale. Ci si è provati a pensare il nuovo fusto come se fosse formato da più elementi strutturali, ordinandoli secondo il tipo della torre di avvistamento, o *torre cava*: due pareti prevalentemente cieche, opposte e simmetriche, si combinano con le altre due, di cui una traforata e l'opposta addirittura assente. Lo sbilanciamento verso la faccia traforata, è riequilibrato da due contrafforti poggianti sul blocco basamentale e da una piramide tronca che appare come il nocciolo resistente di tutta la torre. La faccia "inesistente" scopre l'interno del campanile che diventa visibile. Ecco allora che l'elemento di solito insignificante che vi è rinchiuso, la scala di risalita, diventa il tema architettonico del progetto. La faccia traforata che guarda il paese lascia trasparire il diverso meccanismo delle scale; la facciata opposta, del tutto assente, la esibisce completamente.

Qui si imposta il tema compositivo del progetto: le variazioni del fusto provocano le variazioni delle sezioni orizzontali, mano a mano che si sale, e inducono un cambiamento di posizione, di tipo e di direzione delle scale: sette tipi diversi di scale si susseguono entro il fusto, una per ogni regione strutturale. Anche in questa torre, la cella campanaria non è semplicemente sovrapposta; essa semmai è incastrata nella sua parte terminale. Al suo posto c'è un portico a due colonne prospiciente un vuoto, occupato dalla sommità dei due contrafforti che sostengono le campane.

Campanile di San Giorgio a Udine, 1986-88

Il campanile di San Giorgio risolve anch'esso, in modo diverso, il tema com-

positivo della torre di avvistamento. L'origine di questo tipo risale alla torre militare con funzione di difesa: la faccia più chiusa rivolta verso l'esterno, la più aperta verso l'interno del luogo da difendere. Questa asimmetria rispetto a un asse diventa il pretesto per introdurre ulteriori elementi di scomposizione del fusto: la struttura interna che è il nocciolo resistente; il semicilindro esterno della corteccia; la coppia di contrafforti inclinati che penetrando nel semicilindro pare deformarlo, e si conclude nel sostegno delle campane. Nell'intercapedine di 60 centimetri, compressa tra la superficie convessa del nocciolo e la faccia concava della corteccia, si insinuano tutte le scale di risalita. Questo distacco rende il cilindro esterno simile alla cassa armonica di uno strumento musicale, mentre gli stretti e alti passaggi si richiamano alle torri della tradizione romanica.

Tutti gli elementi obbediscono alla composizione radiale della pianta, ritmata dalle suddivisioni della circonferenza in 6 ed in 18 gradi: le scale, i pianerottoli, le mensole, i puntoni della copertura conica. La base del campanile è divisa in due parti dal muro di contenimento del sagrato, in modo che la parte cilindrica sporge verso il ripido pendio andando ad appoggiarsi 3 metri più in basso. Di qui l'effetto dinamico che i contrafforti inclinati, sorgendo dal piano del sagrato, conferiscono al fusto, come trattenendolo sul ciglio della ripida valletta. La distinzione tra il fronte impenetrabile e quello opposto cavo è accentuata dalle lastre in pietra incastrate tra i contrafforti inclinati, separate da sottili fessure.

Campanile di Sant'Elena a Montenars, Udine 1986-88

Il nuovo campanile di Sant'Elena si innalza sul poderoso basamento in pietra, unica parte superstite dell'antico campanile, con un sistema a tre pareti

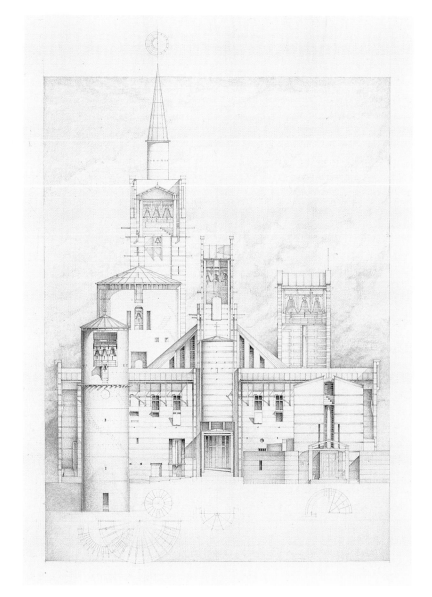

Campanile della Santissima Trinità
in Magnano, Udine, piante, sezioni
e prospetti, in rosso l'antica base
superstite.

Campanile di San Giorgio
in Montenars, Udine.

Campanile di Sant'Elena
in Montenars, Udine.

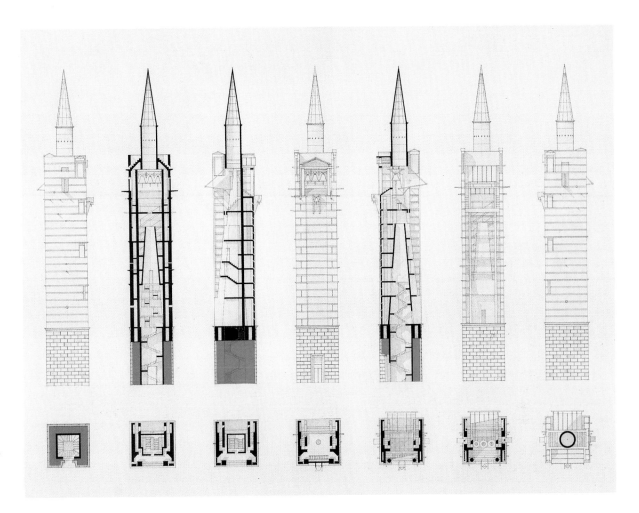

murarie. Due di esse, prevalentemente chiuse e rivolte al torrente e al monte, sono collegate tra loro da una terza, traforata da fessure inclinate. Le due pareti chiuse sono interamente rivestite in lastre di pietra di taglio regolare, poste in opera a simulare una muratura in conci. Il tema compositivo è appunto quello della *torre cava*, con due facce opposte uguali e una mancante, e del conflitto che si instaura nella regione di trapasso dal blocco massiccio superstite alle leggere strutture superiori.

Una scala metallica sale all'interno del basamento, occupando tutta la piccola cella di un tempio anfiprostilo: da questa ci si affaccia all'aperto sia verso il sagrato della chiesa, sia dalla parte opposta, verso il cimitero e, più oltre, la valle. Un'edicola a sbalzo sulla strada e rivolta verso l'interno, rinchiude uno spazio misterioso: un luogo sacro e inaccessibile al profano dal sagrato. Questa soluzione, che potremmo chiamare "l'artificio dell'edicola vuota", è la prima di una serie che sarà sperimentata negli altri progetti presentati. Dietro alla "colonna sola", che simbolicamente sorge dalla copertura del tempietto, una scala verticale sale alla cella campanaria, costituita da una semplice plancia metallica trasparente, per il concerto manuale delle campane nelle feste solenni.

Guido Canali

Parma, restauro della Pilotta e ampliamento della Galleria Nazionale

L'ampliamento della Pinacoteca, all'interno del grande complesso manierista della Pilotta, ha fornito lo spunto per varie operazioni di restauro e per la riorganizzazione di parti disarticolate.

Tra gli obiettivi dell'operazione, oltre a diffusi consolidamenti statici, anzitutto il recupero di tutti i caratteri superstiti del palazzo secentesco, e la depurazione dalle alterazioni provocate da occupazioni militari negli anni Cinquanta.

Vari i modi di intervento, a seconda delle specifiche situazioni di degrado o manomissione. A volte è bastato solo un gesto discreto, come l'incidere il tetto del retropalcoscenico del teatro inserendovi una specola a nastro, per lumeggiare il modellato di un muro e restituirgli l'evidenza di quand'era un esterno.

Nell'ala ovest tutto invece era stato manomesso: copertura, tramezze, intonaci, pavimenti erano stati rifatti con materiali dozzinali, eliminando le antiche travature lignee. Qui è stato recuperato quel poco che si poteva, raschiando i muri d'ambito, sì che il mattone nudo, all'interno come all'esterno della Pilotta, divenisse la sigla delle superfici superstiti. E persino il soffitto degli anni Cinquanta, per lo stesso puntiglio di rilettura filologica, è stato ridotto alla sola ossatura portante di travi parallele. Si è cercato di conservare traccia anche di quei manufatti che sono come le viscere degli edifici antichi, di solito visibili solo durante i restauri e subito dopo nuovamente sepolti, come ad esempio la porzione di volte a botte all'estremità dell'ala nord, lasciata a vista quasi come tavola didattica degli elementi costruttivi di un edificio manierista.

Nell'ala nord il restauro, oltre a restituire i pochi materiali superstiti, quali capriate e paramenti in mattoni, ha tentato di evocare un elemento difficilmente definibile qual è lo spazio, restituendo – dell'antico – le singolari, dilatate dimensioni: per recuperare, del fienile, le grandi altezze e il carattere di precarietà negli impalcati intermedi è stato impiegato un soppalco a pianta reticolare, sorretto da travi-parete, con componenti che consentano la massima mobilità, cioè con elementi tubolari da ponteggio di cantiere.

Al restauro si relaziona l'intervento progettuale, più specificamente innovativo, che organizza un sistema di protesi metalliche – ponti, soppalchi, passerelle, scale, ascensori – per consentire un percorso continuo a senso unico, il più fluido e scorrevole possibile in rapporto ai forti dislivelli da vincere ed il più variato sotto il profilo spaziale e spettacolare.

Reinventare percorsi e connettere ex novo spazi restaurati ha consentito di evocare potenzialità latenti dell'antico edificio, specie in rapporto ad inediti punti di percezione.

Ampliamento del municipio di Sassuolo

Il progetto si inserisce in un più ampio piano di recupero redatto nel 1988 relativo a un intero isolato del centro storico di Sassuolo.

Nello stesso ambito in precedenza era stato realizzato il restauro delle ex carceri, utilizzate ora quale sezione di rappresentanza dell'amministrazione comunale.

L'area interessata dal progetto di nuova edificazione è attualmente occupata da una scuola dismessa perché fortemente degradata, di cui si prevede peraltro il mantenimento della facciata principale come frammento di memoria urbana.

A quota strada, una galleria commerciale costituisce elemento di articolazione tra la quinta edilizia lungo via XX Settembre (negozi e uffici) e l'edificato interno da destinarsi a negozi, uffici e

Galleria Nazionale, livello alto dell'ala ovest nell'attuale allestimento museale.

Pilotta, percorso pensile entro il teatro Farnese.

Sassuolo, il cortile delle ex carceri dopo il restauro.

ampliamento sede municipale con nuova sala consiliare.

La facciata novecentesca della ex scuola viene forata da nuovi alti portali che proiettano percorsi pedonali verso la città storica, connettendo così cortili interni interclusi e strade prima separate.

La nuova articolazione – un assemblaggio di pezzi, come la città storica, piuttosto che un edificio concluso – ritaglia slarghi interni e piazzette.

Il paramento murario interamente in mattoni e l'altezza contenuta propongono un rapporto discreto con le facciate rustiche ed i retri della città storica, là dove la compagine edificata faceva posto alla campagna.

Complesso edilizio di San Michele in Borgo, Pisa, 1986 e sgg.

Il progetto prevede la ricostruzione di un complesso edilizio che, prima delle distruzioni belliche si addossava all'abside di San Michele in Borgo, nel cuore della città antica.

I ruderi di case torri sui lati nord e sud dell'area vengono completati con murature di mattoni a quattro teste. Un nuovo edificio, costruito lungo il lato est sulle antiche fondazioni emerse da uno scavo archeologico, è destinato a ricucire la maglia urbana preesistente, dando origine a una piazza di forma regolare. Il sistema strutturale adottato, costituito da murature a sacco armate di mattoni a faccia vista, ha consentito di ottenere un lungo spazio continuo da utilizzare con libertà, tagliato da grandi aperture a tripla altezza per assicurare la necessaria trasparenza verso la piazza e l'abside della chiesa. Diaframmi in ferro e vetro delimitano, senza superarli visivamente, gli spazi commerciali del piano terra; due grandi logge a triplo volume sugli spigoli del complesso servono da ingresso principale alla piazza e accolgono i cilindri delle scale di accesso alle abitazioni.

Le murature sono state realizzate con mattoni di colore deciso e omogeneo, senza commento, in modo da ottenere una tessitura astratta e neutrale, adatta a confrontarsi con i muri antichi. Per garantire una qualità materiale vicina a quella dei monumenti circostanti sono stati impiegati molti pezzi speciali di laterizio appositamente disegnati, per gli archi di coronamento della grande parete nord, gli spigoli fuori squadra dei muri di forte spessore, le cornici ecc.

Credo che la metodologia adottata abbia alla fine consentito di ottenere un impianto forte, in continuità con la storia e la natura del luogo, una matrice capace di sopportare trasformazioni future, senza perdere la propria identità, ultimo strato dei molti che si sono sovrapposti per dieci secoli.

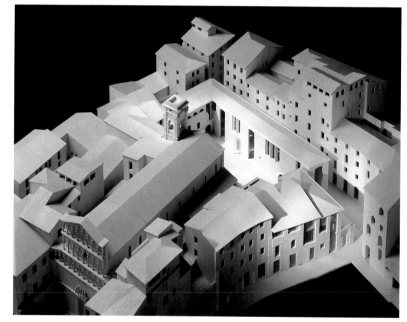

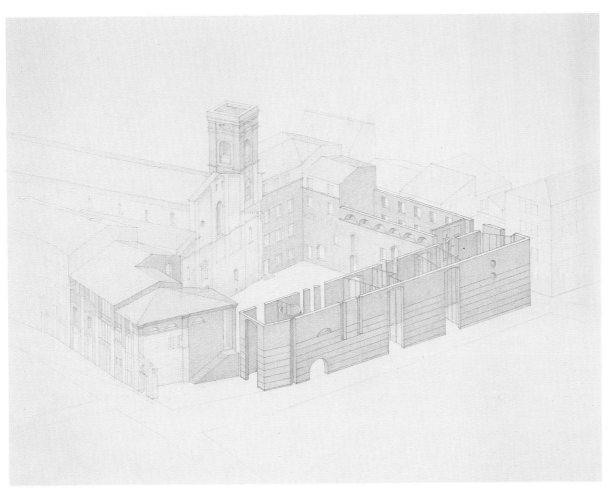

Assonometria dall'angolo sud-est.

Edificio lato est, prospetto verso la piazza.

Edificio lato nord, completamento della muratura esistente.

Roberto Collovà

Progetto del giardino del Carmine a Salemi, 1982-86

Il quartiere del Carmine a Salemi era già gravemente danneggiato prima del terremoto e gli abitanti lo avevano in gran parte abbandonato, nonostante la felice posizione. Il quartiere si allunga da monte a valle, è attraversato da una strada perfettamente integra e i suoi bordi si affacciano ben definiti ma diversamente sui fianchi del crinale su cui è attestato. Per molti anni è stato un pezzo di città fantasma, unico collegamento in via di erosione tra il paese sulla collina e i quartieri più recenti a valle. Nel quartiere era una chiesa crollata ormai da decine di anni e un chiostro di cui restavano due arcate.

Quando ci è stato proposto di fare un progetto per la conservazione di quel rudere, ci erano state poste anche molte domande sul destino del quartiere. Siamo rimasti a lungo incerti e perplessi, finché non ci siamo resi conto che il quartiere del Carmine andava risanato come area, come parte di città e che l'unica strada per far questo stava nell'operare una sorta di conversione tipologica, un passaggio di scala e di uso.

Nacque così l'idea di proporre per l'intero quartiere la destinazione a ciò che chiamammo impropriamente "parco urbano" e che in verità è destinato a diventare il giardino comunale di Salemi. A partire da questa idea il quartiere si è proposto come la sua complessiva geografia, un insieme di risorse legate alla sua struttura ma anche una grande cava di materiali preformati.

Forse troppo suggestiva rispetto ai modi pratici con cui è possibile condurre i lavori pubblici, ma certamente interessante, è l'ipotesi di lavorare all'interno dell'area conducendo una graduale redistribuzione delle materie, come in un cantiere continuo in cui si possano progettare le costruzioni come le demolizioni.

"La giacitura del vecchio quartiere lungo un costone inclinato, suggerisce una sistemazione a terrazze, degradanti e alberate; a questo fine si è pensato di utilizzare le murature delle case esistenti, opportunamente tagliate e consolidate, come strutture di contenimento del terreno" (dalla relazione di progetto). L'idea complessiva è così un progetto delle demolizioni e dei tagli che ha l'obiettivo di trasformare i muri delle case in bastioni di giardino, balaustre di terrazze, recinti di giardini particolari. Anche il primo intervento, l'edificio per i ruderi, ha perso le caratteristiche di edificio per diventare sistemazione del suolo, una delle tante terrazze del giardino.

Il progetto del primo intervento "consiste nella costruzione delle prime due terrazze nell'area centrale del quartiere: la più alta si costituisce come una piazzetta che, attraverso piani inclinati, si raccorda alla strada principale; la più bassa estende la superficie del vecchio basamento della chiesa e del convento del Carmine, così da formare il piano di posa per una cava all'aperto. Essa, insieme ad altre sistemazioni del terreno, ottenute per mezzo di scale e terrapieni, funge da collegamento tra i due livelli.

Procedendo nel progetto esecutivo è divenuto sempre più chiaro quanto il tema centrale sia da cercare nel rapporto con la forma del terreno e con i tracciati longitudinali e trasversali di vecchi e nuovi percorsi.

Il recinto del teatrino ha trovato così dimensioni adeguate e la sua altezza si è andata riducendo fino a sfumarsi a terra nella parte a monte.

Questi adattamenti successivi hanno messo a punto anche la scelta dei materiali. Durante la costruzione è sembrata utile la loro riduzione; arenaria, travertino, ciottoli e tufina sono sufficienti ad assimilare il teatro e le sistemazioni esterne, a quegli stessi muri e a quelle stesse superfici lastricate che costruiscono il quartiere. Le liste delle pavimentazioni prendono spessore lungo le pareti della cavea che, con la gradinata, sembra scavata nel travertino.

Infine il rapporto con i ruderi è stato affrontato circoscrivendolo alla scena dove le parti essenziali dell'ordine architettonico del chiostro, base, colonna, capitello, restano semisommerse da una colata di ciottoli.

Teatro all'aperto a Salemi.   Case di Stefano, Gibellina.

Coprat

**Centro culturale polivalente
a Moglia, Mantova**

Il nuovo Centro culturale polivalente
di Moglia si colloca in un punto di
cerniera tra vecchio abitato e recente
periferia, a fianco di uno degli assi viari
più importanti del paese.

Ha un impianto ad "H", con un salone
centrale a pianta ottagonale e copertura piramidale, utilizzabile per riunioni
e spettacoli di vario genere, capace di
quattrocento posti, racchiuso tra due
corpi edilizi bassi allungati che contengono funzioni complementari e di servizio alla sala, biblioteca e scuola di
musica principalmente.

Il palcoscenico della sala coperta continua in un palcoscenico esterno che fa
parte di un teatrino semicircolare all'a-
perto.

L'immagine complessiva dell'edificio
cerca di rappresentarne in maniera
"forte" la particolare funzione pubblica e la posizione cardine.

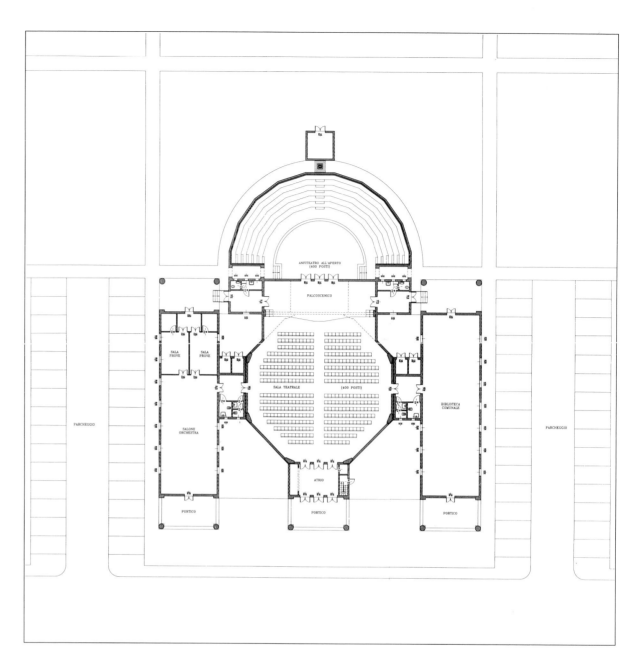

alla pagina precedente

Pianta, prospetti e sezioni.

Vedute del fronte principale,
del fianco, dall'interno
e dall'ingresso principale.

Stefano Cordeschi

**Nuovo cimitero comunale
di Ciampino, Roma**

Ci rendemmo conto che la costruzione del cimitero contribuiva significativamente alla fondazione della città.

Dove, nel primo progetto, era un sottile scavo dai bordi costruiti, opposto a un grande piano verde, disegnammo un lungo colonnato in curva fronteggiato da una serie di edifici a pianta centrale immersi in un fossato dai margini tormentati. Il linguaggio arcaico e l'atteggiamento sostanzialmente mimetico che caratterizzavano la silente necropoli del primo progetto ci apparirono inadeguati a rappresentare l'urgenza di significato istituzionale che quei luoghi esprimevano.

Decidemmo così di celebrare un luogo "sacro" per le paure che suscitava, un luogo per l'ansia e la consolazione di una periferia metropolitana con un linguaggio aulico e popolare, tempio e fienile, mausoleo e capanna.

Pensammo edifici grandi come i monumenti degli antichi e per essi disegnammo colonne dal fusto potente e alti basamenti; eliminammo però le trabeazioni e decidemmo di poggiare il tetto ligneo direttamente sui capitelli come nelle severe costruzioni rurali.

Nella definizione del modello tipologico ci furono utili alcune considerazioni sull'immagine storica del cimitero così come si era andata consolidando dall'Ottocento in poi e sulla sua successiva degradazione per il progressivo scadere della qualità delle tombe private e per la degenerazione, fino ai limiti del grottesco, degli edifici comuni. Per questo ritenemmo opportuno includere le singole sepolture all'interno di manufatti di scala superiore che garantissero un'immagine più forte e unitaria.

L'impianto generale rimase comunque aperto, quasi fosse parte di un disegno mai finito e collocammo gli edifici a pianta centrale, come in un bosco, si dispongono naturalmente piante di una stessa specie, ora più rade ora vicine.

Edificio a ballatoio, testata e ingresso.

Prospettiva della zona centrale del complesso.

210

Piano di recupero nel centro storico del Comune di Acquapendente, Viterbo

Il piano di recupero di Acquapendente si inserisce nel quadro di una più vasta politica di recupero urbano perseguita dall'amministrazione comunale nel centro storico. L'obiettivo tende alla rivitalizzazione di un intero comparto all'interno del tessuto cittadino.

Il progetto, commissionato nel 1985 da una società proprietaria delle aree comprese in una delle zone di recupero, consiste in una operazione di rivalutazione generale di un tratto dell'antico corso della città in prossimità della piazza del Duomo.

Il piano, comprendente la realizzazione di due nuovi edifici, è suddiviso in due unità minime di intervento. Nel perimetro dell'unità minima di intervento "A" il piano di recupero prevede la realizzazione di un edificio in linea su tre piani servito da due corpi scala e coperto a tetto. Il piano terreno è destinato in parte ad attività commerciali e in parte ad autorimesse. I due piani superiori sono destinati a residenze per un totale di otto appartamenti.

Nel perimetro della UMI "B", il piano prevede la realizzazione di un edificio costituito da due blocchi su tre piani collegati al livello del primo piano.

I due volumi dei corpi di fabbrica, rettangolari al piano terreno e al primo livello, racchiudono un piccolo cortile che si apre verso la via Roma e verso i giardini retrostanti, secondo la reinterpretazione di una tipologia tradizionale ancora rappresentata ad Acquapendente.

Gli ultimi piani dei due blocchi, quelli emergenti dalla fascia di collegamento del piano inferiore, hanno forma ottagonale con copertura a padiglione a otto falde. I due livelli sono caratterizzati dall'apertura di logge sui lati corti del poligono.

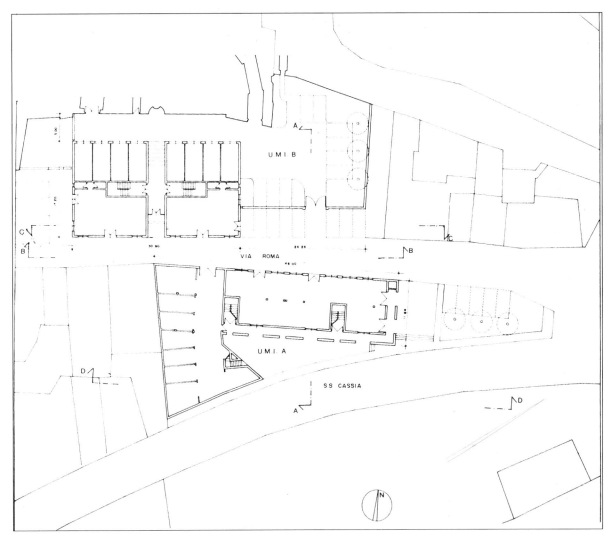

211

**Pasquale Culotta,
Giuseppe Leone**

Ristrutturazione del municipio
di Cefalù, 1981-91

Il municipio di Cefalù è ubicato nel cuore del centro storico. Prospetta su piazza Duomo, sul lato opposto alla cattedrale, e occupa l'isolato delimitato da via XXV Novembre, vicolo San Salvatore, via Mandralisca e piazza Duomo.

Monastero delle monache Benedettine di Santa Caterina alle origini (XIII secolo), all'inizio dei 1900 è stato sede del distretto militare e dal 1958 è casa comunale. Sotto la spinta degli studi e delle proposte operative del piano particolareggiato del centro storico, l'amministrazione comunale nel 1981 avviò le prime operazioni progettuali per il recupero e la rifunzionalizzazione dell'intero complesso.

I lavori, ancora in corso di esecuzione e da completarsi entro il 1991, hanno avuto inizio nel 1984 e sono proseguiti attraverso la successione di quattro lotti finanziari.

Dopo l'esecuzione dei primi tre lotti, finalizzati alla demolizione delle superfetazioni, al consolidamento di tutte le strutture verticali, al rifacimento dei solai, alla dismissione di pavimenti e intonaci, alla revisione delle coperture e ai saggi archeologici, una volta raccolti tutti gli elementi conoscitivi sulla fabbrica, si è proceduto alla redazione del progetto di completamento (1988) per un intervento organico mirato alla coniugazione dei due materiali principali: la struttura storica e stratificata dell'edificio e il programma funzionale delle attività municipali. La soluzione descrive questa duplice relazione e ne sottolinea la possibile convivenza. In alcuni punti "strategici", attorno all'involucro della chiesa si è utilizzata la complessa stratificazione storica del monastero per trovare il modo di svelare le interessanti caratteristiche tipologiche, architettoniche e spaziali della fabbrica, caratteristiche per buona parte messe in luce proprio dai lavori dei primi tre lotti.

Gli ambienti più significativi, compresa l'aula ottagona dell'ex chiesa di Santa Caterina, sono destinati ad attività culturali e politiche nell'intento di creare una pluralità di iniziative sociali e turistiche nel cuore del centro storico. Un modo, questo, anche per contribuire a mantenere la centralità di piazza Duomo nel tessuto urbano e di esprimerla tenendo conto di esigenze che aderiscono alla prevalente economia turistica di Cefalù.

Il sistema degli spazi a piano terra è progettato per amplificare il ruolo "urbano" dell'organismo architettonico; l'interno dell'isolato, infatti, considerato una estensione di piazza Duomo, è da attraversare in una successione di percorsi coperti e scoperti che raccordano possibili itinerari pedonali dal parco della cattedrale al Museo Mandralisca.

Casa Finocchiaro a Villa Ciambra,
Monreale, 1988-91

La casa Finocchiaro è stata progettata per le esigenze di un nucleo familiare composto da marito, moglie e una figlia.

L'ubicazione, la sagoma planivolumetrica, il volume e le altezze della casa sono quelle fissate da un piano di lottizzazione. La composizione e l'articolazione degli ambienti sono state desunte dal programma domestico della famiglia Finocchiaro; hanno influenzato la costruzione del progetto le caratteristiche del sito e del luogo circostante.

La posizione del terreno domina la Conca d'Oro di Palermo, incisa dalla vallata di agrumi del fiume Oreto e misurata da lontani capisaldi come il duomo di Monreale, le cupole del centro storico di Palermo, monte Pellegrino e il mare.

La lettura delle caratteristiche del sistema morfologico è stata affidata al piede e alla sommità della scatola muraria, con un forte radicamento alla

base, risolto dai raccordi altimetrici e
dai percorsi che connettono le varie
parti del lotto con gli ambienti terreni,
e con un lineare coronamento la cui
orizzontalità evidenzia il declivio del
terreno. Il tema dei percorsi e delle
connessioni spaziali è sviluppato anche
all'interno della casa.

Una trama di collegamenti orizzontali
e verticali facilita una visione inclusiva
e differenziata degli spazi domestici,
strutturati dal grande volume del soggiorno e dalla stratificazione degli ambienti per la vita più privata dei componenti la famiglia.

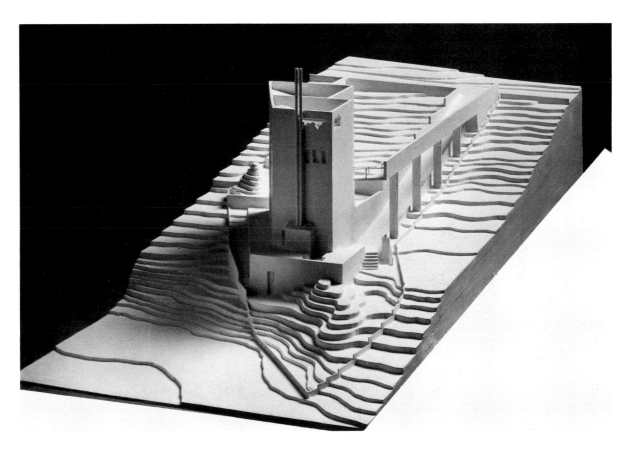

Claudio D'Amato

Residenza Reggini a Falciano, Repubblica di San Marino, 1982-89

Questa villa è stata progettata per la famiglia Reggini (marito, moglie, due figlie) e sorge a Falciano, in contrada Rovereta, nella Repubblica di San Marino. Si tratta di uno dei tanti borghi che fino a trent'anni fa costellavano armoniosamente il territorio della piccola Repubblica del Titano. Negli ultimi trent'anni il rapido e spesso mal controllato processo di urbanizzazione ha quasi del tutto azzerato le antiche caratteristiche rurali della zona.

La villa nasce su di un bel poggio dove era il rudere di una delle tipiche case rurali dell'agro riminese, con il piano terreno destinato al ricovero degli animali, alla conservazione degli attrezzi agricoli e del foraggio; il piano superiore, con la "stanza del fuoco" riservato ad abitazione; e con il caratteristico elemento di portico-tettoia in facciata. Di questa preesistenza ho voluto mantenere le fondamentali caratteristiche volumetriche e di immagine. A tal fine mi sono servito dei materiali e delle tipiche tecniche costruttive locali, riprese filologicamente in alcuni casi (come ad esempio nella cornice in mattoni di sottotetto) facendole però reagire per differenza con la nuova fronte dell'edificio basata sull'uso unificante dell'ordine a tutt'altezza.

Il programma distributivo che si serve di una sezione a piani sfalsati per una migliore utilizzazione dello spazio, prevede al piano seminterrato i servizi generali (lavanderia, locali tecnici ecc.); al piano terreno il reparto giorno e la grande sala di rappresentanza; al primo e al secondo piano gli appartamenti privati; nel sottotetto un ampio studio. Nel garage l'uso del mattone a due, una e mezza, una testa ha consentito di ottenere, come in uno scavo, la successione di tre piani di giacitura (con sfalsamenti di 5 centimetri) che ne esaltano i valori plastici e chiaroscurali.

Facoltà di Agraria dell'Università di Reggio Calabria, Reggio Calabria, 1987-89

La Facoltà di Agraria è articolata in tre corpi di fabbrica, posizionati lungo il percorso che porta alla quota più elevata dell'area di Feo di Vito: di qui si domina per esteso lo stretto e la costa siciliana si dispiega all'occhio in tutta la sua ampiezza.

Al visitatore apparirà per primo un edificio stretto e lungo, semplice e dalle forme severe; un ideale muro di cinta che perimetra in basso l'area della Facoltà. Lo costeggerà avendo alla mano destra piena cognizione visuale del sito, fin quando non entrerà nella corte interna del secondo edificio; qui l'esperienza dell'ascesa si identifica in una sequenza di tre piazze. Alla fine del percorso il terzo corpo di fabbrica, in posizione angolata, conclude il ritmo ascensionale. Le curve di livello idealmente proseguono sulle sue superfici esterne e drammaticamente le segnano con il ritmo serrato e fortemente chiaroscurato di cornici orizzontali: mura protettive per la quiete degli spazi destinati alla didattica e allo studio. Al loro interno la scena della vita quotidiana della comunità scientifica dei professori e degli studenti di Agraria si veste di forme cordiali e discorsive. Una grande piazza coperta con un sistema di dolci rampe che portano ai differenti piani delle aule ne costituisce il cuore. Proseguendo all'esterno, modella la sommità della collina in un ideale palcoscenico in leggero pendio (sotto, ipogea, vi è l'aula magna) per i riti della rappresentazione di ogni giorno: su di essa si affacciano gli occhi di "cento" finestre.

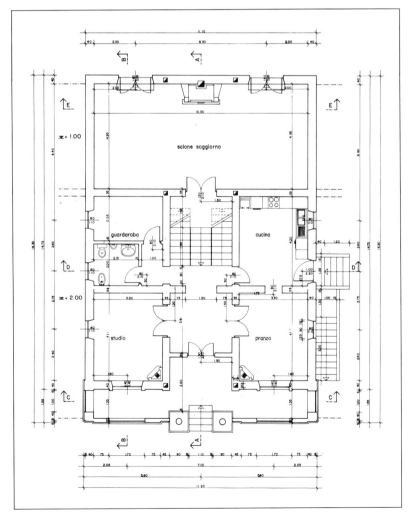

214

Facoltà di Agraria, Università
di Reggio Calabria, assonometria
generale e planimetria generale.

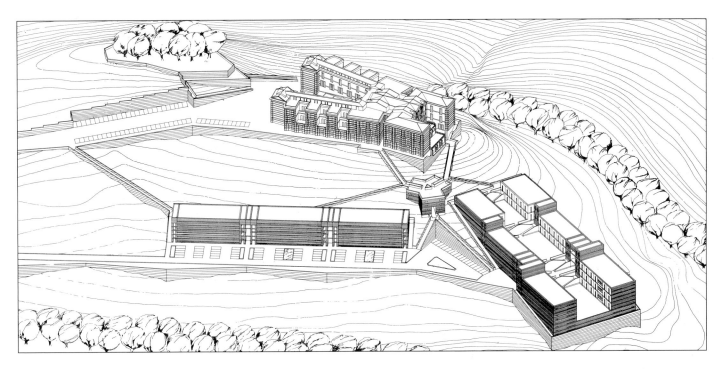

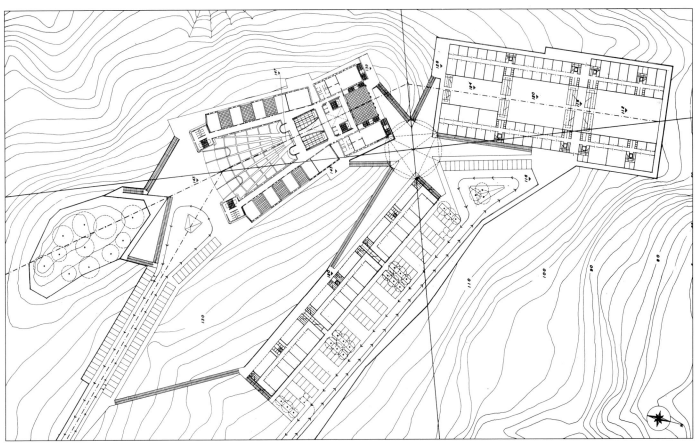

Giangiacomo D'Ardia, Ariella Zattera

I bastioni, il mercato coperto e la piazza civica di Cerreto Sannita, 1989

L'ipotesi progettuale sulla quale abbiamo lavorato è stata quella di ricondurre questa "parte di città" a quel disegno generale di cui storicamente fa parte, sfruttandone la felice localizzazione nel disegno generale della città e la straordinaria situazione paesaggistica, per restituirla quindi a una collettività che ha nuove necessità sociali e precise sensibilità culturali.

L'intervento si struttura sull'individuazione di due elementi strettamente connessi: una piazza e una strada.

La piazza è una "piazza civica", luogo centrale della città, dove si organizzano una serie di attività collettive: un mercato, una zona per riunioni e spettacoli all'aperto, alcuni ambienti coperti per attività associativa, un belvedere. A una quota inferiore è stata collocata la sede di una nuova strada che permette ai veicoli in transito di non attraversare il centro e di raggiungere, attraverso comode rampe, il cuore della città.

Questo ampio invaso, solcato e percorso in vari modi, si colloca direttamente alle spalle del palazzo comunale, costituendone pertanto il proseguimento sia fisico che ideale. Parte dell'area è destinata a mercato ed è protetta da una leggera copertura metallica. Un filare di alberi separa la zona del mercato dalla piazza civica il cui spazio è scandito da gradoni che salgono leggermente verso il limite del dirupo, concludendosi, sul lato della valle, con un grande muraglione contraffortato. La cesura, determinata dal piccolo viale di cerri tra il mercato e la piazza, si tramuta, nel punto in cui raggiunge il muraglione e l'orlo della scarpata, in una cascata-fontana che, con un grande balzo, si getta nel torrente sottostante.

Il prospetto della città verso est assume quindi una nuova configurazione, quasi di baluardo.

La città, "la cosa umana per eccellenza", si conclude con un limite fisico preciso sul quale si vengono ad accumulare più significati e più attività e che diventa, assolvendo contemporaneamente, come è ovvio e civile, a una funzione pratica, il luogo fisico dove si concretizza una differenza: la città non si deve confondere con la campagna.

Complesso parrocchiale di San Romano al Gallaratese, Milano, 1990

Il progetto si è sviluppato sulla premessa che il fine dell'intervento dovesse essere quello di costruire per la comunità un'immagine architettonica che fornisse al luogo riconoscibilità simbolica ed evocativa. Nel perseguire quest'idea di "monumento", è sembrato logico e naturale riferirsi tipologicamente, oltre che linguisticamente, ai modi dell'architettura romanica e in particolare alla tradizione chiesastica lombarda; una sorta di processo alla rovescia, come se quell'architettura fosse esistita lì e in quel luogo da sempre e il quartiere si fosse formato intorno a essa perché quel "monumento" costituiva la memoria inscindibile da una vita e da una società in cui si è manifestata ma alla quale si continua necessariamente ad appartenere.

Due grandi muri paralleli organizzano lo spazio dell'unica navata della chiesa e, nella loro prosecuzione verso l'esterno, delimitano l'area del sagrato. Su questa forma edilizia archetipa si posa, ricordo degli antichi tetti di legno, una leggera copertura metallica a centine curve. Dal punto di connessione tra i due sistemi entra una luce radente che illumina dall'alto, lungo tutto il perimetro, lo spazio sottostante.

Sul fronte principale la chiesa si presenta con una parete quasi completamente vetrata. Attraverso il rimando figurativo a esempi famosi quanto suggestivi come San Galgano a Siena, viene così riaffermata, anche formalmen-

te, l'idea di progettare intorno a una immaginata preesistente rovina.

L'insieme si organizza attraverso una successione di elementi disaggregati che, riconnettendosi spazialmente intorno all'elemento centrale, finiscono per costituire un unico complesso.

Ad un fianco della chiesa si accostano, mantenendosi spazialmente staccati, il battistero e il campanile. Il battistero ha forma ottagonale e vi si può accedere direttamente dall'aula principale o dall'esterno. La copertura è formata da centine metalliche che si ricompongono in forma di emicalotta sferica. Questa copertura, come nel caso dell'aula della chiesa, è appoggiata sulla parete del battistero ma ne è tenuta staccata da una leggera struttura metallica. Da questa fenditura la luminosità si diffonde all'interno e rischiara l'intradosso della copertura sulla quale è dipinto un finto cielo.

Il campanile è chiuso su tre lati. Il quarto lato è mancante e mette così in evidenza il sistema di pianerottoli e scalette metalliche attraverso il quale si raggiunge la torre campanaria a sua volta formata da una struttura metallica appoggiata ai muri del campanile.

Sul lato opposto sono posizionate le opere parrocchiali; hanno una forma bassa e allungata, integrata alla parete esterna dell'aula, e si organizzano in una forma rettilinea lungo tutto il volume della chiesa continuando oltre con un muro che, raggiungendo i confini dell'area, diventa elemento di confine sia fisico che figurativo.

I bastioni, il mercato coperto
e la piazza civica di Cerreto Sannita,
1989, veduta prospettica verso
la valle del Belvedere e della piazza
su via Mattei.

I bastioni, il mercato coperto
e la piazza civica di Cerreto Sannita,
1989, veduta prospettica verso la
valle del muraglione con il mercato,
la fontana, la piazza e la passeggiata
pedonale.

Complesso parrocchiale
di San Romano, 1990, veduta
prospettica.

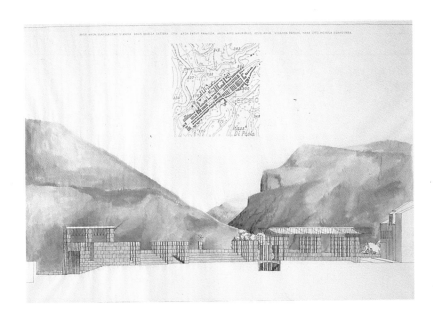

Giancarlo De Carlo

La piazza, il Castello e parte
del tessuto del centro storico,
planimetria.

La galleria interrata, il castello
e parte del tessuto del centro
storico, planimetria.

Progetto di sistemazione dell'area del castello del Buonconsiglio a Trento

Il castello del Buonconsiglio a Trento ha vita separata dal centro storico. Questo capita per lo meno da quando gli austriaci hanno rettificato la grande ansa dell'Adige e cioè da più di un secolo, ed è sentito dai cittadini come una menomazione.

L'amministrazione comunale, fatta di amministratori intelligenti e sensibili, ha colto l'essenza del problema e ha conferito a Giancarlo De Carlo l'incarico di ridisegnare la piazza, intendendo che l'azione del ridisegnare possa portare a rintracciare tutte le motivazioni dell'isolamento e a definire una soluzione complessa atta ad eliminarlo, e anzi a trasformarlo in intensa solidarietà.

Affrontando il problema, si è visto che le cause erano molteplici e che si erano manifestate attraverso una serie di circostanze urbane negative che costituivano le situazioni critiche sulle quali bisognava contemporaneamente intervenire.

Queste circostanze erano: l'abbandono dei diversi settori secondo i quali la piazza si articola; l'assenza di attività economiche al piede degli edifici che vi si affacciano; l'invasione generalizzata delle macchine in sosta su ogni brano della sua superficie.

La proposta si è orientata su tre diversi interventi: quello di rendere permeabile l'antico tessuto edilizio che è di fronte al castello per far filtrare attraverso la piazza l'energia del centro storico; quello di incanalare il traffico, che è soprattutto di attraversamento, in modo che non alteri l'ambiente e non lo invada; quello di intervenire sulla superficie della piazza per renderla attraente e disponibile a una varietà umana. Nell'ambito del primo intervento, scavando nel tessuto, sono stati aperti varchi discreti attraverso la contrada Tedesca. Per mettere in atto il secondo intervento è stata progettata una galleria – su due piani per consentire il parcheggio ai residenti – che farà sparire il traffico automobilistico in superficie; e, dopo aver liberato lo spazio dalle invasioni, lo sviluppo del terzo intervento è stato quello di riorganizzare lo spazio e conferirgli una forma articolata, complessa, corrispondente alle singolarità del suo intorno.

La galleria è stata disegnata avendo in mente che tra vent'anni non ci saranno più automobili perché saranno state considerate un mezzo rozzo e primitivo, antagonista di un armonico sviluppo umano. Perciò lo spazio che ora provvisoriamente sarà destinato al traffico, potrà essere recuperato e diventare un luogo che collaborerà ulteriormente, per la singolarità delle sue forme e per le attività che vi si insedieranno, alla fertile e stimolante convivenza del castello del Buonconsiglio con il centro storico.

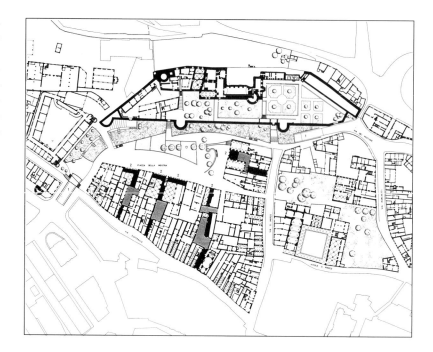

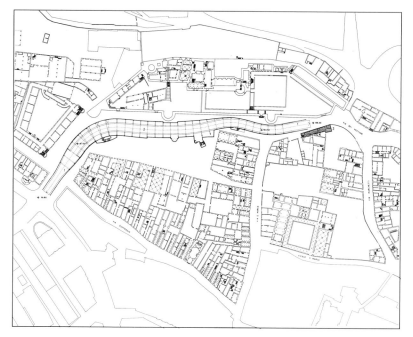

218

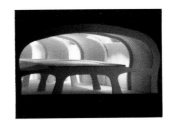

La galleria, sezioni trasversali e longitudinali.

La piazza, pianta quota terra.

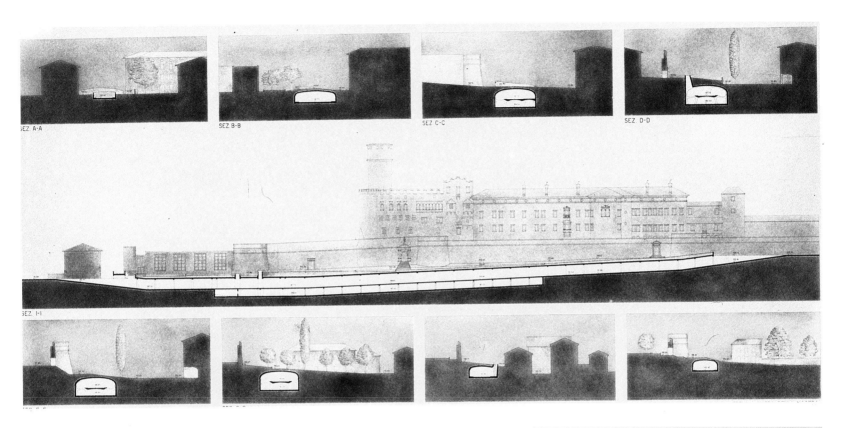

SEZ. A-A   SEZ. B-B   SEZ. C-C   SEZ. D-D

SEZ. I-I

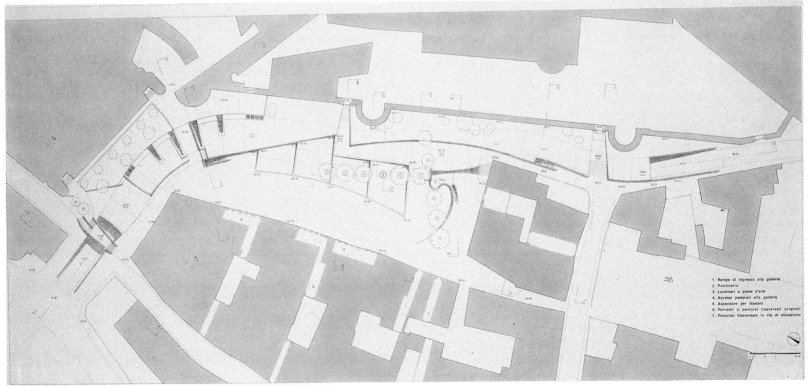

1. Rampe di ingresso alla galleria
2. Ponticello
3. Lucernari e prese d'aria
4. Accessi pedonali alla galleria
5. Ascensore per disabili
6. Porticati e percorsi trasversali proposti
7. Percorso trasversale in via di attuazione

Casa per anziani a Chiaramonte Gulfi, Ragusa

Questo progetto prevede la ristrutturazione e l'ampliamento di un vecchio edificio situato nei pressi dell'abitato di Chiaramonte Gulfi, in provincia di Ragusa.

Le aggiunte consistono in un volume a "L" per le residenze, in una sala polivalente, in una torre per i collegamenti verticali (scala e ascensore) collegata a sua volta all'edificio esistente tramite una passerella vetrata e in una scala esterna che collega ancora la corte esterna all'edificio. Quest'ultimo contiene i locali di soggiorno e di svago, la sala mensa, la cucina, l'infermeria.

Oltre l'edificio principale si sono conservati i due ingressi alle corti e il volume della chiesetta. Si è voluto ribadire, tramite le aggiunte, il caratteristico andamento del manufatto originario con la sua sequenza di corti concluse, private ma comunicanti tra loro. La corte su cui si affaccia il volume a "L" presenta una leggera rotazione sull'asse; questo piccolo movimento segnala la novità e la diversità funzionale di questa corte rispetto a quella principale, più "pubblica" e rappresentativa. Il volume residenziale si affaccia sulla corte comune tramite un corridoio largo e luminoso che abbraccia l'intero spazio aperto concludendosi a un estremo con i collegamenti verticali che conducono alle zone di soggiorno site nell'edificio preesistente, e all'altro nell'androne voltato a botte, dal quale si accede all'atrio della sala mensa.

Da questo corridoio si dipartono delle brevi gallerie voltate che conducono alle camere, ognuna delle quali si affaccia su un piccolo giardino che le separa ulteriormente dagli ambienti più pubblici. Il minuto volume della chiesetta diviene cardine di un piccolo sistema spaziale a essa proporzionato e da essa organizzato: una scala che

ne fa la sua origine e nel contempo la cinge creandole di fronte una minuscola piazzetta, una passerella aerea che ne delimita lo sfondo sottolineandone la presenza.

Oltre alle due corti di cui abbiamo già detto ne esiste un'altra, situata sul retro dell'edificio sulla quale si affacceranno direttamente le cucine e la sala mensa, offrendo così agli ospiti la possibilità, durante l'estate, di pranzare all'aperto.

Il rimanente spazio aperto perimetrato dal recinto più vasto consiste in una sorta di rilevato artificiale che contiene al suo interno un invaso occupato da un agrumeto e in un giardino antistante la sala polivalente. Tutto questo spazio viene trattato come una sorta di "natura artificiale", gli edifici scompaiono per lasciare spazio alle ondulazioni e ai movimenti del terreno.

Si prevede fondamentalmente l'utilizzazione di due soli materiali: un intonaco tradizionale di colore bianco per tutte le superfici verticali esterne, e ardesia in lastre per le coperture e per tutte le superfici orizzontali (fatta eccezione per le voltine a botte delle gallerie che conducono alle camere e per la volta a botte della chiesa che saranno anch'esse intonacate). Non soltanto vogliamo un'unica tinteggiatura, un bianco luminoso e pacificante, che unifichi l'esistente e il nuovo ma, riteniamo fondamentale che la presenza delle parti a rilievo e delle lievi modanature delle costruzioni esistenti non venga volgarmente ribadita con un cambio di colore ma spenta e lasciata all'incidenza della luce, così forte nelle nostre campagne da amplificare con forti linee d'ombra anche l'aggetto più lieve. E a questa stessa luce, viceversa, saranno offerti piani orizzontali scurissimi (ardesia) che esalteranno per contrasto il gioco di relazioni che si instaurerà tra i volumi preesistenti e i nuovi, e di questi ultimi tra loro.

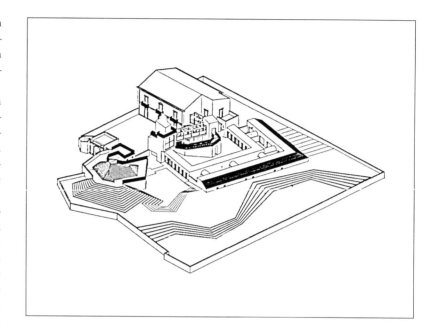

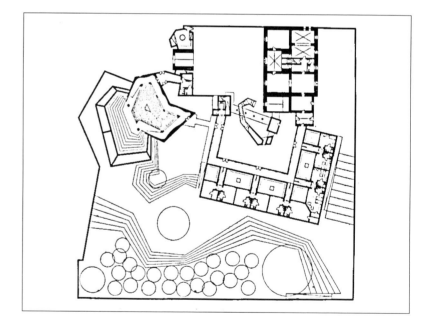

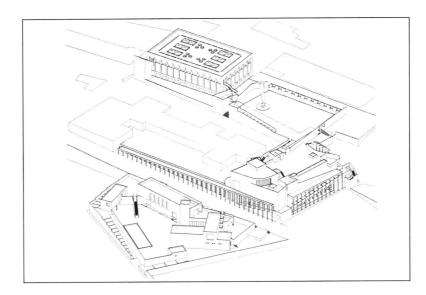

Centro polifunzionale a Montedoro, Caltanissetta

Questo progetto prevede la creazione di un sistema di servizi a uso degli abitanti di Montedoro, nonché la ricucitura urbana dell'area che dalla circonvallazione, attraverso la villa comunale, si conclude sulla piazza principale del paese. Si prevede altresì una sopraelevazione della scuola elementare esistente che si affaccia su questa piazza. Tale aggiunta dovrebbe contenere locali da adibire a laboratori di pittura e restauro nonché una galleria espositiva.

Il progetto interessa anche il ridisegno e la sistemazione dell'attuale villa comunale che versa attualmente in condizioni di degrado, nonché la costruzione di un cinema-teatro-sala conferenze la cui copertura, resa percorribile, costituirà – dato il dislivello esistente tra la circonvallazione e la villa comunale – un vero e proprio prolungamento dello spazio pubblico della villa e ospiterà una ludoteca per bambini affacciata sulla circonvallazione.

Sul versante a valle della circonvallazione è già stato realizzato invece il primo lotto del progetto che ospita un piccolo centro sociale con bar, discoteca e piscina all'aperto. La costruzione, articolata in quattro corpi, due collegati tra loro e due del tutto indipendenti, racchiude un cortile e è cintata da una rampa che collega due strade attualmente prive di tratti d'unione.

Questa rampa si propone come il primo tratto di un lungo percorso che, tramite la costruzione del porticato che costeggerà la circonvallazione e la sua continuazione che cingerà il cinema-teatro, dovrebbe collegare l'area a monte con quella a valle evitando al pedone il lungo percorso che attualmente è costretto a compiere per portarsi dall'ingresso del paese alla sua piazza principale.

Clara Lafuente, Mariolina Monge

Casa di accoglienza per anziani a Montecchio, Terni

La casa-famiglia per anziani di Montecchio (Terni) è sita lungo il perimetro di questo antico borgo umbro. Posto su di un terreno a forte pendenza, che ha permesso la realizzazione di due piani parzialmente interrati, l'edificio segue la sagoma di un quadrato di circa 20 × 20 metri, indicata nel piano di recupero.

Il parallelepipedo composto da cinque livelli è bucato centralmente nei tre piani fuori terra da un cortile a forma ottagonale. Accanto al nuovo edificio è stato recuperato – a uso di cappella – un piccolo magazzino esistente.

Il percorso circolare che contorna il cortile ottagonale è il fulcro attraverso il quale si sviluppa e si intravede la vita della comunità; al piano terra è più ampio che nei piani superiori: la cortina muraria circolare è dilatata a mettere in vista i pilastri disposti a corona.

Ai piani superiori il percorso si dirama in quattro, a croce di Sant'Andrea, e da qui si accede alle abitazioni. Su ognuno dei due piani sono collocate dieci abitazioni con bagno da due letti ognuna. La copertura gioca con gli elementi geometrici della pianta: una piccola falda ad anello copre il corridoio, mentre il tetto a padiglione si impenna ritagliato dalla terrazza panoramica circolare.

I muri perimetrali e quelli del cortile sono in pietra "sponga", una pietra umbra molto usata da Ridolfi. Le cornici delle finestre sono in cemento armato faccia vista e le persiane che scorrono nello spessore del muro sono in pvc. Gli infissi sono in alluminio. Per la copertura sono stati usati in parte vecchi coppi.

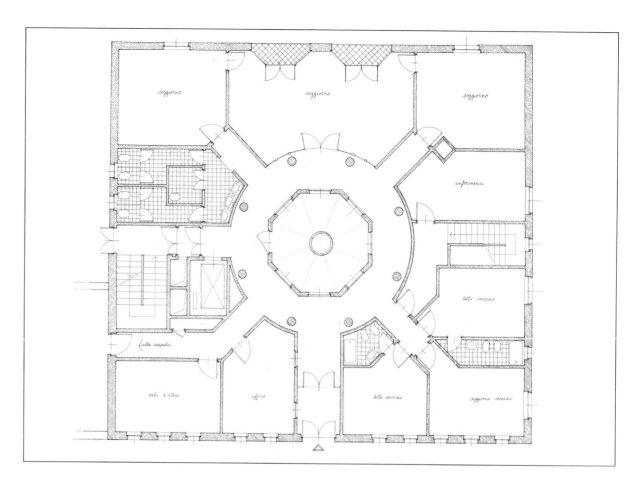

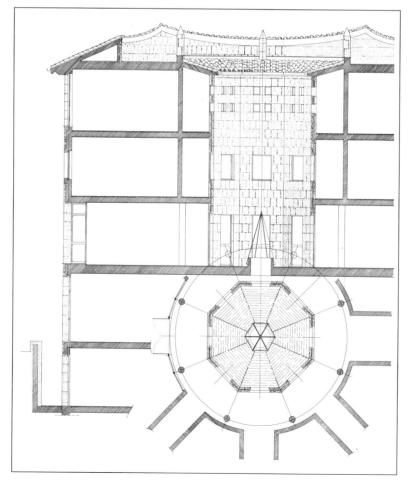

Pianta e sezione sulla chiostrina.

Veduta dall'esterno.

Vedute della chiostrina dall'alto
e dal basso.

223

Vico Magistretti

Centro Cavagnari
della Cassa di Risparmio di Parma

I criteri informatori del progetto si sono rifatti alla creazione non di un edificio, ma di un piccolo microcosmo di circa 28.000 metri quadri integrato nell'ambiente grazie all'impiego di forme e materiali vicini alla tradizione architettonica padana. Da qui la scelta del mattone abbinato al cristallo delle facciate, il marmo degli zoccoli e il rame impiegato nelle coperture, materiali destinati a durare che conservano nel tempo piacevoli valori estetici.

Un elemento che ha fornito un'impronta decisiva alla progettazione è stata la destinazione del complesso, finalizzato a ospitare un centro di calcolo dalle proporzioni considerevoli, una grande macchina alla quale fornire continua energia, che ha determinato l'esigenza di creare una centrale tecnologica la quale caratterizza anche esteticamente tutta la realizzazione e ne rappresenta il fulcro: si tratta, infatti, di una costruzione ad anello del diametro di circa 100 metri posta al centro del complesso, separata da tutti gli altri edifici e collegata ad essi con elementi esteticamente molto evidenti costituiti da particolari torri e passerelle ispezionabili in ogni loro componente e dotate di scale e uscite di sicurezza.

Il centro Cavagnari comprende alcuni edifici per quanto possibile indipendenti, distinti in spazi destinati al contenimento di impianti e spazi per uffici. Il centro è dotato anche di un'agenzia bancaria alla quale si accede direttamente, mentre l'ingresso pedonale ed automobilistico è filtrato da una guardiola controllata da un addetto.

L'edificio destinato ad uso ufficio è stato progettato tenendo conto delle esigenze di flessibilità e di espansione futura, caratteristiche della struttura del terziario e per questo motivo sono stati realizzati spazi chiusi per alcuni uffici direzionali, spazi aperti e spazi misti, divisi con pareti mobili in grado

di adeguarsi al mutare delle esigenze anche grazie all'impiego di pavimenti sopraelevati e controsoffitti che contengono le canalizzazioni e le attrezzature impiantistiche. Il centro di elaborazione dati è un edificio a pianta quadrata dotato di una grande sala computer di 900 metri quadri posta al secondo piano poiché il primo è stato adibito a intercapedine tecnica, caratterizzato dall'assenza di elementi interni strutturali ottenuta con la realizzazione di un tetto a falde sostenuto da strutture metalliche.

La sala mensa, che può ospitare fino a 120 persone, alcune aule per la formazione del personale e un auditorium della capienza di 314 posti sono stati collocati in un edificio a un solo piano. Il complesso è completato da un edificio che ospita il magazzino economale e gli archivi generali ed è circondato da una vasta area di verde che definisce il centro Cavagnari come una vera e propria cittadella autosufficiente e proiettata verso un futuro dove l'organizzazione e lo sfruttamento delle risorse tecnologiche saranno determinanti per il razionale svolgimento delle attività del terziario, senza tuttavia trascurare il rispetto ambientale del territorio nel quale ci si inserisce e della personalità e della sensibilità dei singoli individui che operano in questo settore.

Casa a Tokio

Il desiderio del cliente di avere una casa occidentale, i complessi regolamenti locali con vincoli di altezze per non danneggiare l'insolazione delle case circostanti, l'andamento del terreno, hanno suggerito di creare una casa aperta dove a partire dalla galleria d'ingresso, a doppia altezza, si vedono affacciare a livelli diversi la zona pranzo (collegata con office e cucina) e il soggiorno a due livelli, quello basso (zona TV) e quello alto sotto il tetto a piramide. Alla fine della galleria d'ingresso il

giardino e il passaggio, ad un livello più
basso, alla zona notte (figli da una parte e genitori dall'altra); al termine della
galleria vi è la saletta della cerimonia
del tè che si apre su un microscopico
giardinetto. Tutti questi spazi e volumi
si articolano attorno alla scala che par-
tendo dal sotterraneo dona un senso di
unità su fino al soggiorno alto, aperto
completamente sulla copertura del volume tondo che delimita la camera dei
genitori e si affaccia sulla grande Tokio
sottostante.

Le pareti esterne sono rivestite in intonaco terranova di colore giallo; i serramenti sono in teak; gradini, soglie e
davanzali sono in granito locale a forte
spessore; il tetto, le gronde, i pluviali e
le porte esterne sono in rame. Le travi
altissime (per i regolamenti antisismici
che impongono dimensioni strutturali
di circa il doppio delle nostre) hanno
suggerito la particolare forma della
gronda a gradoni digradanti. Tutti i
pavimenti, compresa la scala, sono in
teak; le pareti sono in parte rivestite
con lastre di betulla cerata; soffitti e
pareti sono in intonaco bianco.

Il perimetro esterno confinante su
due strade d'angolo, a livelli molto
diversi, è chiuso da un muro di arenaria locale. Il lato di questo muro, verso
la strada alta, serve da parapetto ad
una scala che dal giardino porta ad
una terrazza di copertura. Da qui la
forma ad onda lunga e all'angolo delle due strade un grandissimo vassoio
in rame che contiene una piramide di
sfere in pietra bianca.

Nuova sede del cimitero a Fiesso d'Artico, Venezia, 1982-84

Il nuovo cimitero "si appoggia" al rio Serraglio che ha un andamento di tracciato parallelo al Brenta e segna costantemente il limite dell'edificazione verso nord. Il progetto accetta la tradizione italiana del cimitero come recinto adottando uno schema tipologico di impianto quadrato. Il progetto sviluppa una riflessione sul tipo e sulla sua articolazione per rapporto ad alcuni riferimenti contestuali: da un lato il rapporto con le altre attrezzature del paese e il Brenta, dall'altro quello con la strada e la campagna. Si fissa così un doppio sistema di assi ordinatori che sono disposti ortogonalmente l'uno all'altro e che corrispondono in qualche modo anche a percorsi simbolici: l'uno porta dalla chiesa del paese lungo il viale alberato che attraversa il recinto del cimitero fino al tempietto collocato al centro di uno specchio d'acqua e addossato all'argine del rio Serraglio, l'altro dalla strada carrabile di servizio ai parcheggi attraversa l'aula di ingresso, l'ossario, fino alla fossa comune; da qui la vista si apre verso la campagna. Ciò consente non solo la precisa disposizione delle singole parti ma, senza nulla togliere al rigore dell'insieme, anche una maggiore articolazione dei rapporti fra interno ed esterno.

Case a schiera in zona di espansione, Ferrara 1987-89

Il progetto (che ha una committenza privata) sviluppa una riflessione sul problema delle lottizzazioni periferiche approfondendo il tema della misura e collocazione degli spazi aperti, nonché della loro conformazione e articolazione per rapporto alla struttura edificata. Si arriva così a modificare l'iniziale proposta dell'amministrazione pubblica proponendo un corpo di fabbrica a "L" suddiviso in due unità che consente di stabilire un rapporto più preciso con gli allineamenti stradali, nonché di riaccorpare gli spazi destinati a verde pubblico

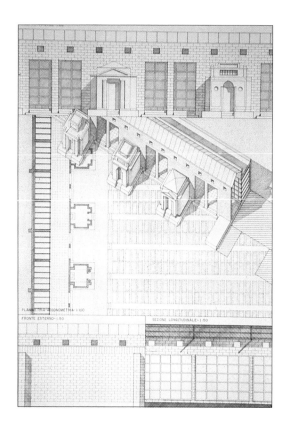

messi poi in reciproca connessione dai passaggi che attraversano gli edifici.

All'interno della "L", la casa colonica esistente costituisce una sorta di fondale, di punto fermo, al di là del quale si apre il terreno agricolo vero e proprio. I giardini privati sono stati rialzati rispetto alla quota di campagna riproponendo un buon rapporto con la "parte-giorno" degli alloggi (il regolamento edilizio non consente l'abitabilità del piano terreno), quindi il muro che recinge i giardini nonché le testate dell'edificio fanno parte integrante della soluzione architettonica complessiva contribuendo in modo sostanziale a sviluppare il tema del radicamento dell'edificio al suolo. Verso il verde pubblico il fronte edificato si articola, accettando il confronto con le dilatate dimensioni spaziali, attraverso un portico a doppia altezza vagamente memore di certe soluzioni delle case coloniche padane.

Il paramento esterno degli edifici è in cotto faccia a vista nel rispetto di una tradizione fortemente sedimentata nella città, così come complessivamente la struttura calligrafica del testo evoca immediatamente alcuni elementi delle forme tradizionali del costruire: tutto ciò in maniera non indifferente rispetto al tema generale della lottizzazione periferica. I passaggi attraverso l'edificio si inoltrano tra i muri: dimensioni ristrette e del tutto inusitate in questo tipo di lottizzazioni dove spesso la lottizzazione della misura dello spazio aperto costituisce uno dei primi elementi di imbarazzo. In una grande tela, realizzata per l'occasione della Quinta Mostra Internazionale di Architettura e che sarà intitolata *La città nostalgica*, dei miei progetti costruiscono uno spazio urbano in cui sono raccolti temi e motivi a me particolarmente cari e ricorrenti nel mio lavoro. Alcuni sono stati costruiti, altri no. Di questi ultimi, forse proprio per questa ragione e in mancanza dell'immagine complessiva, ho preferito pubblicare sul catalogo le fotografie dei modelli.

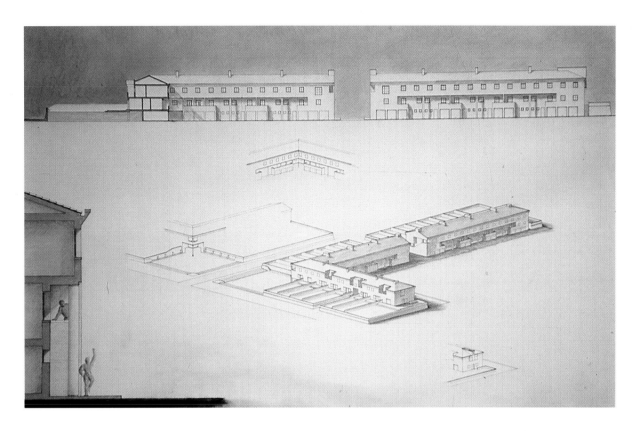

Marco Mattei

Complesso per residenze e uffici nell'area delle ex Officine Galileo, Firenze, 1983-87

Effettuato il trasferimento delle vecchie Officine Galileo, nel 1981 inizia la difficile battaglia per il recupero del padiglione ex Meccanotessile (testimonianza fra le più significative dell'archeologia industriale della città) e la realizzazione del Museo d'Arte Contemporanea. Posta in una posizione intermedia, tra la città ottocentesca e l'espansione periferica del primo Novecento, l'area delle ex Officine Galileo costituisce un nodo fondamentale per il riassetto urbano del quartiere di Rifredi, nella direttrice di sviluppo a nord-ovest della città di Firenze.

Nelle sue linee essenziali, il progetto di sistemazione dell'area (con E. Battisti, M. Dezzi Bardeschi, V. Gregotti, 1981-85) prevede di contenere sul limite nord la volumetria residua della lottizzazione residenziale e di insediare nel Meccanotessile, opportunamente recuperato, le funzioni del nuovo Museo d'Arte Contemporanea.

Dal piano di sistemazione complessiva dell'area delle ex Officine, e dalla conseguente variante urbanistica della lottizzazione, prende avvio il progetto del complesso per residenze e uffici della Galileo (con A. Primi e A. Michelizzi, 1983-87). Elemento di delimitazione fisica e di perimetrazione dell'area delle ex Officine, il complesso della Galileo costituisce la porta d'ingresso del nuovo museo.

L'edificio, che si sviluppa per una lunghezza di 190 metri lungo la via Cesalpino, è costituito da un corpo di fabbrica principale, alto sei piani, e da una parte basamentale, con altezza variabile di uno o due piani, sul fronte del Museo. I due sistemi trovano la loro connessione nel volume centrale costituito dal grande "portale" di ingresso al Museo e nei due corpi edilizi che costituiscono le testate terminali dell'e-

dificio, l'una sul viale Morgagni, l'altra sulla via Alderotti.

La struttura dell'immagine sul lato della strada può essere ricondotta a quella di un muro continuo che determina un fronte riconoscibile e unitario, cadenzato dalla sequenza regolare dei torrioni contenenti i blocchi-scala. Sul fronte del Museo il complesso edilizio denota una maggiore articolazione dei volumi che conferisce all'edificio le caratteristiche di una architettura aperta, proiettata nel verde e rivolta verso la grande piazza del Museo.

Le caratteristiche architettoniche dell'edificio, nel richiamare metaforicamente le fortificazioni della cittadella medievale, rimandano nello stesso tempo all'architettura a grande scala urbana delle "fabbriche" rinascimentali.

Il riferimento figurativo più recente, nel moderno, è all'architettura del periodo "eroico" del razionalismo europeo.

A questo doppio registro, tradizione/moderno, memoria/innovazione, rimanda lo stesso contrasto nell'uso dei materiali. L'adozione della pietra naturale come principale materiale di rivestimento, deriva dalla scelta, che il progetto intende sottolineare, di stabilire un preciso confronto con la cultura del luogo, con la tradizione dell'architettura medievale e dei maestri del Rinascimento. All'uso della pietra naturale si affianca l'utilizzazione di quei materiali desunti dal "moderno" e dalla cultura tecnologica e industriale (quali il calcestruzzo, il vetrocemento, le strutture in acciaio) che meglio contribuiscono a riflettere l'impronta originaria e la "memoria" storica del luogo: la grande fabbrica operaia.

Nel misurare la propria distanza dal disordine e dalla casualità del contesto urbano circostante, il complesso architettonico della Galileo esprime la propria "autonomia" ponendosi come segno di riferimento nel paesaggio amorfo e indifferenziato della periferia storica della città.

Vista del fronte su via Cesalpino.

Pianta e prospetti.

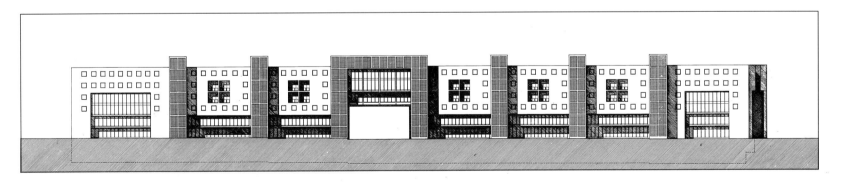

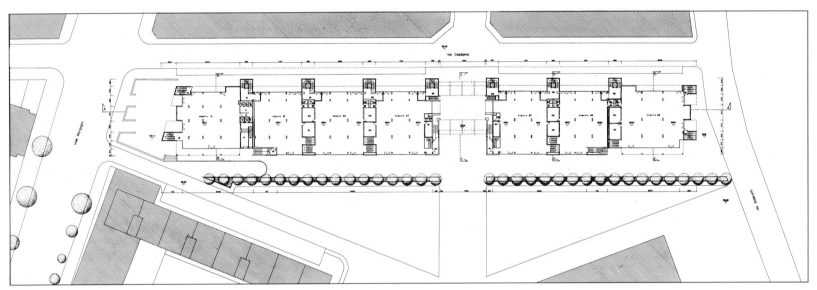

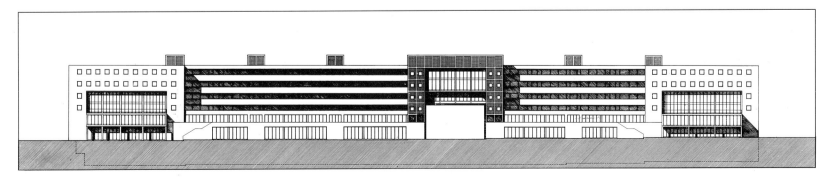

Bruno Minardi

Pescaia San Nicolò a Firenze, 1986.   Casa in Leopoldstrasse a Monaco
di Baviera, 1981.

Progetto di una torre, 1980.

Antonio Monestiroli

Progetto per l'area di porta Genova a Milano, 1987-90

Il progetto si pone il problema degli edifici per uffici nella città contemporanea, cioè della definizione di ben definiti tipi edilizi, destinati al terziario, con cui costruire la città moderna. Gli edifici proposti si compongono di due parti: un basamento e un corpo di fabbrica costruito in altezza. Nel basamento si collocano grandi aule illuminate dall'alto; nel corpo di fabbrica gli uffici. Il rapporto fra basamento e corpo di fabbrica definisce un edificio complesso che contiene attività diverse, a volte complementari, adeguate agli spazi dell'una e dell'altra parte. Nel basamento si collocheranno quelle attività che si svolgono in un unico spazio indiviso di grandi dimensioni (da quelle culturali a quelle commerciali o produttive); nel corpo di fabbrica quelle attività che tradizionalmente si svolgono nei palazzi per uffici. Questi i caratteri tipologici. La localizzazione inoltre definisce dimensioni e forme che trasformano una generale idea tipologica in una architettura concreta, avente un carattere adeguato alla propria destinazione. In particolare nel progetto presentato abbiamo ipotizzato di destinare gli spazi del basamento di uno egli edifici a una funzione museale. Anche se la definizione di una funzione particolare è secondaria (per edifici di questo tipo si deve poter prevedere una continua modificazione funzionale compatibile con caratteri tipologici e formali dell'edificio stesso) è possibile pensare che le due grandi aule possano ospitare l'esposizione delle carrozze ferroviarie oggi conservate al Museo della Scienza e della Tecnica o altre sezioni museali che richiedono grandi spazi espositivi.

Il sito della stazione di porta Genova è stato da noi studiato in un progetto presentato alla XVII Triennale e pubblicato nel catalogo (*Le città immaginate. Nove progetti per nove città*, Milano

1987). Allora abbiamo affermato la possibilità di affidare agli edifici per uffici il compito di definire l'identità urbana di alcuni luoghi della città. Diversamente dall'ipotesi dei centri direzionali, si è ipotizzato che tali edifici possano svolgere il ruolo di elementi di identificazione di questi luoghi, insistendo su una idea di città costruita sulle relazioni fra parti diverse compiute.

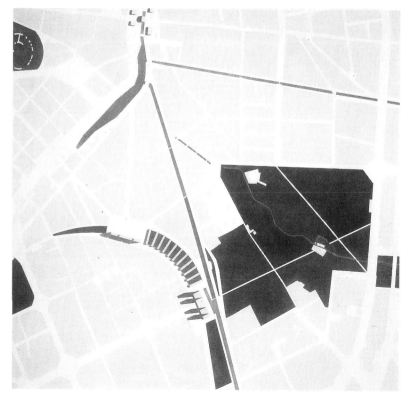

Museo e uffici, prospetto sud.   Museo e uffici, sezione longitudinale.   Palazzo per uffici, piante e prospetti.   Museo e uffici, sezioni trasversali.

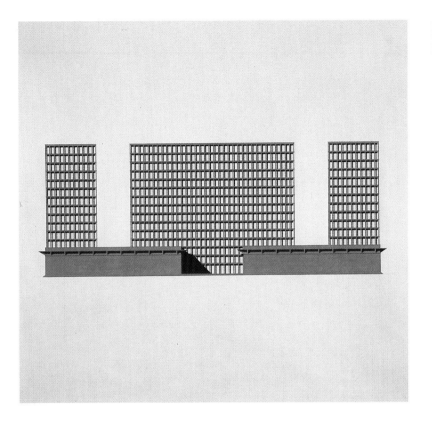

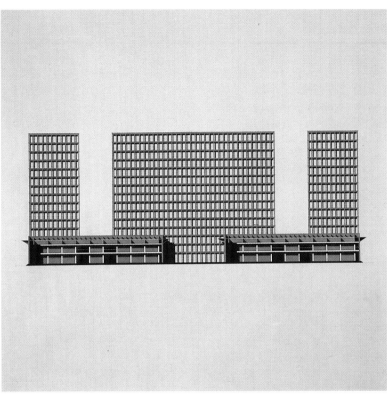

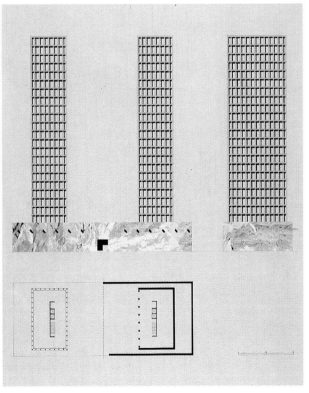

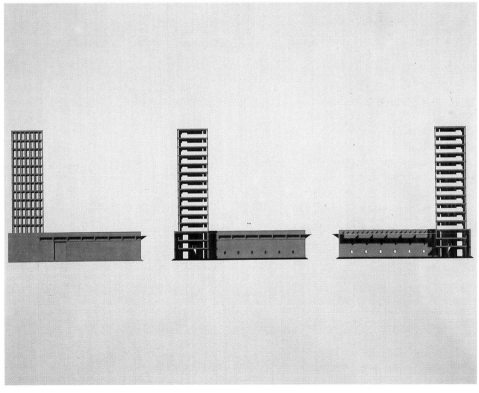

233

**Progetto per il nuovo teatro
di Martigues, Francia, 1990 e sgg.**

Martigues è una città costruita sull'E-
tang de Berre, in cui le piccole case
colorate dei pescatori, le chiese con la
facciata in pietra gialla, le vele e gli
alberi delle imbarcazioni coesistono
con l'immagine del paesaggio industriale moderno, come due poli di una
realtà ancora in bilico tra un passato
irrecuperabile e un avvenire ancora in-
certo.

L'architettura del teatro di Martigues
non può non rispecchiare e riassumere
nelle sue forme questa realtà contrad-
dittoria, rifiutando le definizioni di
moderno come di postmoderno.

La forte vocazione urbana del teatro
francese, che trasforma l'eredità della
sala italiana in un monumento che or-
dina i suoi elementi in funzione della
sua collocazione nella città, è alla base,
inoltre, della sua concezione.

Un grande portico a setti, ritma la passeggiata lungo il canale lagunare, e si
pone come transizione tra un lungo
edificio in progetto, addossato allo stadio, e le piccole case ai margini del
centro storico. La sagoma del teatro,
arretrata rispetto al portico che sostiene un'ampia terrazza, denuncia la disposizione interna evidenziando la torre scenica, punto di riferimento per la
città.

L'entrata al teatro avviene attraverso
una piccola piazza-cortile, accessibile
dal porticato. Al suo centro una grande
quercia ripara la gente che attende,
chiacchiera durante gli intervalli, fre-
quenta il bar-ristorante aperto sul cortile. Da questa si accede al vestibolo-*foyer*, concepito come uno spazio di
transizione tra esterno e interno. Esso
presenta in posizione frontale le scale
che conducono alla sala, incassate tra
due muri paralleli, che permettono di
raggiungere le logge che danno sul
foyer, aperte con porte-finestre sulle terrazze. La sala per 600 spettatori è una
cavea rettangolare, con i gradoni di-

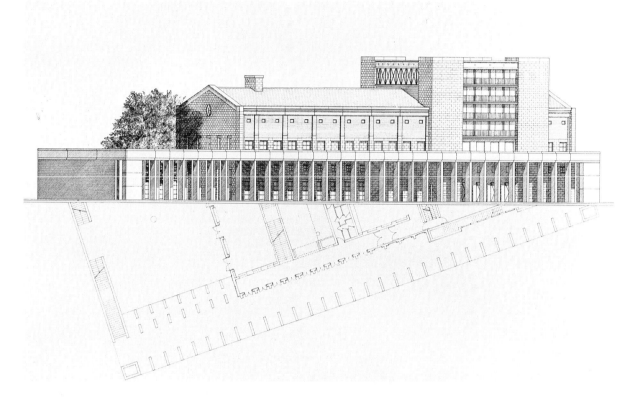

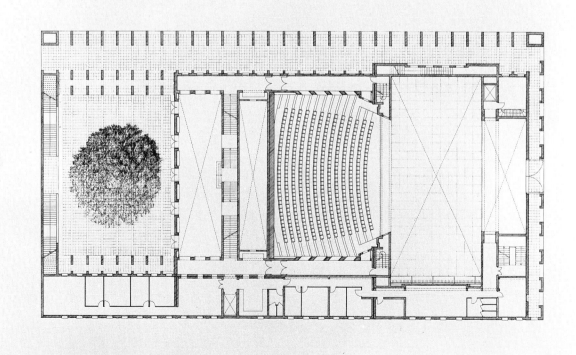

sposti in arco di cerchio. Accentuando in senso allusivo il trattamento dei materiali, presenta le pareti laterali, rivestite in pannelli di legno lavorato come un basamento in pietra che sostiene un doppio loggiato di colonne binate metalliche di cui il primo accessibile al pubblico. La scena ha una profondità di 13,30 metri, una larghezza di 28,50 metri, e una altezza di 19 metri; l'arcoscenico ha un'apertura di 16 metri di larghezza. È fornita inoltre di un proscenio fisso di 1,30 metri, e di un sottoscena smontabile di dimensioni ridotte data la taglia del teatro. All'esterno presenta un corpo metallico rivestito in pannelli di rame, rinforzato e trattenuto sui quattro angoli da quattro muri rivestiti in pietra. Passerelle addossate alla parete metallica accessibili dalla terrazza attraverso una piccola scala posta nell'intercapedine dei muri permettono delle visioni privilegiate sul porto e sulla laguna. Il fianco del teatro presenta un rivestimento in pietra calcare della Couronne gialla chiara e prosegue poi fino alla cornice metallica in mattoni rosati. Tra fabbrica e cattedrale il teatro propone un'immagine in equilibrio tra tradizione e contemporaneità; esso si pone vicino ai grandi monumenti romani e romanici di questa parte della Francia, anche se rinuncia a stabilire con essi un legame di pura e diretta continuità.

Nicola Pagliara

Fabbricato nell'area ex Fiat a Rimini,
prospettiva e pianta del piano
seminterrato.

Progetto di un fabbricato nell'area ex Fiat a Rimini

Il progetto si riferisce a un edificio polifunzionale che la società Ediltiberio intende realizzare su di un'area di 2600 metri quadri, sistemata al confine tra il centro storico di Rimini e il canale Marecchia, noto porto turistico e per pescherecci.

Questa sua ambivalenza ha portato a interpretare l'intervento come un nodo espressivo fra antico e nuovo, soprattutto fra area storica e spazio aperto verso il mare. Infatti la spina costeggia la strada di accesso al canale Marecchia e solo una testata affaccia direttamente sull'esterno, proprio all'incrocio di tre strade. Si è perciò privilegiata una soluzione a due testate circolari (i corpi ora in demolizione, riprendevano esattamente questo motivo), ponendo grande cura nella definizione dei particolari e dei materiali utilizzati, e sottolineando con questi la diversità delle funzioni presenti nel complesso. Così al piano terra dove saranno localizzati ampi spazi espositivi, si è dato grande risalto alle pareti vetrate curve. Una pensilina in rame di copertura e legno nell'intradosso divide il piano terra dai due piani uffici rifiniti in mattoni e cordoli di cemento granigliato con pietra Rossa di Verona. I piani superiori sistemati ad appartamenti con attico e superattico, verranno interamente rivestiti in lastre di rame, mentre le strutture in estruso di alluminio come pure le balaustre, saranno ottonate e brunite.

Nuova sede del Banco di Napoli, Napoli 1990

La nuova sede del Banco di Napoli nel centro direzionale si sta realizzando, utilizzando un planivolumetrico disegnato da Kenzo Tange, che aveva previsto per quell'area due torri di 80 metri con un perimetro perfettamente definito. Alle spalle delle due torri si stanno realizzando la sala mensa e la

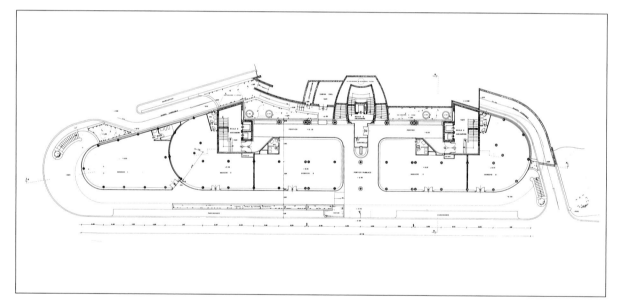

sala convegni con le attrezzature annesse. Il rigore del planivolumetrico ha consentito la sola aggiunta di un grande ponte in ferro a due piani per il collegamento dall'esterno delle due torri, vincolandolo però tuttavia, date le esigenze dell'istituto di credito, a uno sfruttamento totale del perimetro assegnato. L'operazione progettuale è stata perciò mirata particolarmente allo studio delle due grandi hall, della filiale e delle sale pubbliche, oltre a un accurato lavoro di *styling* per le facciate esterne.

Si è scelto pur nelle uniformità dei due edifici, di rivestirli con materiali dai colori diversi: così i due basamenti saranno fino a 25 metri, uno in nero del Belgio, l'altro in Baltic Brown; mentre i piani in elevato saranno rivestiti con prefabbricati pesanti in graniglia di cemento a fascia grigio chiaro e grigio scuro per il primo, avana e avana scuro per il secondo. In copertura per l'altezza di un piano, un lieve accenno di cornicione svasato verso l'esterno, sarà decorato lievemente con foglie dorate. Gli edifici sono in costruzione.

Valeriano Pastor

Nuovo ospedale di Larino, Campobasso

Questo piccolo ospedale di zona (240 posti letto incrementabili a 300) è destinato a svolgere funzioni generali primarie con quattro basilari reparti e con un nucleo essenziale di servizi diagnostici e terapeutici.

La piccola dimensione ha consentito di sperimentare un tipo di impianto "a piastra", nel quale le stanze di degenza sono disposte a corona del nucleo dei reparti di servizio diagnostico e di terapia intensiva, mentre tutte le attrezzature di servizio sono dislocate al di sotto della piattaforma. Un reticolo di comunicazione e trasporti connette tutti i centri di produzione di servizi ospedalieri a punti nodali dei reparti di terapia e degenza, escludendo promiscuità e interferenze tra flussi diversi. La risoluzione tende a portare la fatale complessità organizzativa dell'ospedale a sistema spaziale elementare. Tale marca elementare deriva dalla scelta di un'opposizione netta tra l'andamento aclive del suolo e la grande piattaforma: tra questi limiti le unità spaziali e il reticolo di comunicazione appaiono connessi con un senso biunivoco, a un tempo in una regola formale e in una regola di funzionamento.

Lo spazio tra piattaforma e suolo, lo spazio delle attrezzature e della rete di comunicazione, si presenta come un singolare momento dello spazio abitativo urbano, in stretta continuità e come sviluppo articolato di esso. La risoluzione a piattaforma consente di realizzare le unità operative di funzionamento con dimensioni compatte, riducendo le distanze di servizio, e presentando il tetto come frontiera per captare aria e luce, sistema tecnico complesso prima di essere "riparo": la configurazione della copertura risulta quasi un corollario delle necessità interne alla piattaforma.

Testata delle aule e dei laboratori.
Ingresso delle aule e dei laboratori.

Centro scolastico distrettuale di Dolo, Venezia, 1979-85

La posizione del sito, sulla riviera del Brenta di fronte a una villa dello Scamozzi, ha dato luogo alla decisione di sviluppare un dialogo diretto col sistema costruttivo della riviera. Il progetto costruttura esigenze di funzionamento e necessità espressive riferite al ruolo pubblico: per obbligata analogia dimensionale assume come referenti primari la grande villa (Strà) e la grande fabbrica (Mira), e come materiali morfologici e termini sintattici del contesto i dislivelli dei percorsi, il movimento dei terrapieni, le geometrie della pianta, le visuali in profondità.

Non è però ricercata una derivazione grammaticale puntuale: è stata seguita la linea compositiva del distacco linguistico, attraverso il principio dell'estraniamento, con trasformazioni grammaticali tendenti a recuperare il senso della forma e la poetica storica nel *retentissement*. Il progetto assume il principio di "comporre distinguendo" – disaggrega la figurazione dei manufatti in elementi autonomi e definisce quale referente primario i tipi strutturali, costituendo da questi le figure di un piano paradigmatico. La prima è l'impianto antisimmetrico, che nel gioco delle immagini simili, ma ribaltate, genera l'inquietudine della ricerca del centro. La seconda è il rapporto tra le varianti di una figura strutturale piana – dal telaio multiplo al ponte – che s'intrecciano con le varianti di una figura ambigua come la superficie rigata – piani "divenienti" volume plastico. La terza è il rapporto tra struttura e colore, ove ciò che non è struttura è colore, varietà cromatica, ma anche varietà di eventi spaziali. La composizione di queste figure tenta la sonorità della villa classica e l'avventura della fabbrica.

Renzo Piano

Stadio di Bari

Immerso nella natura mediterranea del territorio pugliese, il nuovo stadio di Bari sorge da un profondo cratere. Somiglia a un'astronave a forma di anello, disposta intorno a un palcoscenico centrale, con il campo da calcio circondato dalla pista per atletica, sprofondati nel terreno e cinti dalle tribune, a livello della superficie. Nascosto com'è dalla vegetazione, risulta solo in parte visibile dalla campagna circostante. La pianta geometrica, realizzata in collaborazione con Ove Arup, è costituita da un sistema radiale di ventisei assi per garantire la massima sicurezza e per facilitare il flusso del pubblico tra lo stadio e l'area parcheggio.

Lo stadio può contenere 60.000 persone, con posti a sedere individuali, sotto la grande copertura in teflon fissata alle tribune superiori, che sorregge la linea continua delle luci. La tribuna superiore è costituita da 312 elementi prefabbricati a forma di mezzaluna, assemblati sul posto.

Altre funzioni – servizi igienici, biglietterie, bar, banchi informazioni e servizi generali – sono situate in cima alla collina, sotto il "portico" creato dalla tribuna superiore. I servizi stampa sono ospitati in edifici separati, in collegamento diretto con la tribuna stampa. Sotto le tribune un corridoio interno funge da uscita di emergenza; qui si trovano gli spogliatoi, le quattro palestre e i servizi tecnici. Il pubblico non ha accesso diretto alle tribune dal parcheggio; deve attraversare un'area verde intermedia che sale verso lo stadio. Oltre a creare un vasto parco con un bosco di pini, l'area verde serve a neutralizzare in parte gli effetti dell'asfalto surriscaldato dei parcheggi, influenzando in misura notevole le condizioni climatiche all'interno dello stadio.

**Centro commerciale Bercy II,
Charenton Le Pont, Parigi**

Il centro commerciale di Bercy è situato all'estremo limite orientale di Parigi, dove inizia l'area di Charenton. L'edificio si inserisce nell'angolo costituito dalla trafficata intersezione del Boulevard Périphérique con l'autostrada A4. Il sito ha determinato la forma dell'edificio: una sorta di nave spaziale rivestita da una griglia di pannelli metallici standardizzati, che risulta visivamente comprensibile anche da un'auto che passa lungo il grande raccordo anulare.

Il progetto si è sviluppato nel più rigoroso rispetto del nesso tra forma, costruzione e geometria: una forma determinata nel modo più soggettivamente visivo, come una scultura; poi la geometria le ha fornito uno scheletro, creato dalla combinazione di tre settori circolari di raggio diverso, con sezioni di diversa lunghezza. La copertura quindi è costituita da tre elementi indipendenti: la struttura in travi di compensato, la membrana impermeabile e infine le lastre di acciaio inossidabile.

La struttura interna, costituita da fasce parallele al corso della Senna comprende i servizi tecnici, i negozi, l'atrio centrale e le botteghe più piccole. L'atrio è ripartito in tre sezioni: al centro un giardino con un boschetto. Dai parcheggi sotterranei si accede all'atrio e ai piani superiori per mezzo di scale mobili, e di due ascensori panoramici che consentono di percepire appieno la presenza della copertura incurvata, che si appoggia dolcemente, come la chiglia in legno di una nave, sulla struttura in cemento dei diversi livelli. Attraverso una serie di perforazioni nella copertura, i raggi di luce si diffondono sull'atrio, fino agli alberi del giardino.

**Edificio residenziale
in Rue de Meaux, Parigi**

L'edificio, di forma rettangolare, si propone all'esterno come una massa inserita nel tessuto urbano circostante, ma al centro è stato "scavato" per ricavare uno spazio verde interno. Due sottili "fessure" dividono le costruzioni in tre parti sul lato della strada, lasciando appena percepire il giardino, che rimane come una sorpresa per i residenti, che devono attraversarlo per accedere ai rispettivi edifici. Data la diversità volumetrica dell'edificio, la gamma degli appartamenti è molto ampia. Ognuno dei 220 appartamenti è comunque esposto su due lati, verso il giardino e verso l'esterno urbano.

Museo della Menil Collection, Houston

Nel 1981 Renzo Piano fu incaricato di progettare un nuovo museo per la Menil Collection, una delle più importanti raccolte al mondo di arte surrealista e di arte primitiva africana. Il museo è stato inaugurato nel 1987.

Inserito in una zona residenziale ottocentesca, costituisce un ambiente non monumentale e rilassato, una sorta di "museo di paese". Il carattere architettonico dell'edificio è dato dall'illuminazione naturale delle sale di esposizione, che non colpisce mai direttamente gli oggetti esposti, e crea un ambiente in continuo mutamento, secondo le condizioni meteorologiche esterne. Gli studi sulle angolature della luce solare, i raggi ultravioletti e le rifrazioni multiple condotti in collaborazione con Ove Arup, hanno portato alla creazione di un elemento detto "foglia", capace di modulare tanto la luce artificiale che quella naturale.

Le sale di esposizione sono al piano terra, mentre i depositi, le sale del Tesoro, sono al piano di sopra, e possono essere frequentati solo da visite guidate, per garantire le condizioni ottimali di conservazione degli oggetti. Nelle sale di esposizione vengono esibiti soltanto due-trecento oggetti per volta. La logica dell'edificio è quella della natura: la piattaforma sporge dalla facciata per proteggere dal sole e dalla pioggia i passaggi pedonali, e i giardini tropicali sono disposti in modo che le piante crescano attraverso l'edificio, evidenziando l'autenticità del rapporto tra questo e la natura.

Stadio San Nicola a Bari, esterno.   Menil Huston Museum, esterno.   Bercy, veduta aerea.   Rue de Meaux, esterno.

Franz Prati, Luciana Rattazzi

La partenza di Colombo.
Piazza Dante, planimetria generale.

Progetto di una piazza a Palmi, Reggio Calabria

Uno di quei punti del Mediterraneo dove il fascino straordinario che emana dal ricordo del mitico rapporto tra la natura e i luoghi che testimoniavano l'insediamento dell'uomo nel paesaggio si stempera oggi nella disperata desolazione della polverosa immagine di uno scenario dove come nobilissimi ruderi si stagliano le ombre di un passato diverso; in un luogo come questo, sui bordi che delimitano la maglia ippodamea della città di Palmi, verso lo stretto di Messina, abbiamo operato uno studio intorno alla costruzione di una piazza d'interscambio.

Dovevamo dunque immaginare un luogo che, pur nella continuità di una forte tradizione che legava architettura e paesaggio, doveva risolvere il grave problema dei parcheggi per una vasta area pedonalizzabile della città e quello del rapporto tra la stessa città, insediata nella parte alta, e la costa che, tra gli stupendi ulivi che rivestono le pendici del monte Sant'Elia, racchiude nella sua figura frastagliata le spiagge che costituiscono l'attrazione turistica principale del sito.

Il progetto che abbiamo previsto corre su due direttrici programmatiche: da un lato il tema del grande parcheggio ha trovato al sua felice risoluzione in un riferimento molto ravvicinato con il muro che racchiude la parte alta della città conchiusa dal belvedere della villa comunale, trovando collocazione all'interno di una sorta di muraglia attrezzata che si conclude, in alto, in un giardino pensile. Il muro contiene le due stazioni della funivia che metteranno in collegamento la città con il monte Sant'Elia e il mare sottostante. Dall'altro lato, il forte segno del muro delle infrastrutture, misurato secondo le matrici geometriche della rigida griglia della città, delimita un ampio spazio aperto, connotato dalla presenza di alcune rilevanti preesistenze, una piaz-

za di bordo aperta verso la città e verso il paesaggio, che raccoglie all'interno del suo cono prospettico, ritmato dalle frequenti gradonature che collegano le diverse quote, la figura di una sorta di bastione rivolto verso l'affascinante paesaggio dello stretto di Messina.

Progetto per piazza Dante a Genova

Genova è una grande metafora del mondo contemporaneo e dare una casa a Colombo non può non impegnare a costruire un monumento al "moderno".

La nostra piazza coperta è stata pensata in vetro, acqua e ferro, elementi trasparenti e senza chiaroscuri; la pietra invece è il materiale che domina gli spazi scoperti. Così la pietra galleggia, resta sospesa, alla maniera della nave sulle onde. Il nostro intervento si propone come ricostruzione della "memoria" del luogo. Dunque un restauro non filologico, realizzato attraverso la ricollocazione del chiostro di Sant'Andrea e la riproposizione del vecchio vicolo che saliva alla porta. La ricollocazione del chiostro, quasi alla maniera di lanterna sopra una cupola manieristica (la nostra piazza coperta), porta all'"invenzione" del luogo simbolico, dell'acropoli posta alla soglia della Genova murata.

Se la nostra nave può essere ascritta a un'ispirazione schinkeliana, la ricollocazione del chiostro la completa nella direzione del classicismo romantico e la stele che ne funge da commento ritrova un valore neoclassico. L'architettura si misura perciò, come si deve in un monumento al moderno, con gli elementi specifici della modernità. Cubismo, simmetria degli elementi, non simmetria dello spazio urbano. La modernità diventa un po' la lanterna dell'archeologo che illumina la stratificazione storica del luogo.

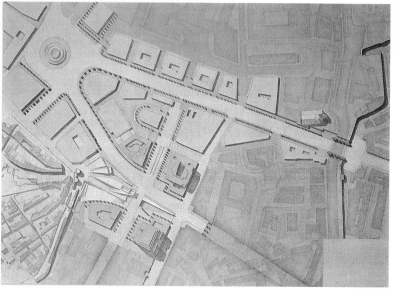

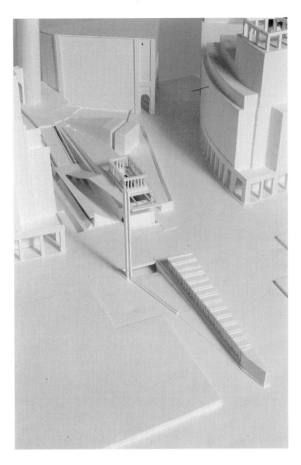

Piazza Dante, dettaglio del plastico.

Progetto di una piazza a Palmi,
Reggio Calabria.

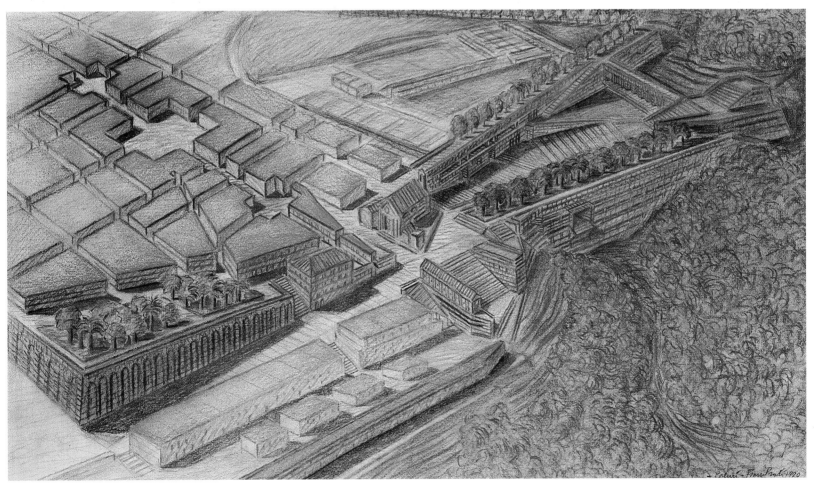

Emilio Puglielli

**Progetto per la casa
di Valentino Zeichen, Roma, 1991**

Il progetto di una piccola casa di vetro al Borghetto Flaminio, oggetto di lunghe e costose discussioni capitoline, non muove da prese di posizione contrarie all'insediamento dell'auditorium in questo luogo della città ma dalla necessità dello scrittore Valentino Zeichen di valutare fino in fondo la fattibilità della sostituzione della propria attuale abitazione a un piano fuori terra, con un edificio della medesima giacitura ma con maggior volume e tale da consentire un'esperienza estetica e una condizione dell'abitare differenti. Dopo inefficaci tentativi di scoraggiare in Zeichen quella fermezza nel volere una vera *glass house* con ragionevoli argomentazioni di carattere storico-critico ed energetico, ho cominciato a studiare il problema pesantemente inquadrato da quel processo di inferenza indispensabile a prendere le distanze dall'autorità di esperienze come quelle di Taut, Chareau, Figini e Pollini o Tami, e anche dall'esigenza di mitigare le conseguenze retoriche, una volta entrati a contatto con "materiali" quali la trasparenza, l'immaterialità o il vetro come "grado zero della materia". La relazione con l'area del Borghetto e con la collina di villa Strohl Fern e di villa Borghese ha ulteriormente complicato le cose ma è la relazione che tiene teso l'insediamento di questo piccolo edificio. Le richieste di Zeichen sono state quasi tutte accolte, ivi compresa quella di poter modellare a propria discrezione e a seconda delle condizioni meteorologiche, modificandone le ombre, le facciate di vetrocemento, senza temere di emulare le gesta del Diavolo di Norimberga, come dice Zeichen in *L'Essere e la Tecnica*. Per quanto riguarda il mantenimento interno di condizioni termoigrometriche ottimali, si è calcolato che si avrà una spesa di circa 3.800.000 lire l'anno per un volume di 900 metri cubi.

Veduta verso villa Strohl Fern e villa Borghese.

Sezioni di studio.

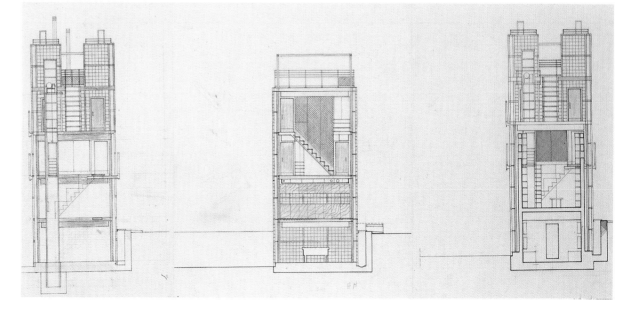

Progetto per il quartiere governativo regionale di St. Polten, Austria, 1990

La soluzione progettuale per il secondo grado, nonostante il sostanziale mutamento del programma e dell'area di concorso, conserva molti caratteri del primo progetto.

Anche se totalmente rielaborata la proposta prevede nuovamente un sistema di edifici articolati in più nuclei, tutti strettamente relazionati con la morfologia territoriale e urbana.

Architettonicamente l'intero complesso tende a definire, nel rispetto dei diversi parametri di contesto, evidenziati anche nel primo progetto, e dei dati dimensionali e funzionali richiesti, un sistema per parti interconnesse, con soluzioni spaziali differenziate.

Gli elementi di contesto cui ci siamo rapportati sono: il paesaggio naturale, il centro storico, il sistema viario e, in particolare, il ponte sul Traisen e il previsto nuovo collegamento a sud. Rispetto a quest'ultimo, tra le giaciture possibili del tracciato viario indicate, abbiamo preferito quello più esterno, in modo da poter utilizzare unitariamente l'area a disposizione.

Nonostante la limitatezza del lotto a fronte della consistente richiesta di manufatti edificati, si è cercato di lasciare libera la maggiore quantità possibile di area.

L'organismo si presenta come un sistema di padiglioni immersi nel verde, allineati rispetto al fiume e tendenti ad adattarsi alla conformazione naturale del sito, in modo da includere la natura stessa nel progetto.

Le volumetrie si articolano, a partire dal nuovo argine con elevazioni più contenute sul fronte del fiume, in modo da inserirsi gradualmente nel paesaggio, con poche significative emergenze, quasi una proiezione scenografica nel medesimo, pur fornendo continuità e ritmo all'ordine compositivo.

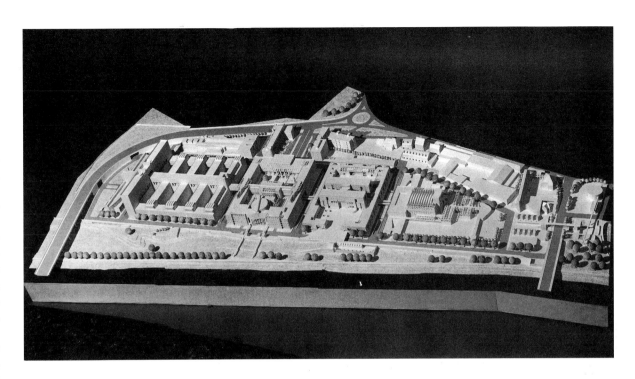

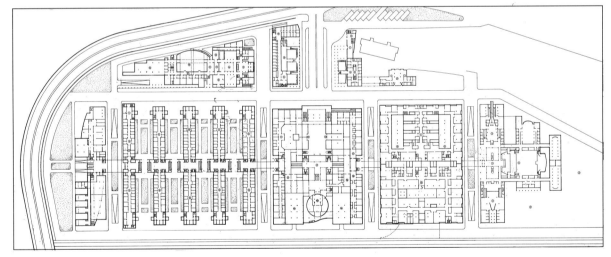

245

Giorgio Raineri

Case a schiera a Dogliani, 1981-91

La schiera sorge su un dosso che fu un vigneto. Pur nella sua consistenza anch'essa è un filare, com'è di filari tutto il paesaggio della Langa. La memoria dei tralci e dei grappoli è anche celebrata dalla pergola ad archi di ferro in sommità delle abitazioni. La casa è tutta rossa, di mattoni e di tegole. La Langa sotto ai vigneti è tutta di argilla e questo paesaggio, antico e paziente, è ancora più caro ai piemontesi da quando lo riscoprono attraverso la lettura di Pavese e di Fenoglio. Molte cose si possono fare ancora oggi con mattoni e tegole quando fra di essi s'insinui un'attenta tecnica moderna che elimini rimpianti e imprestiti e obblighi alla ricerca di nuove risorse. Così il mattone, sottilmente intruso da profilati di ferro e da strutture cementizie, è usato francamente come peculiare rivestimento e può seguire con tutta naturalezza le forme moderne degli sbalzi, dei muri lisci, delle terrazze. La muratura di facciata a volte si nega, quando tutte le persiane di legno sono aperte – e quasi si toccano – realizzando una legittima e paesana finestratura continua viva sul fondo laterizio. La copertura, seguita dalle docili tegole piane comuni, si rialza agli spigoli con una *ruse* tridimensionale che aumenta la volumetria del tetto e costituisce i fianchi delle altane coperte a pergola. Così, a livello delle "soffitte" è attivata una aerea frequentazione che porta a contatto gli abitanti sotto le pergole; abitanti che godono poi di ogni privacy nell'individualità degli alloggi pur sottomessi alla disciplina della stecca continua. Questa casa tutta rossa si confronta (senza averlo voluto) con l'architettura tutta rossa del secolo scorso che impronta il centro di questa piccola capitale del vino; confronto fra una cultura autoctona, ad alto grado di libertà, eclettica senza rimorsi e la cultura di un architetto che rivisita i paradisi infantili con i condizionamenti e le risorse dell'età tecnologica.

Dogliani, vista sud, verso le colline, il varco tra le case, prospetto a est.

246

Ristrutturazione dell'Archivio di Stato di Torino

Una delle sedi dell'Archivio di Stato di Torino è ubicata dal 1925 nel fabbricato dell'ex ospedale San Luigi, progettato dall'architetto Giuseppe Talucchi nel 1818, terminato nel 1836 e andato in disuso all'inizio di questo secolo. L'impianto archivistico immesso nel 1925, distruttivo degli spazi interni e ormai obsoleto, è stato completamente rimosso così che l'intervento odierno si sviluppa negli originari ambienti ospedalieri. Dell'antico ospedale è ancora valida la pianta stellare che gravita sull'esagono centrale, allora cappella consolatrice degli infermi, ora sala di consultazione per gli studiosi. Agli antichi apparati ospedalieri si sostituiscono ora gli apparati della conservazione e della consultazione.

La dialettica appartenenza/non appartenenza risulta da una scommessa continua che ha per condizione il rispetto e la partecipazione alle richieste tecniche e funzionali della committenza archivistica. Così nessuna volta (e l'edificio è tutto voltato) sarà mai intagliata da un tramezzo, nessun impianto tecnico seguirà un tracciato banale (e dovrà costare quanto un impianto banalmente tracciato) nessun consolidamento dovrà turbare l'impassibilità delle forme neoclassiche. La novità concede nuovi panorami: i depositi compattati, quasi una sala macchine; gli studiosi sotto una pergola tecnica appoggiata verosimilmente e inverosimilmente su sei cariatidi in gesso; porte di sicurezza elevate al rango di porte di rappresentanza; impianti antincendio come *mobiles*. Dunque un archivio moderno alloggiato in un antico ospedale dove committenza e architetto, attraverso l'ascesi della ristrutturazione, sono impegnati a raggiungere una immagine di memoria vivente: "Was einmal war, in allem Glanz und Schein, / Es regt sich dort; denn es will ewig sein".

Palazzo di Giustizia a Savona

Il palazzo sorge sull'area della vecchia stazione ferroviaria, ora spostata a monte. Il progetto è stato concepito come cerniera fra la città ottocentesca e quella moderna al di là del fiume Letimbro. L'organismo è sospeso su una piazza e immerso in un parco. Uno spazio "sacrale" dove la giustizia viene esercitata con semplicità e trasparenza. All'interno si svolgono anche concerti e congressi. All'esterno bambini che giocano e, la notte, gli innamorati. Questo sta a significare che è possibile mutare tipologie obsolete e dare un nuovo volto a luoghi dove prevale l'angoscia.

Portare serenità nel dolore.

Verso la strada ottocentesca le aule e gli uffici, ruotati per creare una nuova prospettiva e un asse diretto al giardino botanico della città.

Verso l'"altra Savona", oltre il Letimbro, lo spazio a tutt'altezza interno, la "basilica", spazio di tutti, aperto al fiume. Con il completamento del parco l'area oggi dismessa e degradata avrà parcheggi sotterranei, un palazzo dei Congressi che recupera una vecchia struttura ferroviaria, attrezzature pubbliche, il mercato all'aperto e potrà diventare il cuore nuovo delle due Savone, che fino a oggi il Letimbro separava.

Palazzo di Giustizia a Firenze

Il palazzo dovrà sorgere nel centro del quartiere di Novoli in un'area oggi occupata da una fabbrica Fiat, che verrà spostata nel comune di Campi.

Si tratta di risolvere due problemi. Ristrutturare una periferia priva di attrezzature, anonima e senza volto, nonostante la sua densità. Costituire un "ponte" fra Firenze e Sesto nello spirito del Piano regolatore del 1962, sempre da tutti lodato, che prevede l'espansione della città verso il mare. Nell'area, oltre a un parco di 18 ettari, devono sorgere attrezzature progettate da

grandi architetti, oltre a residenze di
qualità migliore delle attuali, per dare
vita ai quartieri limitrofi.

Il progetto è stato concepito non come
organismo chiuso in sé e ostile al suo
contesto, ma come un fulcro di un sistema vitale. L'edificio è sospeso su una
piazza-galleria dove si svolgono attività
relative alla giustizia, e altre funzioni
capaci di rendere vivo il *topos* anche
nelle ore notturne e nelle giornate fe-
stive. Una "cittadella della Giustizia",
ma articolata in modo tale che le varie
funzioni (Corte d'Appello, Tribunali,
Procura ecc.) pur essendo integrate fra
loro, assumano propria fisionomia, dimensione e identità. Un grande e nuovo esperimento urbanistico capace di
fondere con chiarezza e fuori di ogni
speculazione, operazioni congiunte fra
pubblico e privato a favore di tutti i
cittadini.

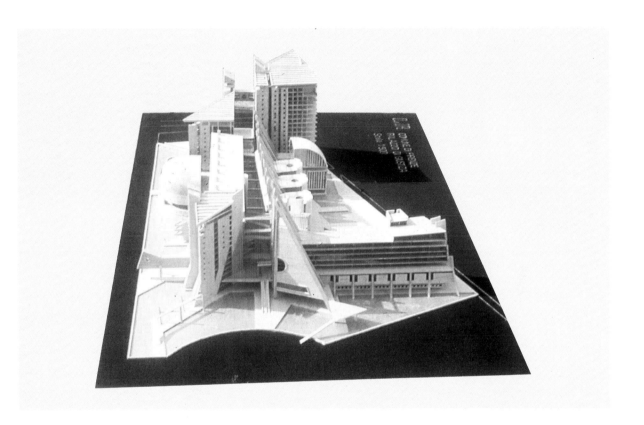

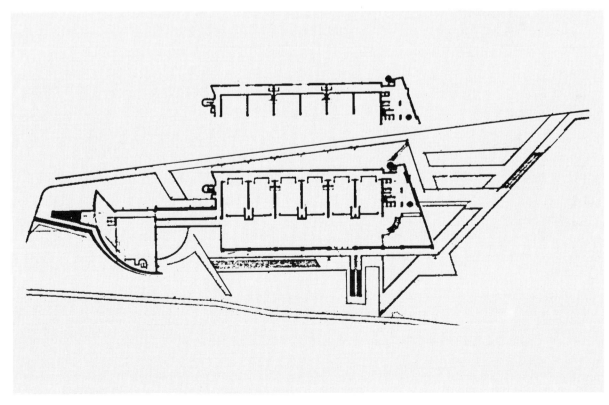

**Sistemazione della piazza San Nazaro
in Brolo a Milano, 1989-90**
Lo scavo del pozzo di aereazione della
metropolitana a ridosso del sagrato
della basilica degli Apostoli ha reso necessario il ridisegno complessivo della
piazza, attualmente caratterizzata da
un andamento discontinuo del terreno e dalla commistione di percorsi au-
tomobilistici e pedonali.
Collocata in posizione tangenziale rispetto al corso di porta Romana, la
piazza viene chiusa alla circolazione au-
tomobilistica: il nuovo marciapiede in
pietra e porfido separa la piazza pedo-

nale, accessibile alle auto solo in corrispondenza dei passi carrai, dal traffico
veicolare del corso.
Il progetto prevede la ricomposizione
dei dislivelli della piazza attraverso una
pavimentazione disegnata secondo due
linee di pendenza, che confluiscono nel
compluvio di una caditoia in granito.
Per il materiale della pavimentazione
della piazza si sono date due alternative.
Il cubetto di porfido posato a correre,
possibilmente in dimensione 6 × 6, si
metterebbe in relazione di sintonia con
la cappella; con la pietra di Trani (di
colore ocra spento) ci sarebbe invece un

contrasto meno evidente con le parti in
granito e con la sede stradale, e risulte-
rebbe in questo caso in rilievo la singolare qualità del rosso della basilica.
La lunga traccia della caditoia mette in
relazione i due interventi principali del
progetto: il nuovo sagrato della basilica
e l'area piantumata a bagolari sull'altro
estremo della piazza.
Il nuovo sagrato in granito, leggermente rialzato sulla trama della piazza in
porfido o in pietra di Trani, riequili-
bria a terra la mole imponente della
Trivulzia e restituisce alla chiesa una
zona di rispetto; la forma trapezoidale

è il risultato del suo adeguarsi alle pen-
denze del terreno.
La griglia (in ferro e ottone) di copertura del pozzo di aereazione, episodio
funzionale nelle adiacenze del sagrato,
è stata pensata come un livello archeologico precedente, scavata di pochi
centimetri sotto la quota della piazza e
recintata da un cordolo di pietra.
Il secondo intervento riguarda la formazione, sul lato opposto della piazza,
di un'area piantumata a bagolari (alberi ad alto fusto tipicamente milanesi)
filtro all'alta facciata della casa del dopoguerra.

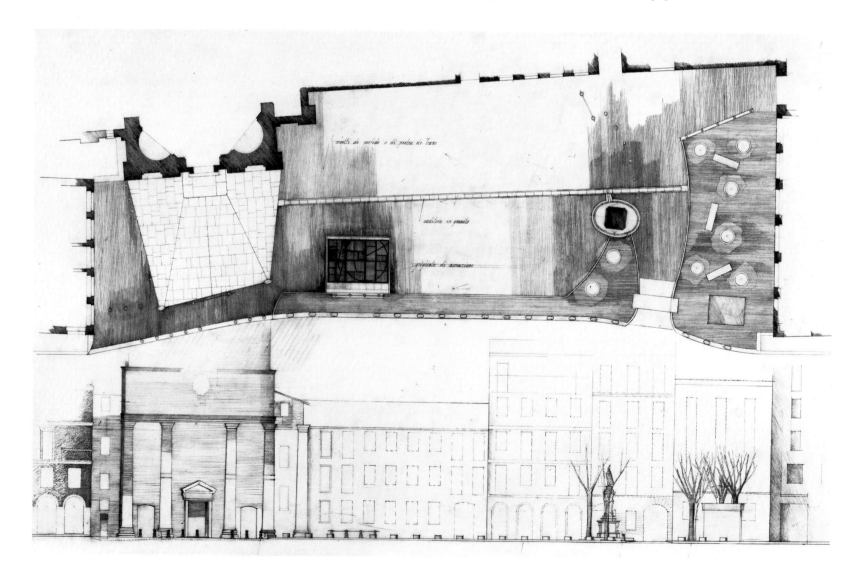

I due bagolari, collocati sulla curva terminale del marciapiede che divide la piazza dal corso, conducono al nuovo basamento ovale della statua di San Ulderico, rialzata di 40 centimetri e restituita a nuova centralità.

La nuova giacitura della statua, leggermente ruotata in direzione del sagrato, introduce un nuovo rapporto con la chiesa L'ovale, solcato da una canalina alimentata da una fontanella in bronzo, riporta alla memoria l'originaria collocazione della statua su un antico ponte del naviglio; dal basamento della statua l'acqua defluisce nella caditoia.

Casa Miggiano a Otranto, 1990-91

La casa è situata in uno degli ultimi terreni non costruiti dell'area di nuova urbanizzazione di Otranto.

Per il lotto di progetto e per quello adiacente, un precedente planivolumetrico fissava alcuni vincoli: l'edificazione di due case unifamiliari di uguale volumetria, con tre lati liberi e uno in comune sul confine di proprietà e un'altezza massima di 11 metri.

L'edificio, assecondando la giacitura del lotto, si apre in una corte scavata nel volume che prosegue in un lungo pergolato direzionato verso il mare. Dalla corte si accede alle unità abitative dei genitori e dei figli; quest'ultima si sviluppa poi nei due piani superiori seguendo una sezione che decresce e arretra verso il muro di confine. Al primo e al secondo piano le stanze si affacciano su terrazze che privilegiano la vista verso il mare.

Dalla scala e dalll'ingresso si percepisce lo sviluppo verticale della casa: le rampe e il pianerottolo si staccano dai muri perimetrali del vano scala, lasciando entrare la luce filtrata del lucernario; sopra l'ingresso, la tripla altezza è interrotta a ogni piano da un diverso taglio della soletta che permette, di volta in volta, viste differenti dell'edificio e del paesaggio. I muri perimetrali in tufo si aprono con tagli verticali che calibrano l'entrata di una luce molto forte.

Afra e Tobia Scarpa

Restauro di un palazzetto ottocentesco a Treviso

Porta-parete. Una parete-porta. Ciò che era, è diventato com'era, subendo la trasmutazione nella materia: prima pietra, intonaco, legno, ferro... ora bronzo; prima il muro difendeva e la porta si apriva... ora è la parete-porta ad aprirsi.

In alcuni momenti del giorno la luce farà i suoi giochi. E ancora stupirà la trasmutazione: ciò che nella percezione distratta si darà come pietra, legno e ferro, avrà fremiti profondi di color bronzo-oro. A essi il destino di accogliere la patina del tempo sopra la finzione di una patina opera di inquieto artificio. Il "com'era" ripresentato è omaggio alla storia, ma non sottomissione a essa. La facciata non poteva che essere cosa della storia, a essa votata. Ma oltre la facciata è la vita e non la storia che si impone. Levatrice è l'opera dell'architetto. I segni della storia potranno essere generatori di forme. E così, superata la parete-porta, aperta come per magia, sarà possibile penetrare nei luoghi dell'abitare. Qui nell'antico ordine degli spazi, scopriremo come un cornicione, con il suo guscio, la sua gola, la sua scozia, possa per analogia generare uno stravolto ordine delle scanalature di colonne doriche e nel contempo diventare segno e modo costruttivo dei davanzali come dei serramenti; scopriremo come una parete possa trasformarsi in una tenda ondulata che disegna con le sue pieghe un caminetto; come i pavimenti possano ritrovare lo splendore del passato grazie a ordinati disegni e imporre le provocazioni del presente nella disseminazione di piccole, disordinate tessere musive; scopriremo ancora come i colori prima discreti nel ricordare la tradizione e nel disporsi sulle pareti poi si moltiplichino apparentemente all'infinito diventando fremente decorazione e, infine, saremo accolti dal gioco naturale delle luci che ha lo straordinario potere di rendere poesia al fare architettonico.

Roberto Masiero

Luciano Semerani

Parking in un silos a Trieste, 1986-89

Il fabbricato esistente, parzialmente in rovina, era costituito da un edificio di testata, due maniche e un corpo di fabbrica interposto, quest'ultimo originariamente interrato.

I vecchi manufatti portoindustriali servivano al deposito delle merci nel punto di passaggio tra trasporto marittimo e ferroviario. Le strutture verticali in ferro e in pietra arenaria e quelle orizzontali in ferro e in legno anche a causa di un incendio erano state gravemente danneggiate.

Solo recentemente, dopo che il manufatto era stato compreso nel perimetro del Piano per il centro storico, era stato posto il vincolo di tutela della Sovrintendenza ai Monumenti. L'unità di misura delle fabbriche è la tesa viennese (1 Klafter = 1,89 metri) e il progetto di intervento è stato disegnato, dopo una precedente diversa impostazione, con tale sistema di misurazione.

Si è proposta la compresenza di tre diverse filosofie del progetto, che forse nel loro insieme rispondono a un unico principio, quello del restauro creativo. Da una parte si è proceduto al "ripristino", sulla base di documentazione storica, e alla messa in luce, sulla base di ritrovamenti avvenuti nel corso dei lavori, di figure, partiture, frammenti, che evidenziavano le successive operazioni di assemblaggio fra diversi corpi di fabbrica e la ricchezza di una architettura eclettica, al servizio di una funzione esclusivamente pratica. Dall'altra si sono disegnate "nuove figure", quali le rampe, in cemento armato, d'accesso ai piani e i ponti di collegamento, in ferro, seguendo un rapporto molto stretto tra linguaggio e tecniche costruttive attuali, scelte tra le più povere e minimali. Infine si sono introdotti "elementi" d'invenzione, come un falso portone di stampo manierista, che sarà l'ingresso alla stazione delle autocorriere, come i pinnacoli in pietra di colore azzurro a forma di obeli-

sco sugli spigoli della facciata, come la ripresa nel disegno dei serramenti e dei rivestimenti delle pareti nelle zone destinate alle attese per il pubblico, di un carattere novecentesco molto presente negli edifici pubblici di Trieste. Nell'operazione di accorpamento del nuovo terminal automobilistico con un parcheggio per 800 macchine e con servizi commerciali e di ristoro entro il corpo di fabbrica un tempo interrato si immettono dentro il vecchio silos granario temi narrativi che provengono da altre architetture in qualche modo note al pubblico: la rampa come rampa, il ponte come ponte, la sala d'aspetto come sala d'aspetto e così via.

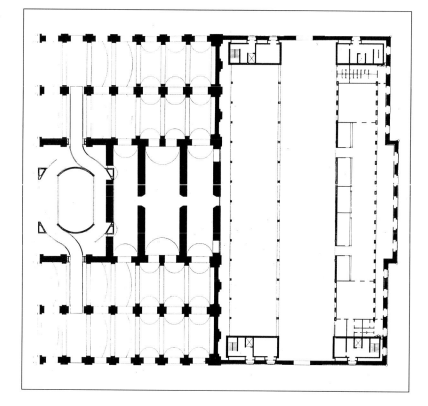

254

Facciata principale.   Rampa di accesso all'autorimessa.   Facciata anteriore.   Obelisco del tetto.

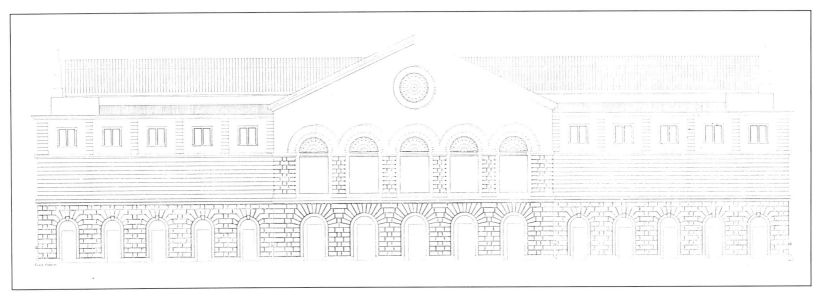

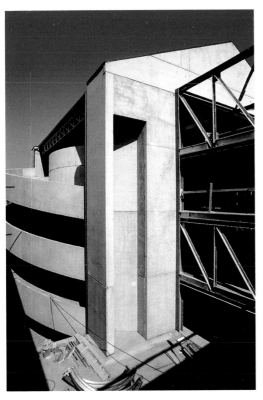  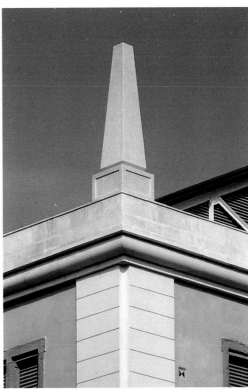

Uberto Siola

Progetto per l'area orientale di Napoli

Progetto per il concorso "La casa e la città"

Progetto per il concorso per la sistemazione del centro storico di Mosca

Progetto per l'area di Puerto Norte, Rosario

Progetto per il centro Ulugh Beg a Samarcanda

Le città pongono, con sempre maggiore ricorrenza, una domanda di forte trasformazione, che è certamente produttiva, nel passaggio dal mondo industriale a quello postindustriale, ma che per noi architetti è anche e soprattutto una domanda di grande trasformazione del nostro lavoro. Questa trova per molti aspetti impreparata l'architettura, chiusa sempre più spesso in interpretazioni minimaliste dei propri compiti.

I progetti che presentiamo lavorano intorno al tema della trasformazione urbana alla grande scala. D'altra parte la disponibilità di aree sempre più vaste all'interno delle città e l'alto valore strategico che queste aree dismesse presentano, creano le condizioni perché l'architettura si misuri con gli strumenti di sempre, ma in un contesto profondamente rinnovato e con una speranza non utopica di realizzabilità. Ciò significa affrontare anche questioni sostanzialmente nuove rispetto al passato: l'una, legata alla specificità urbana, che tende ad affrontare i problemi di inserimento vero dell'intervento nel contesto della città; l'altra legata alla realizzabilità del progetto e quindi ai suoi modi di essere nel tempo, in fasi diverse, in sistemi decisionali diversificati, in dimensioni di volta in volta da definire.

Le tre questioni su cui procede il nostro lavoro sono interne a questa logica:

– la questione dei *caratteri urbani specifici* del singolo progetto in una visione di continua dialettica fra le caratteristiche dell'architettura della città esistente e quelle della città nuova;
– progetti relativi ad aree di vasta dimensione pongono il problema tecnico di assicurare la tenuta del progetto nel tempo, sia individuando la costruzione dell'immagine progettuale "per fasi", sia individuando una precisa dialettica, nell'impossibilità di stabilire definitivamente i caratteri del progetto, fra elementi definiti ed altri affidati alla *normativa tipologica*;
– la mancanza di piano urbano in cui quasi sempre l'occasione di progetto viene a manifestarsi pone il problema di definire, per ciascuna occasione, quale sia la *dimensione conforme* del progetto stesso e quindi l'arco delle questioni, al di là del lotto o del tema da affrontare.

Il progetto per Napoli Est, nato in occasione di un confronto organizzato nel cinquantenario della Facoltà di Architettura di Napoli, ha affrontato un po' tutte quelle che abbiamo indicato come questioni specifiche: anche se quella centrale che è più approfondita è quella della normativa tipologica. Questo ha suggerito una serie di rielaborazioni nel tempo, tese a sperimentare diverse soluzioni compatibili con la normativa tipologica data.

Il concorso per Barcellona, ha offerto l'occasione di affrontare un problema di trasformazione di un punto delicato della città, la Diagonal, l'asse stradale sghembo rispetto alla maglia regolare del Plan Cerdá. Un tema che consente di misurarsi con la questione della residenza e il suo ruolo nella configurazione della città contemporanea. Attraverso una proposta di normativa tipologica, abbiamo individuato il doppio modulo come misura dell'intervento, nel tentativo di dar forma a un'eccezione che si pone, essendo commisurabile alla struttura del piano, come conferma della regola.

L'occasione di un concorso di progettazione per Mosca su un'area centrale separata dalla piazza Rossa soltanto dal fiume, è apparsa straordinariamente interessante per approfondire i caratteri di continuità dialettica che la nuova architettura della città deve avere rispetto a quella del passato. A Mosca abbiamo verificato in modo diretto, così come a Rosario e a Samarcanda poi, come uno dei problemi di città sostanzialmente deboli nei meccanismi economici e finanziari, sia quello di evitare che il processo di modernizzazione segni l'imposizione di modelli urbani appartenenti a culture diverse: con tutto ciò che questo meccanismo comporta in termini di perdita di identità culturale, urbana e architettonica.

Il confronto organizzato dalla municipalità di Rosario tra una ventina di gruppi di vari paesi verteva anch'esso sul recupero di un'area dismessa, quella del Puerto Norte. Il problema di non compromettere l'identità urbana, in questo caso non è certo legato alla difesa dell'esistente, spesso povero e privo di significato, quanto alla proposta di modelli morfologici urbani, anche diversi da quelli attuali, ma comunque appartenenti alla stessa cultura della città. Il tema della grande strada nel verde o quello della città ad alta densità nata sul declino dei manufatti industriali, sono la risposta che abbiamo cercato di dare a questo problema. D'altra parte, la sperequazione esistente fra l'importanza dell'intervento legato alla vastità della trasformazione in atto e la scarsa consistenza del tessuto urbano adiacente, ci hanno fatto pensare a una forte trasformazione indotta e quindi a una proposta di normativa tipologica che possa nel tempo guidare tale trasformazione.

Infine, l'esperienza del concorso per Samarcanda, un'esperienza così diversa dalle altre quanto diversa è la cultura del luogo. Il tema affascinante di riportare il centro della città, sconvolta da

un intervento degli ultimi decenni, nella città antica ha richiesto di affrontare il problema dei caratteri specifici di questa cultura. Carattere morfologico urbano primario è certamente la mancanza dell'impianto, che tanta importanza aveva avuto negli altri progetti presentati, a vantaggio di un rapporto diretto tra monumento o elemento primario e tessuto, realizzato in una condizione di continuum costruito solo apparentemente casuale, ma in realtà dominato dai rapporti visuali fra i monumenti.

Si tratta come si vede di questioni del tutto aperte, su cui la discussione per molti aspetti è appena iniziata, sulle quali abbiamo operato alcune verifiche nei progetti che presentiamo. Ciascuno di essi, nato da occasioni di confronto a più voci, consente l'approfondimento di una o più d'una o di tutte le questioni assunte come specifiche.

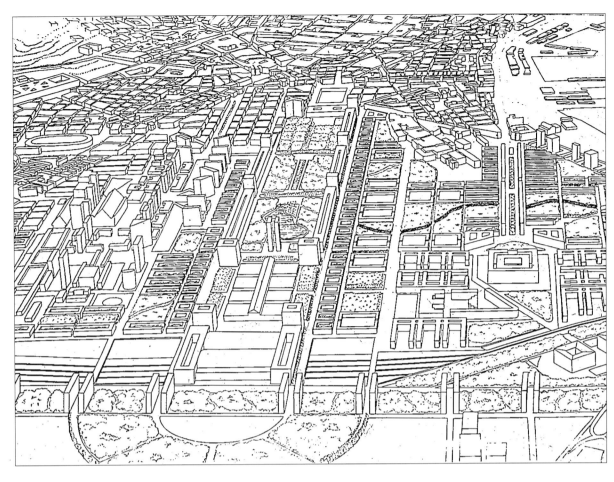

Napoli, progetto per la zona orientale.

Mosca, progetto per l'isola della Moscova.

Rosario, progetto per il centro urbano.

Barcellona, progetto per la Diagonal.

Samarcanda, centro Ulugh Beg

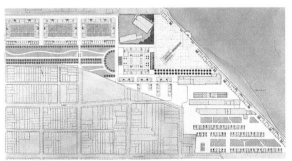

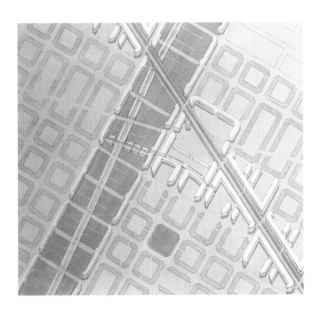

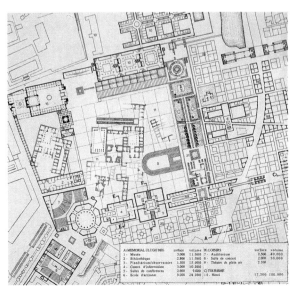

Ettore Sottsass

Twin Dome City a Fukuoka, Giappone, vista del Fantasy Dome e dell'albergo.

Car Design Center a Francoforte, Germania, vista dal cortile.

Progetto per il concorso "Twin Dome City", Fukuoka, Giappone, 1991

Il progetto riguarda un concorso per un complesso di divertimenti e sport posto sopra una striscia di terreno sulla baia di Fukuoka in Giappone.

Il disegno è stato condizionato da diverse costrizioni riferite a progetti e decisioni precedenti: in particolare da un disegno esistente per uno stadio coperto, di cui poteva essere modificato solamente l'esterno, e il nome dato all'intero progetto: Twin Dome City.

Il complesso è formato da tre elementi giganti: lo stadio, il Fantasy Dome (un parco di divertimenti sofisticati, basati sulla simulazione ed educativi) e un albergo di lusso con 500 camere con spazi per convegni. Questi elementi sono posati su una base alta 10 metri che unifica tutta la composizione architettonica. Questa base contiene spazi per parcheggi, servizi impiantistici ed è perforata da piccoli giardini e cortili. A un'altezza di 10 metri è situata una piazza centrale rialzata. Lo scopo del progetto era di creare "segni" e spazi riconoscibili attraverso la definizione di un rapporto fra l'immensa dimensione degli spazi pubblici e l'esigenza umana e privata del visitatore.

Car Design Center, Francoforte, 1990

Il progetto consiste in un centro di progettazione automobilistico a Francoforte per una ditta di auto giapponese. Il programma richiedeva la divisione di diversi spazi per ragioni di sicurezza: passaggio e visibilità limitati dalla reception allo *showroom* ("spazi pubblici") allo studio di design e al laboratorio di modelli ("spazi top-secret"), inoltre ingressi controllati.

Il progetto comprende volumi separati, ognuno con le proprie gerarchie di sicurezza, raggruppati attorno allo showroom centrale, formando così cortili e spazi esterni per mostre. L'intero complesso è orientato verso i cortili interni, presentando poche finestre sulla facciata esterna, e garantisce attraverso l'edificio stesso la necessaria sicurezza senza aggiunta della solita barriera esterna.

Centro commerciale e albergo, Kuala Lumpur, Malaysia, 1990-91

Il Central Court Project consiste in un complesso formato da un centro commerciale e un albergo situato nel centro di Kuala Lampur, sopra un lotto triangolare di fronte al fiume. Il lotto storicamente era un piccolo villaggio di edifici cinesi separati l'uno dall'altro da strette e tortuose calli.

Il progetto consiste in un "volume vuoto" centrale (un grande cortile chiuso avente un tetto perforato) attorno al quale è situata una serie di torri. Le torri sono interrotte da piccole strutture (casette) di proporzioni più intime. Gli ingressi al cortile centrale passano attraverso strette calli situate tra le torri.

Edificio pluriuso a Düsseldorf, 1989

Il progetto comprende un complesso pluriuso di 30.000 metri quadri situato sulla riva del fiume a Düsseldorf. Il complesso include spazi commerciali al piano terreno e al primo piano (ristoranti, caffè, negozi, cinema); sui quattro piani seguenti si trovano gli uffici (inclusa un'agenzia di pubblicità di 5.000 metri quadri) e, infine, all'ultimo piano si trova un "villaggio" di studi.

L'edificio è composto in modo da permettere una flessibilità di costruzione divisa in varie fasi. La struttura principale è un "tavolo" rivestito di pannelli di metallo nero, nelle cui gambe sono posti degli ascensori aventi sistemi meccanici nello spessore del piano. Sotto e sopra il "tavolo" sono stati collocati diverse strutture e volumi; all'interno di questi sono stati inseriti altri volumi di proporzioni ancora più umane per rendere intimi gli spazi creati, pur mantenendo il "segno" del tavolo.

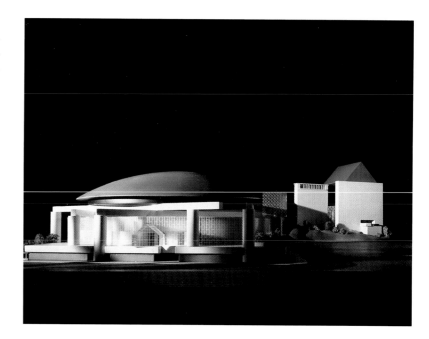

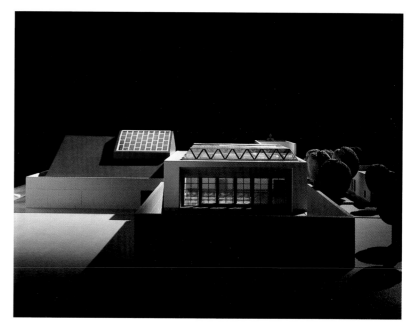

Centro commerciale e albergo
a Kuala Lumpur, Malesia, facciata
sulla strada.

Edificio pluriuso a Dusseldorf,
Germania, facciata sulla strada.

Franco Stella

Monumento per il bicentenario
della Rivoluzione francese, prospetto
sezioni e piante.

Progetto per il monumento per il bicentenario della Rivoluzione francese a Parigi, 1987

La celebrazione degli ideali della Rivoluzione francese è affidata a un'architettura di forme geometriche elementari, a un edificio di pietra composto da un cubo, con un lato di 24 metri, e da un cilindro di uguale diametro. Il cubo è l'involucro delle scale e degli ascensori; presenta un'alternanza di muri in pietra e di arretrati piani vetrati, ripartiti in tre ordini a doppia altezza dagli intervalli di un piano-trabeazione.

Il cilindro è lo "scrigno" di una sfera cava, di boullesiana memoria, circondata da tre ordini di logge semicircolari sovrapposte e separate, come nel cubo, da un piano-trabeazione destinato ai servizi. La sfera è il "luogo segreto" che si rivela all'occhio del curioso attraverso piccole fessure; le logge sono il "luogo pubblico" che dissolve il fronte dell'edificio per estendere la visione della città: una coincidenza di luoghi opposti, l'uno metafora della singolarità inviolabile dell'individuo, l'altro dell'uguaglianza dei diritti collettivi.

Il sito urbano prescelto – la punta dell'Ile de la Cité presso il Pont-Neuf a Parigi – esalta straordinariamente la reciproca visibilità del nuovo edificio e della città.

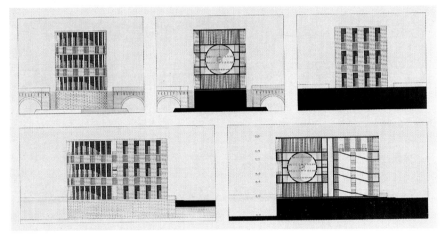

Museo della Scienza fra il Lungotevere e via Giulia a Roma, 1984

Per l'area assegnata – il vuoto urbano compreso fra il lungotevere Sangallo e via Giulia a Roma – si propone la costruzione di un Museo della Scienza.

Le due funzioni principali del Museo, la conservazione e la produzione delle opere dell'ingegno scientifico, trovano distinta rappresentazione nel principio compositivo dell'edificio nell'edificio.

L'edificio centrale. Pareti curvilinee di pietra, modellate in forme evocati-

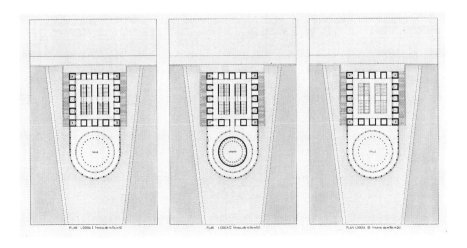

ve dei monumenti di Roma antica, annunciano con la loro mole emergente la presenza di un edificio isolato, dietro le nuove cortine stradali. Il suo spazio interno è conformato come un'unica navata, lunga 56 metri, per addizione di tre campate con esedre contrapposte; due archi segnano il passaggio fra le campate successive; gli ascensori, collocati nei piedritti degli archi, distribuiscono tre ordini di ballatoi metallici, che avvolgono le esedre.

L'edificio perimetrale. Quattro corpi di fabbrica attorno a una corte rettangolare di 56 × 47 metri disegnano un blocco edilizio di dimensioni usuali per la città di Roma. Le differenze tipologiche e figurative fra i vari corpi si spiegano in relazione alla peculiarità dei rispettivi referenti urbani.

Sul Lungotevere, un muro di pietra, concluso da una corona di finestre, rinserra il fronte della città verso il fiume; una semicolonna metallica d'ordine colossale enfatizza il punto centrale dell'ingresso. All'interno, un atrio quadrato si dilata lateralmente in due lunghe sale simmetriche percorse da quattro file di colonne; sopra di esse sono sospesi due piani di gallerie per mostre temporanee; nel piano-attico si trova una serie di sale per conferenze e lettura.

Su via Giulia, un muro di cinque piani, con finestre rettangolari ai lati e il motivo centrale di cinque trifore sovrapposte, ripristina la continuità del fronte stradale.

Gli spazi interni sono destinati agli uffici amministrativi. Sulle vie laterali si allineano le testate di corpi di fabbrica paralleli; i percorsi verticali circondano il cortile. Gli spazi interni sono destinati ad attività di ricerca e sperimentazione didattica.

Il piano inferiore dell'intero blocco, interrato sul Lungotevere e completamente fuoriterra su via Giulia, è destinato a magazzini e depositi.

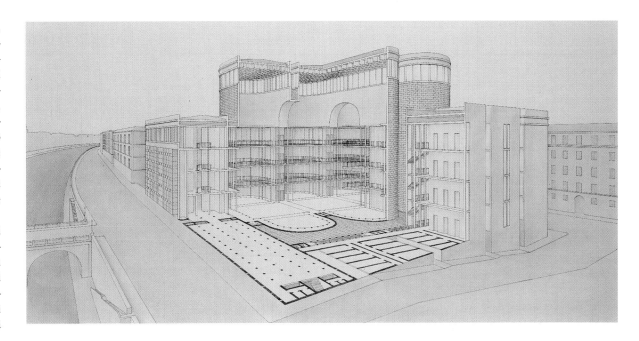

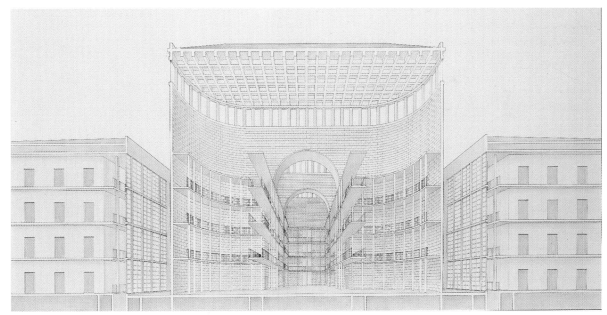

Gino Valle

Palazzo di Giustizia a Brescia, 1986-89
L'edificio viene costruito in un'area larga 42 metri e lunga 350, stretta tra i due ring che avvolgono il centro storico di Brescia: a nord la via Spalti San Marco sotto la quale viene costruito un parcheggio pubblico, a sud la via XXV Aprile. Il nuovo complesso è concepito come una cittadella della giustizia aperta verso l'interno della città, con diversi "pezzi" edilizi che ospitano le diverse funzioni. Gli uffici si organizzano in tre parti distinte: al centro un'esedra con gli uffici della Corte d'Appello e della Procura Generale delimita la piazza d'ingresso, situata in corrispondenza dello sbocco di via Crispi che prolunga il cardo romano; a ovest, un pettine di tre blocchi trasversali addossati a un alto muro ospita gli uffici della Pretura, della Procura della Repubblica, degli Uffici giudiziari, posti nella vecchia Pretura restaurata; a est si estende il Tribunale con le due grandi aule d'Assise, davanti alle quali viene sistemata una zona verde ribassata qualificata dalla presenza di un tratto delle antiche mura venete e del torrente Garza.

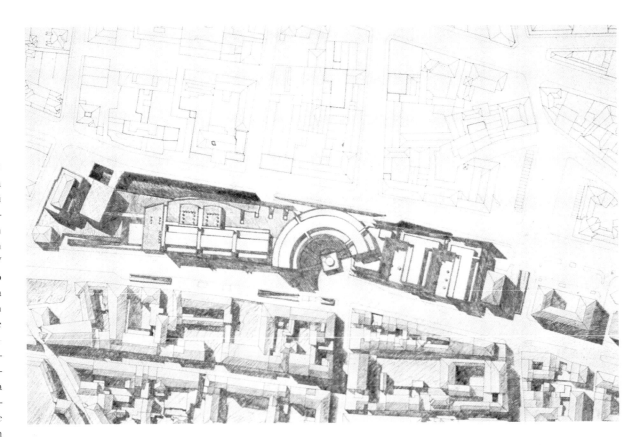

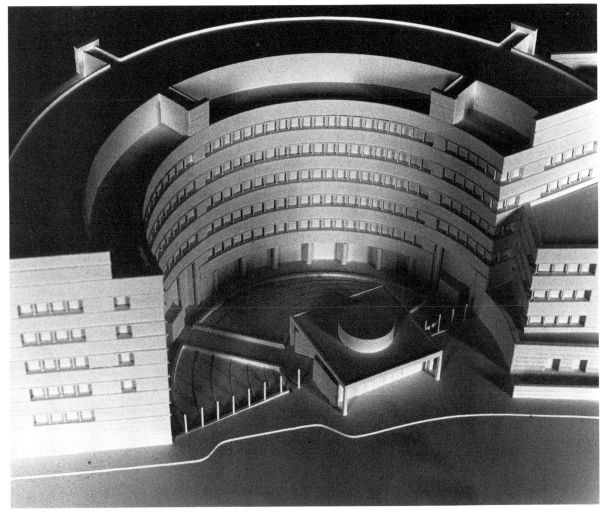

262

alla pagina precedente
Planimetria e veduta dell'esedra.

Pianta e vedute del plastico.

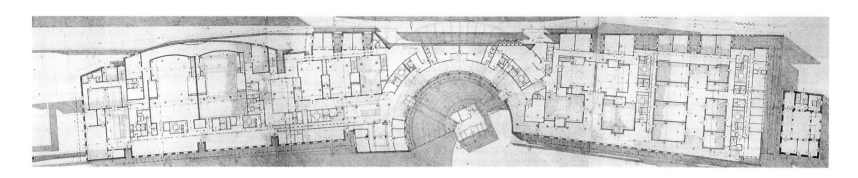

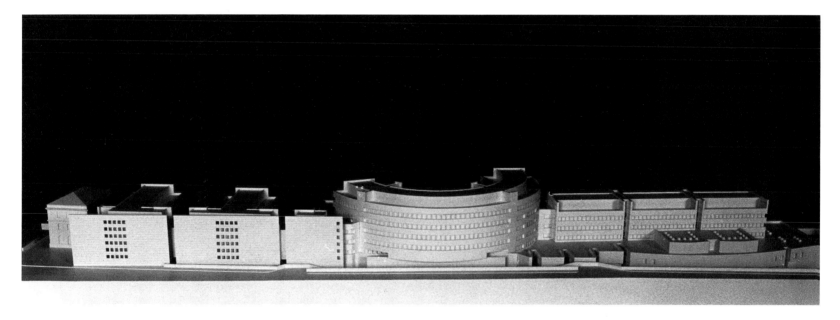

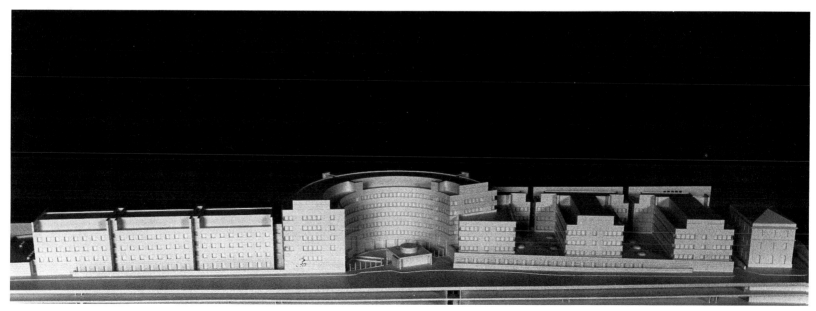

Paolo Zermani

Padiglione di Delizia a Varano, 1983-86.

Museo dell'Acropoli, Atene, veduta del plastico.

L'architettura delle differenze

L'artigiano conosce la differenza e ne coltiva la qualità e la novità all'interno e all'esterno della propria esperienza consolidata, un'esperienza in cui la ripetizione delle procedure non è meccanica né può ritenersi esaustiva.

Per l'artigiano gli strumenti di lavoro sono quasi sempre gli stessi, e l'esperienza accumulata induce a utilizzare schemi collaudati: tutto ciò consegue una caratterizzazione di continuità nella risoluzione del fatto architettonico, una traccia di aderenza alla tradizione, ma a un punto temporale determinato il linguaggio consueto si mette a disposizione della specificità dell'occasione d'architettura e della sua potenzialità. Non c'è architettura senza questa capacità di percezione contestuale, che è anche garanzia di vera novità del progetto. Le mie prime opere corrispondono a una continuità o coerenza "stilistica", anche perché esse sono costruite nel raggio di trenta chilometri e risentono di una medesima influenza, quella della provincia padana, capace di trasmettere una serie di entità riconoscibili che si sono trasportate dalla città alla campagna e viceversa.

Il cordone che legava noi costruttori padani alla tecnologia d'una trasformazione immediata del materiale del suolo, l'argilla cruda, in quello del cantiere, semplicemente reso solido attraverso il processo di cottura, si è ora irrimediabilmente spezzato. Ciò che non è possibile raggiungere per diretta adesione a un mondo privato dei suoi caratteri è tuttavia possibile immaginare di ottenerlo istituendo un raccordo basato sul capovolgimento dei temi legati all'eredità storica, attribuendo a quest'ultima una funzione complessa rispetto alla "chiarezza" del mondo contemporaneo. Il censimento e l'uso delle differenze ha seguito e segnato anche la geografia del mio lavoro successivo.

L'esempio della cappella di Malta è emblematico perché questo lavoro è nato successivamente a un periodo trascorso sull'isola che mi ha trasmesso i caratteri della sua identità regionale, tra cui la presenza continua di stranieri e anche di artisti che rimanevano per un certo periodo lasciando testimonianza della propria arte. È il caso di Caravaggio che, ricercato a Roma, si rifugiò a Malta dove dipinse la decapitazione di san Giovanni. Quest'idea di lasciare un segno mi ha coinvolto al pari della affascinante prospettiva di misurarmi con il clima mediterraneo. Il progetto è da leggersi come un cubo scavato in sezione trasversale; dagli scogli verso il mare si accede a una scalinata che scende al mare secondo il principio dell'imbarcadero fino a immergersi nell'acqua che periodicamente invade l'architettura: nella zona dove arriva l'acqua c'è una croce. Il principio può essere ribaltato se si giunge dall'acqua: in questo caso la cappella è un punto di attracco attraverso il quale si accede alla costa. Quindi dalla costa la cappella è una finestra sul Mediterraneo, mentre dal Mediterraneo è una sorta di arco che introduce alla terraferma.

Nel Museo dell'Acropoli ad Atene il progetto rileva il carattere del luogo a partire dal presupposto che l'Acropoli stessa è, oggi, un grande museo all'aperto, sottoposto all'uso e consumo contemporaneo. Pur esprimendo al suo interno intenti di conservazione dei pezzi esposti, l'edificio del Museo non può che partecipare a questo concerto di testimonianza e di logoramento istituendosi come frammento cosciente del meccanismo in atto. Dentro e fuori l'edificio è quindi un percorso. Il visitatore è partecipe dell'ingranaggio storico. Scendendo egli raggiunge la quieta frescura costituita dall'internità del suolo. Salendo raggiunge, oltre i diversi livelli espositivi, la copertura gradonata e assolata da cui si osserva l'Acropoli.

Cappella sul mare a Marsascala,
Malta, 1989, prospetto del plastico.

Oswald Zoeggeler

Progetto per abitazioni a Bolzano, 1988

Da sempre fino alla invenzione della disastrosa *Carta d'Atene* esisteva più o meno un senso per il disegno della città, per la qualità dei suoi spazi e l'orgoglio del cittadino per le strade e le piazze della propria città.

L'arte di costruire la città riguardava il disegno degli spazi pubblici, della grande casa di tutti, delle strade e delle piazze, con forme, significati e importanza che tra di loro osservano un preciso rapporto di gerarchia interna.

La *Carta d'Atene* invece ci insegnò che la città è fatta soprattutto di zone, di norme e di standard. E siccome in quei tempi si credeva ancora molto al progresso scientifico, si pensava che questa banale semplificazione poteva benissimo sostituire l'arte di costruire città e si fecero delle leggi urbanistiche che riuscivano a distruggere le città in un modo più efficace di qualsiasi guerra.

Questo progetto di un brano di città dà l'assoluta precedenza al disegno delle piazze e delle strade e prevede le "case" negli spazi di risulta.

Caserma dei Carabinieri di Corvara, 1990

Le nuove caserme dei Carabinieri in alta montagna soffrono spesso di una mancanza d'identità e di espressività.

Con questo progetto si è cercato di integrare una pianta derivata dall'architettura romana antica con facciate dell'edilizia locale.

La forma dominante della pianta è il pentagono che genera e influenza gli altri tracciati. Dal pentagono si alza la potente torre centrale che è un cortile. La torre è in pietra e viene parzialmente coperta nei quattro prospetti con quattro facciate intonacate di masi della valle. I pavimenti interni sono in cotto e travertino mentre la stella iscritta nel pentagono del cortile è in pietra dolomitica.

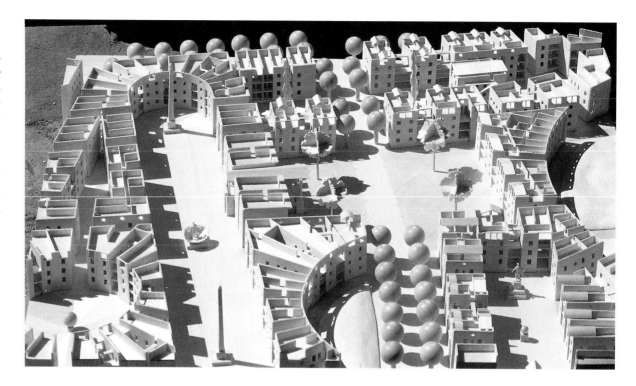

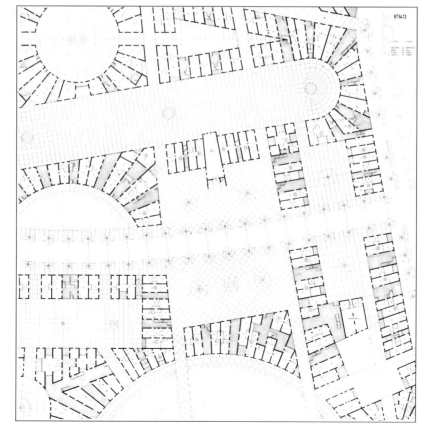

Palazzo della Provincia a Bolzano.
Caserma dei Carabinieri di Corvara.

Progetto per il palazzo della Provincia a Bolzano, 1990

Questo progetto è un disegno urbano in scala architettonica. Il disegno degli spazi urbani definisce, penetra e attraversa l'architettura e questa a sua volta realizza questi spazi. Urbanistica e architettura si confondono in un unico progetto.

L'urbanistica qui per un attimo ha dimenticato il suo "moderno" ruolo di un severo e astratto controllore di norme che spesso impediscono l'architettura e questa può esprimersi in forme urbane.

In questo luogo esistevano già due piazze potenziali che avevano soltanto bisogno di una definizione volumetrica in un ulteriore lato: la piazza semicircolare della Stazione e la piazza rettangolare davanti agli edifici esistenti della Provincia. Il volume risultante venne poi di nuovo coinvolto in un disegno urbano, questa volta con delle strade radiali inventate che partono dal centro del semicerchio di piazza Stazione, dall'ingresso principale della Stazione e che portano verso le entrate dei palazzi della Provincia.

Lungo queste strade radiali che attraversano l'edificio si trovano dei cortili come piccole piazze della città.

Biografie

Gae Aulenti (Palazzolo dello Stella, 1927), dopo la laurea è nella redazione di "Casabella-Continuità" e dal 1974 nel Comitato direttivo di "Lotus International". Dal 1976 al 1979 collabora per la ricerca figurativa al Laboratorio di progettazione teatrale di Prato diretto da Luca Ronconi e negli anni successivi realizza scenografie per diverse opere teatrali. Nel 1980 vince il concorso per la trasformazione della Gare d'Orsay a Parigi in museo, che si apre nel 1986. Nel 1982 inizia la progettazione del Museo Nazionale d'Arte Moderna al Centro G. Pompidou a Parigi, aperto nel 1985. Nel 1985 ristruttura palazzo Grassi a Venezia. Nel 1985 è incaricata della ristrutturazione del Palau Nacional de Montjuic a Barcellona. Dal 1988 realizza il nuovo accesso alla stazione di Santa Maria Novella a Firenze, progetta il Museo Civico di Prato e la ristrutturazione di palazzo Muti-Bussi a Roma, della Palazzina della Casiglia a Sassuolo e dell'Istituto Universitario Suor Orsola Benincasa a Napoli. Fa parte dell'Accademia di San Luca, è Chevalier de la Legion d'Honneur e ha ricevuto numerosi premi e riconoscimenti tra i quali il premio "Josef Hoffmann" e il "Praemium Imperiale".

Aldo Aymonino (Roma, 1953) si laurea nel 1980 con Ludovico Quaroni. Dal 1986 insegna alla Facoltà di Architettura di Pescara e dal 1982 svolge la propria attività professionale con la cooperativa di progettazione Teprin. Nel 1989 ha vinto il premio "Architettura italiana della giovane generazione".

Emilio Battisti (Napoli, 1938) è professore di composizione architettonica al Politecnico di Milano e ha insegnato in diverse università statunitensi. Ha vinto i concorsi per la progettazione delle nuove sedi delle università di Firenze (1972) e della Calabria (1973), per l'area direzionale di Firenze (1977), per l'area di Porto Catena a Mantova (1982), per la zona delle colonne di San Lorenzo a Milano (1987). È impegnato nella realizzazione di edifici a Milano, Firenze e Berlino.

Salvatore Bisogni (Napoli, 1932) è professore di composizione alla Facoltà di Architettura di Napoli. Ha collaborato con diversi architetti italiani nello svolgimento di ricerche e progetti che si sono guadagnati l'attenzione della stampa e della critica specializzati. Ha dato il proprio contributo a diverse pubblicazioni e la sua attività sperimentale è stata documentata da numerose riviste tra le quali "Casabella", "Controspazio", "Bauwelt".

Gianni Braghieri (Villa d'Adda, 1945) si laurea in architettura al Politecnico di Milano nel 1970; nel 1971 inizia la collaborazione con Aldo Rossi e vince il concorso per il nuovo cimitero di Modena. Nel 1977 vince il concorso per il centro direzionale di Firenze con Carlo Aymonino e Aldo Rossi. Nel 1986 vince il concorso per la cattedra di composizione architettonica e nel 1986-87 è *visiting professor* all'Università di Princeton (USA) e all'Ecole Polytechnique Federale di Lausanne.

Augusto Romano Burelli (Udine, 1938) si laurea all'Istituto Universitario di Architettura di Venezia dove, dal 1986, è professore di composizione architettonica. Ha realizzato diverse opere (abitazioni, municipi e chiese) e ha pubblicato diversi articoli e studi su Sinan, Choisy, Schinkel e Semper.

Guido Canali (Sala Baganza, Parma, 1935), professore di storia dell'architettura all'Università di Parma, ha realizzato diverse opere tra le quali la sede del Consorzio Parmigiano Reggiano a Reggio Emilia, il Dipartimento di Scienze della Terra e la sede della Cassa di Risparmio a Parma e le ristrutturazioni delle ex carceri di Sassuolo, del cascinale Sant'Elisabetta a Parma, della fortezza Priamàr a Savona, della Pilotta a Parma. Opera anche nel campo dell'architettura navale e dell'industrial design.

Massimo Carmassi (Pisa, 1943) si laurea nel 1970 alla Facoltà di Architettura di Firenze. Dal 1974 al 1990 dirige l'Ufficio progetti del Comune di Pisa e realizza la sistemazione di palazzo Lanfranchi, un asilo nido a San Marco, il cimitero a San Piero, abitazioni a Cisanello, il Teatro Verdi, il Piano regolatore di Pisa. Una monografia Electa illustra il suo lavoro dal 1975 al 1985. Nel 1987 partecipa alla XVII Triennale di Milano e dal 1987 al 1991 è *visiting professor* alle Facoltà di Architettura di Reggio Calabria, Torino, Syracuse, Berlino. Mostre delle sue opere si sono tenute a Macerata, Savona, Roma, Bologna, Syracuse N.Y., Lille, Parigi.

Roberto Collovà (Palermo, 1943) è professore associato di composizione architettonica. Dal 1982 lavora con Alvaro Siza Vieira ad alcuni progetti per Salemi. Negli ultimi anni i suoi mobili sono stati selezionati per il Forum Design (1988, 1989). Ha avuto il 1° premio del concorso per la Diagonal de Barcelona (1989). È stato selezionato per il premio Mies van der Rohe 1991 per il progetto *Case di Stefano a Gibellina*. Ha guidato un laboratorio di progettazione del Master en Urbanisme de las Ciutats diretto da Manuel de Sola Morales a Barcellona (aprile 1991).

Lo **Studio Coprat** è nato nel 1976; ha sede in Mantova ed è composto attualmente dagli architetti Francesco Caprini, Daniela Gabutti, Gilberto Nardi, Giovanni Iacometti, Paolo Tacci oltre ad altri dieci tecnici specializzati nel settore edilizio e impiantistico. Ha svolto numerosi progetti, occupandosi in particolare di edilizia economica e popolare, e ha partecipato a concorsi di architettura in collaborazione con Aldo Rossi, Ignazio Gardella, Giorgio Grassi. Ha esposto alla XVI Triennale di Milano, e alla Terza Mostra Interregionale di Architettura della Biennale di Venezia ottenendo il "Leone di Pietra" per il ponte dell'Accademia.

Stefano Cordeschi (Roma, 1951) si laurea in architettura nel 1979 con L. Quaroni. Ha partecipato, qualificandosi, ad alcuni concorsi nazionali e internazionali e parte del suo lavoro di progettazione è stato pubblicato su riviste specializzate ed esposto in occasione di mostre in Italia e all'estero: 1982-85, Sezione Architettura della Biennale di Parigi; 1986, Terza Mostra Internazionale di Architettura di Venezia; 1987, Deutsches Architektur Museum Francoforte; 1988, Premio Internazionale di Architettura Andrea Palladio; 1990, Fondation pour l'Architecture Bruxelles. È professore a contratto di composizione architettonica presso la Facoltà di Architettura di Bari.

Pasquale Culotta e **Giuseppe Leone** si laureano a Palermo nel 1965 e nello stesso anno aprono uno studio a Cefalù. Le loro opere sono pubblicate nelle principali riviste di architettura e in *Le occasioni del progetto*, di P. Culotta e G. Leone, Cefalù, 1984.
Pasquale Culotta (Cefalù, 1939) dal 1990 è preside della Facoltà di Architettura di Palermo. Nel 1987 è chiamato dalla Triennale di Milano per la formulazione e il coordinamento scientifico di progetti su "L'architettura della Circonvallazione di Palermo" per la XVII Triennale. Nel 1988 è coordinatore scientifico dei progetti per l'Esposizione Nazionale 1991 a Palermo sul tema "Le attività umane nel Mediterraneo". Giuseppe Leone (Palermo, 1936) nel 1989 fonda il Bruno Taut Institute. Conduce sistematiche ricerche sul centro storico di Palermo. È più volte coordinatore di gruppi di ricerca progettuale e tra le più significative esperienze si ricordano: l'isolato di Messina e le sedi della Facoltà di Magistero e di Architettura per l'Università di Palermo.

Claudio D'Amato (Bari, 1944) è professore di composizione architettonica e ha pubblicato diversi studi dedicati, in particolare, all'architettura contemporanea. Ha curato mostre di architettura anche per la Biennale di Venezia e dal 1970 svolge un'autonoma attività professionale.

Giangiacomo D'Ardia (1940) e **Ariella Zattera** (1942) lavorano insieme dal 1980 e hanno progettato, tra l'altro: l'Opera Bastille a Parigi (progetto segnalato) nel 1983 e la sistemazione della piazza del Pantheon a Roma; nel 1985 il Museo d'Arte Moderna a Ca' Venier dei Leoni a Venezia (per il quale hanno vinto il "Leone di Pietra" della Biennale); nel 1986 la sistemazione di piazza Matteotti a Vicenza (progetto premiato con un rimborso spese); nel 1987 la sistemazione urbanistica ed edilizia della valle della Pietrosa a Lanciano; nel 1988 la riorganizzazione della zona alle spalle del palazzo comunale a Cerreto Sannita, nel 1989 la chiesa di San Romano al Gallaratese a Milano. Giangiacomo D'Ardia è professore straordinario alla Facoltà di Architettura di Pescara.

Ariella Zattera è ricercatrice alla Facoltà di Architettura dell'Università di Roma.

Giancarlo De Carlo (Genova, 1919) è professore all'Università di Genova e ha insegnato allo IUAV, a Yale, al MIT, a UCLA. Membro dei CIAM, è stato tra i fondatori del Team X. Direttore di "Spazio e società", è autore di numerosi libri e ha realizzato opere a Urbino, Terni, Milano, Matera, Pavia, Venezia, Catania, Siena ecc. Al suo lavoro sono dedicati i volumi monografici *Giancarlo De Carlo*, Firenze 1981 e *Giancarlo De Carlo. Architetture*, Milano 1988. Ha ricevuto numerosi premi e riconoscimenti internazionali ed è membro dell'Accademia di San Luca.

Clara Lafuente (Roma, 1955) si è laureata a Torino; dal 1984 collabora con **Mariolina Monge** (Mortara, Pavia 1954) che ha conseguito la laurea a Torino. Insieme Lafuente e Monge hanno realizzato una casa per anziani a Montecchio (1984-87) e un piccolo albergo a Gubbio (1989). Clara Lafuente lavora a Roma e Mariolina Monge a Torino.

Vico Magistretti (Milano, 1920) si è laureato a Milano nel 1945. Accademico di San Luca, professore al Royal College of Arts di Londra, vincitore di diverse edizioni del "Compasso d'oro", presente con propri oggetti nei principali musei internazionali, Magistretti svolge congiuntamente una intensa attività nel campo dell'industrial design e dell'architettura. Lavora per la principali industrie internazionali e ha realizzato tra l'altro: un edificio terziario in corso Europa a Milano (1955), la torre in piazza Aquileia a Milano (1965), un complesso polifunzionale in piazza San Marco a Milano (1971), la Facoltà di Biologia a Milano (1980).

Carlo Magnani (Ferrara, 1950) si è laureato nel 1975 a Venezia all'Istituto Universitario di Architettura, presso il quale è docente di composizione architettonica. Ha partecipato a numerosi concorsi e seminari di progettazione e ha pubblicato progetti e saggi su riviste italiane e straniere. Vive e lavora a Venezia.

Marco Mattei (Firenze, 1950) ha insegnato in alcune università straniere e ha partecipato a diversi concorsi internazionali. Tra le sue opere e progetti più recenti vi sono: complesso pluriuso ex officine Galileo a Firenze (1983-88), Museo del tessuto a Prato (1984-86), centro socio-sanitario del Comune di Firenze (1988-90), progetto per il polo ospedaliero di Careggi (Firenze, 1988-91), Museo d'arte contemporanea di Firenze (in costruzione).

Bruno Minardi (Ravenna, 1946) ha insegnato a Venezia, Urbino, Bologna, Londra ed è *examiner* presso l'Architectural Association di Londra. Ha realizzato l'unità di abitazione di Viano Valle a Milano, la ristrutturazione dell'ex fabbrica Dreher a Venezia, la sopraelevazione delle case comunali a Cesena. I suoi lavori più importanti sono raccolti nelle monografie *Elementi, edifici, progetti*, Roma 1981, *G. Grossi-B. Minardi, Zeichnungen und Aquarelle, Architekturprojekte*, Monaco 1983 e *Case d'acqua*, Venezia 1990.

Antonio Monestiroli (Milano, 1940) è docente di composizione architettonica al Politecnico di Milano. Nel 1979 ha pubblicato *L'architettura della realtà*, Milano. Nel 1983 presso l'AAM Cooperative di Roma viene allestita una mostra del suo lavoro di architetto. Nel 1988 è stato pubblicato il volume *Antonio Monestiroli. Progetti 1967-1987*, Roma. Nel 1990 ha coordinato e partecipato al progetto per il nuovo insediamento del Politecnico di Milano alla Bovisa. Ha partecipato a numerosi concorsi nazionali e internazionali e ha pubblicato i principali progetti su riviste italiane e straniere.

Marino Narpozzi (Padova, 1949) si è laureato in architettura nel 1974 a Venezia. Dallo stesso anno lavora a Venezia con Aldo Rossi. Dal 1982 insegna in Francia a Nantes e Parigi. Sta lavorando ad una tesi di dottorato seguita da Hubert Damish a Parigi. Affianca all'attività di ricerca il lavoro professionale, partecipando a concorsi nazionali e internazionali. Ha realizzato il cimitero di Fiesso d'Artico ed ha recentemente iniziato la realizzazione del nuovo teatro di Martigues in Francia.

Nicola Pagliara (Roma, 1933) ha compiuto gli studi a Trieste e si è laureato presso la Facoltà di Architettura di Napoli nel 1959, dove insegna progettazione architettonica. Svolge la sua attività nel campo dell'architettura, del restauro, del design e del town design. La curiosità e la ricerca di radici culturali, lo hanno portato in lunghi soggiorni di specializzazione all'estero, dove ha tenuto mostre, lezioni e conferenze. Nel 1979 è stato insignito del "Premio Presidente della Repubblica per l'Architettura Italiana". Collabora con numerose riviste specializzate e quotidiani.

Valeriano Pastor (Trieste 1927) si è laureato presso l'Istituto di Architettura di Venezia; è stato assistente di F. Albini e G. Samonà; ha lavorato con C. Scarpa, G. Samonà, D. Calabi e E. Gellner. È professore ordinario di progettazione architettonica allo IUAV, dove promuove e segue attività di ricerca presso il Dipartimento di Scienza e Tecnica del Restauro. Vice rettore dell'Istituto dal 1977 al 1979 e rettore dal 1979 al 1982; svolge attività professionale di progettazione edilizia, urbanistica, restauro, arredamento e allestimenti.

Renzo Piano (Genova, 1937) dal 1971 lavora con Richard Rogers e dal 1977 con Peter Rice. Ha realizzato tra l'altro: il Centre Georges Pompidou (Parigi, 1971-77), gli uffici B&B (Novedrate, Como 1971-80), un veicolo sperimentale V99 (1978-82), il Museo Menil (Houston, 1981-87), la ristrutturazione della fabbrica Schlumberger (Parigi, 1981-84), l'allestimento della mostra di A. Calder a Torino (1982), lo stadio di Bari (1988-89), un centro commerciale a Bercy (Parigi, 1986-90), il nuovo aereoporto di Osaka (in costruzione). Sul suo lavoro esistono diversi volumi monografici pubblicati in Italia e all'estero.

Franz Prati (Venezia, 1944) insegna alla Facoltà di Architettura di Roma. Dal 1981 collabora con Luciana Rattazzi (Genova, 1954) con la quale ha redatto i progetti di concorso per piazza Matteotti a Vicenza e per il lungolago di Lovere. Le opere di Prati e Rattazzi sono state esposte in mostre in Italia e all'estero e sono state presentate dalla pubblicistica specializzata internazionale.

Emilio Puglielli (Roma, 1941) dal 1974 al 1980 è stato assistente di composizione architettonica a Roma e al Politecnico di Milano e ha tenuto seminari presso il Pratt Institute e la Graduate School of Architecture and Planning della Columbia University di New York e alla Syracuse University di Firenze. Le sue opere sono state pubblicate e commentate dalla pubblicistica specializzata internazionale.

Giorgio Raineri (Torino, 1927) si laurea a Torino nel 1949 e nel 1951 apre lo studio professionale con il fratello Giuseppe con il quale progetta istituti scolastici per enti religiosi, ville e opere per le iniziative promosse da Adriano Olivetti. Collabora con Gabbetti e Isola e poi realizza il noviziato delle suore della Carità nei pressi di Torino. Ottiene tre premi INARCH per il Piemonte e in anni recenti completa costruzioni private, edifici scolastici e elabora il progetto per la sistemazione della Pinacoteca di Urbino. È autore di importanti ristrutturazioni nel castello di Miradolo, nel castello del Valentino e in importanti edifici neoclassici.

Leonardo Ricci (Roma, 1918) ha insegnato alla Facoltà di Architettura di Firenze dal 1945 al 1973. Professore in diverse università straniere, membro dell'Accademia di San Luca, ha ricevuto numerosi premi e riconoscimenti in Italia e all'estero. Ha partecipato a molti concorsi e ha realizzato tra l'altro: il centro Agape a Praly-Pinerolo (1946-47), il mercato di Pescia (1948), casa Balmain all'isola d'Elba (1957), la fabbrica Goti a Prato (1959), il centro comunitario di Riesi (Caltanissetta, 1963-67), il Palazzo di Giustizia di Savona (1981). Autore di diversi paini regolatori, Ricci ha partecipato a numerose mostre in Italia e all'estero.

Umberto Riva (Milano, 1928) si laurea a Venezia e inizia la sua attività professionale a Milano nel 1960. Lavora nel settore dell'edilizia pubblica e privata e si dedica inoltre al disegno di oggetti.

Afra e Tobia Scarpa (1937 e 1935), veneti. Lavorano dal 1957. Design:

B&B Italia ("Coronado" 1966), Cadel, Cassina ("Soriana" 1968), Flos ("Papillona" 1975, "Pierrot" 1990), Gavina ("Bastiano" 1961), Goppion, IB Office, Maxalto, Meritalia, Molteni, Poggi, San Lorenzo, Stildomus, Unifor e Vaas. Architetture: Benetton (negozi e sedi di rappresentanza), fabbrica a Ponzano (1964) ristrutturata poi in centro direzionale (1990), magazzino robotizzato (1980) e stabilimento Lana (Treviso 1985). Case: Benetton, Scarpa, Lorenzin, casa a Tokio, un club-bar a Kyoto. Restauro: casa Barbini, Tonolo, Fragiacomo, due palazzetti a Treviso, villa Minelli a Ponzano, sede della Cassa di Risparmio di Reggio Emilia. Negozi Unifor a Roma, Parigi e Milano.

Luciano Semerani (Trieste, 1933) è professore all'IUAV e ha insegnato in università straniere. Dal 1958 lavora con Gigetta Tamaro (Trieste, 1931) con la quale ha realizzato opere a Trieste e Venezia e concepito progetti e proposte di concorso in svariate occasioni. Il lavoro di Semerani e Tamaro è stato commentato dalla pubblicistica specializzata internazionale ed è stato esposto in Italia e all'estero. Sull'opera dello studio triestino si può consultare il volume *Semerani-Tamaro. La città e i progetti*, Roma 1983.

Uberto Siola (Napoli, 1938) si laurea in Architettura a Napoli nel 1962. Dal 1977 è professore ordinario di progettazione architettonica e dal 1979 assume la Presidenza della Facoltà di Architettura di Napoli, incarico che tutt'ora ricopre. È direttore, con Vittorio Magnago Lampugnani, del seminario internazionale di progettazione "Napoli. Architettura e città" dal 1989. Ha partecipato a numerosi concorsi nazionali e internazionali. Suoi scritti sono contenuti nei volumi: *Architettura del presente e città del passato*, Brescia 1984; *Progetti per Napoli*, Napoli 1987; *Fuorigrotta e la Mostra d'Oltremare*, Napoli 1990.

Ettore Sottsass (Innsbruck, Austria, 1917) si laurea a Torino nel 1939; trasferitosi a Milano nel 1947 partecipa a diverse Triennali e mostre internazionali. Nel 1958 collabora con Olivetti per cui disegna Praxis, Tecne, Valentine. Riceve la laurea *ad honorem* dal Royal College di Londra, espone intanto

a New York, Berlino, Barcellona, Sidney e Gerusalemme. Nel 1980 fonda il gruppo Memphis, con Aldo Cibic e Marco Zanini. Nel 1984 nasce la Sottsass Associati con vari progetti in diverse aree del mondo.

Franco Stella (1943)) insegna progettazione all'Università di Genova. Ha realizzato alcuni edifici nel Veneto e ha partecipato a numerosi concorsi nazionali e internazionali a iniziare dal 1979. Il suo lavoro, pubblicato dalle principali riviste italiane e straniere, è ordinato nel libro *Franco Stella, progetti di architettura*, Roma 1991.

Gino Valle (Udine, 1923), professore di composizione architettonica allo IUAV, ha insegnato in diverse università straniere. Vincitore del "Compasso d'oro", è membro dell'Accademia di San Luca e ha ricevuto il premio Antonio Feltrinelli per l'Architettura. Tra le sue opere recenti vi sono: il centro IBM a Basiano (Milano, 1980-83), abitazioni popolari alla Giudecca (Venezia, 1980-86), la sede della COMIT a New York (1981-86), un complesso plurifunzionale alla Défense (Parigi, 1984-88), uffici Olivetti a Ivrea (1985-88), il Palazzo di Giustizia di Padova (1984-91), il Palazzo di Giustizia di Brescia (in costruzione).

Paolo Zermani (Parma, 1958), professore alla Facoltà di Architettura di Firenze, ha realizzato il Teatrino di Varano (1983-85), il Teatro di Felegara (1984-86), il Padiglione di delizia a Varano (1983-86), i supermercati Paladini a Ramiola (1986) e Pilastro (1989), una scuola a Colorno (1986-90), il portico della palestra di Busseto (1987-90). Il suo lavoro è stato esposto in diverse mostre. È autore di volumi monografici su alcuni protagonisti dell'architettura italiana.

Oswald Zoeggeler (Merano, 1944) studia in Austria e a Venezia; lavora con James Stirling, Danys Lasdun, Wilhelm Holzbauer e, in seguito, diviene professore di composizione architettonica alla Facoltà di Ingegneria di Firenze. Il suo lavoro è stato presentato in diverse mostre in Italia e all'estero ed è stato pubblicato nel volume monografico *Oswald Zoeggeler*, Milano 1989.

Elenco dei collaboratori

Gae Aulenti
Nuovo accesso alla stazione
di Santa Maria Novella, Firenze, 1989-90
Progetto: Gae Aulenti, Bianca Ballestrero
Consulenza illuminotecnica: Piero Castiglioni
Collaboratori: Massimo Canevazzi, Carlo Vannicola
Direzione lavori: Ufficio potenziamento e sviluppo, Compartimento FF.SS. Firenze

Aldo Aymonino
Villa sul lungomare laziale, 1990
Progetto: Aldo Aymonino, Aymonino Associati (M.L. Arlotti, A. Aymonino, C. Aymonino, C. Baldisserri, M. Beccu, P. Desideri, F. Raimondo, L. Sarti)
Collaboratori: A. D'Addario, S. Lombardozzi, M. Mondello
Modello: F. Morin
Progetto per una darsena a Ravenna, 1989
Progetto: Aldo Aymonino, Lorenzo Sarti
con M. Cicchitti, A. D'Addario, F. Fiadone, P. Gentile
Modello: F. Morin
Progetto per l'area del Circo Massimo, Roma, 1985
Progetto: Aldo Aymonino, Claudio Baldisserri, Lorenzo Sarti
Collaboratore: A. Morelli

Emilio Battisti
Edificio polifunzionale a Milano
Progetto: Emilio Battisti
Collaboratori: M. D'Azzo, A. Ghinato, R. Giuliani, C. Malnati, S. Manzotti, E. Marforio, A. Menthoneex, W. Milesi, A.M. Paulli, D. Serra, W. Vicari, G.F. Brovia, M. D'Orsa, X. Monneret de Villar, V. Tarantola
Strutture: Tekne spa, G. Parodi
Impiantistica: Tekne spa, A. Sandelewski
Costruzione: Impresa Castelli spa
Modelli: Giovanni Sacchi, Milano

Salvatore Bisogni
Progetto per piazza Municipio, Napoli, 1990-91
Progetto: S. Bisogni, con A. Buonaiuto, A. Cantone, F. Scivicco, O. Severini, C. Curcio
Scuola media per il quartiere Traiano a Soccavo, Napoli, 1974-89
Progetto: S. Bisogni
Strutture: V. Fabbrocino

Gianni Braghieri
Impianto di depurazione delle acque reflue a Nosedo, Milano
Progetto architettonico e paesaggistico: Gianni Braghieri, con Paolo Pomodoro
Collaboratori: Claudio Di Lello, Ornella Mietta, Elena Mucelli, Ornella Piazza, Stefania Rössl
Modello: Francesco Gulinello

Augusto Romano Burelli
Il campanile della chiesa della Santissima Trinità in Magnano in Riviera, Udine, 1989
Progetto: Augusto Romano Burelli
Collaboratori: Paola Gennaro, Laura Silvestrini, Massimo Rizzi, Andrea D'Antoni
Campanile di San Giorgio a Udine, 1986-88
Progetto: Augusto Romano Burelli
Collaboratori: Paola Gennaro, Luigi Garbarino, Anna Gennaro
Modello: Sergio Sporeni
Campanile di Sant'Elena a Montenars, Udine, 1986-88
Progetto: Augusto Romano Burelli
Collaboratori: Paola Gennaro, Luigi Garbarino, Anna Gennaro
Modello: Sergio Sporeni

Guido Canali
Parma, restauro della Pilotta e ampliamento della Galleria Nazionale
Progetto: Guido Canali
Ordinamento scientifico: Eugenio Riccomini, Lucia Fornari Schianchi, Orazio Grilli
Collaboratori: Claudio Bernardi, Marco Fogli
Ampliamento del municipio di Sassuolo
Progetto: Guido Canali
Collaboratori: Mimma Caldarola, Pierluigi Molteni, Francesca Vezzali, Mariangela Valesi

Massimo Carmassi
Complesso edilizio di San Michele in Borgo, Pisa, 1986 e sgg.
Progetto: Massimo Carmassi
Collaboratori: D. Andolfi, G. Berti

Roberto Collovà
Progetto del giardino del Carmine a Salemi, 1982-86
Progetto: Roberto Collovà con Marcella Aprile, Francesco Venezia

Direzione lavori: Marcella Aprile, Roberto Collovà
Collaboratori: Anna Alì, Oreste Marrone

Stefano Cordeschi
Nuovo cimitero comunale di Ciampino, Roma
Progetto: Stefano Cordeschi con C. Berretta, F. Quattrini
Piano di recupero nel centro storico del Comune di Acquapendente, Viterbo
Progetto: Stefano Cordeschi con R. Porri
Collaboratori: M. Fedele, F. Fabrizi

Pasquale Culotta e Giuseppe Leone
Ristrutturazione del municipio di Cefalù, 1981-91
Progetto e direzione lavori: Culotta e Leone Architetti Associati con Salvatore Vignieri
Consulente archeologico: Amedeo Tullio
Consulente storico: Rosa Brancato
Consulente tecnico-amministrativo: Gioacchino Di Giorgio
Imprese: Ditta D'Anna Francesco, Ditta ICES Palermo
Committente: Comune di Cefalù
Casa Finocchiaro a Villa Ciambra, Monreale, 1988-91
Progetto e direzione lavori:
Culotta e Leone Architetti Associati con Rosa Bellanca
Calcolo delle strutture: Antonella Pirrotta
Consulente: Mario Di Paola
Impresa: Ditta Andrea Colletta

Claudio D'Amato
Facoltà di Agraria dell'Università di Reggio Calabria, Reggio Calabria, 1987-89
Progetto generale: Claudio D'Amato con S. Bollati, M. Giovinazzo, V. Squillace
Collaboratori: F. Squillace, F. Toppetti
Progetto esecutivo del I e II lotto: Claudio D'Amato con R. Fichera, V. Squillace
Collaboratori: P. Bagli, G. Pulita
Strutture: G. Arena, R.M. De Salvo
Impianti: D. Squillaci
Elaborati: ISPREDIL, Roma

Giangiacomo D'Ardia
I bastioni, il mercato coperto e la piazza civica di Cerreto Sannita, 1989
Progetto: Giangiacomo D'Ardia, Ariella Zattera

Collaboratori: Paolo Faraglia, Susanna Ferrini, Rino Mauriello, Mara Leto, Monica Sgandurra
Complesso parrocchiale di San Romano al Gallaratese, Milano, 1990
Progetto: Giangiacomo D'Ardia, Ariella Zattera
Pale pittoriche: Elisa Montessori
Collaboratori: Paolo Faraglia, Susanna Ferrini, Mara Leto
Strutture e impianti: Giovanni Morabito
Direzione lavori: Vincenzo De Pasquale

Itaca
Casa per anziani a Chiaramonte Gulfi, Ragusa
Progetto: Itaca Architetti Associati (Vincenzo Duminuco e Ugo Rosa)
Collaboratori: Edoardo Di Filippo, Fabio Guccione
Centro polifunzionale a Montedoro, Caltanissetta
Progetto: Itaca Architetti Associati (Ettore Dimauro, Vincenzo Duminuco, Giovanni Gruttadauria, Ugo Rosa)
Collaboratore: Silvia Occhipinti

Carlo Magnani
Nuova sede del cimitero a Fiesso d'Artico, Venezia, 1982-84
Progetto: Carlo Magnani
Collaboratori: Claudio Aldegheri, Paola Giacomin, Marino Narpozzi, Stefano Rocchetto
Case a schiera in zona di espansione, Ferrara, 1987-89
Progetto: Carlo Magnani con Carlo Capovilla, Stefania Spiazzi

Marco Mattei
Complesso per residenze e uffici nell'area delle ex Officine Galileo, Firenze, 1983-87
Progetto: Marco Mattei con A. Primi, A. Michelizzi

Antonio Monestiroli
Progetto per l'area di porta Genova a Milano, 1987-90
Progetto: Antonio Monestiroli
Collaboratori: Giacomo Tutucci, Martina Landsberger, Luca Morganti, Raffaella Neri, Elisabetta Rimoldi, Lorenzo Clerici, Antonio Paolucci

Marino Narpozzi
Progetto per il nuovo teatro di Martigues, 1990 e sgg.
Progetto: Marino Narpozzi con X. Fabre, V. Speller (Clermont Ferrand)

Scenografo: Guy Claude François
Ingegnere acustico: Gerard Nöel
Strutture: SPII, Claude Mathieu
Collaboratori: Cristiana Mazzoni, Laure Daudel
Modello: Franco Maccaccaro

Valeriano Pastor
Nuovo ospedale di Larino, Campobasso
Progetto: Valeriano Pastor
Collaboratori: G. Berchicci, L. Ferrauto, M. Ferri, R. Vitiello
Centro scolastico distrettuale di Dolo, Venezia, 1979-85
Progetto: Valeriano Pastor
Collaboratori: S. Paolini, P. Valle, R. Rizzi

Renzo Piano
Stadio di Bari
Progetto: R. Piano, S. Ishida, O. Di Blasi, F. Marano, L. Pellini, M. Desvigne
Collaboratori: M. Allevi, G.G. Bianchi, D. Campo, M. Carroll, R. Costa, M. Cucinella, D. Defilla, F. Doria, E. Frigerio, G. Fascioli, M. Mallamaci, C. Manfreddo, M. Pietrasanta, V. Tolu, R.V. Truffelli
Plastici: D. Cavagna, E. Miola, G. Sacchi
Strutture: Ove Arup & Partners (P. Rice, T. Carfrae, R. Kinch, A. Leczner), Londra; Mageco srl (L. Mascia, D. Mascia), Genova
Impianti: Manens Intertecnica M. Milan, Venezia
Centro commerciale Bercy II, Charenton Le Pont, Parigi
Progetto: G.R.C. Emin, Jean Renault, Renzo Piano, Alain Vincent
Collaboratori: Noriaki Okabe, Jean François Blassel, Bernard Plattner, Maria Salerno, Renaud Rolland, Susan Dunne, Maire Henry, Nicolas Westphal, Ken Mc Bryde, Anna O'Carroll, Djenina Illoul, Marco Bojovic, Patrick Senne, Crighton Design Managemant, Michel Zdesvigne, Olivier Doizy
Consulenti: Otra, J.P. Rigail, J.L. Sarf, Robert Jan Van Santen, Ove Arup & Partners(P. Rice, A. Lenczner)
Edificio residenziale in Rue de Meaux, Parigi
Progetto: Renzo Piano
Collaboratori: Bernard Plattner, Florence Canal, Ulrike Hautch, Johanna Lhose, Robert Jan van Santen, Jean François Schmit, Catherine Clarisse, Tom Hartman, Michel Desvigne, Philippe Conversey

Museo della Menil Collection, Houston
Progetto: R. Piano, S. Ishida, M. Carroll, F. Doria, M. Downs, C. Patel, B. Plattner, C. Susstrunk
Struttura e impianti: Ove Arup & Partners (P. Rice, T. Barker, A. Guthrie, N. Nobel, J. Thornton), Londra
Ingegneria strutturale: Haynes & Waley assoc., Houston
Impianti: Galewsky & Johnston, Beaumount
Sicurezza antincendio: R. Jansen, Houston, E.G. Lowery, Houston

Franz Prati, Luciana Rattazzi
Progetto di una piazza a Palmi, Reggio Calabria
Progetto: Franz Prati, Luciana Rattazzi con Giovanni Morabito
Collaboratori: F. Iovino, P. Pimpini, A. Salvini
Progetto per piazza Dante a Genova
Progetto: Franz Prati, Luciana Rattazzi con G. Bianchi, G. Muratore, R. Nicolini; per la stele F. Levini
Collaboratori: P. Pimpini, N. Tomassi, A. Salvini

Emilio Puglielli
Progetto per la casa di Valentino Zeichen, Roma 1991
Progetto: Emilio Puglielli, Antonio D'Addario
Collaboratrice: Flora Papa
Ingegneria: R. Domanico, M. Salerni
Plastico: M. Volpe
Progetto per il quartiere governativo regionale di St. Polten, Austria, 1990
Progetto: Emilio Puglielli, Massimo Locci
Collaboratori: Giorgio Aprile, Augusto Chiaradia, Sergio Di Cesare, Suzanne Senti, Maurizio Trovatelli, Veronika Vogelauer, Antonio D'Addario
Plastico: Marco Travaglini
Consulenza paesaggistica: Ippolito Pizzetti
Ingegneri: Paolo Scotto Lavina, ICEC Group, Rinaldo Genevois
Arredatore: Walter Faggiani

Leonardo Ricci
Palazzo di Giustizia a Savona
Progetto: Leonardo Ricci con Maria Grazia Dallerba Ricci
Collaboratore: Andrea Ricci
Direzione lavori: Leonardo Ricci, Enzo Galliano

Calcolo CA: Maurizio Testone
Palazzo di Giustizia a Firenze
Progetto: Leonardo Ricci con Maria Grazia Dallerba Ricci
Collaboratore: Andrea Ricci
Calcolo CA: Giorgio Santucci

Umberto Riva
Sistemazione della piazza San Nazaro in Brolo a Milano, 1989-90
Progetto: Umberto Riva
Collaboratori: Giovanni Drugman, Paola Froncillo, Francesca Riva
Casa Miggiano a Otranto, 1990-91
Progetto: Umberto Riva
Collaboratori: Giacomo Borella, Paola Froncillo, Francesca Riva

Luciano Semerani
Parking in un silos a Trieste, 1986-89
Progetto: Luciano Semerani, Gigetta Tamaro con Gianfranco Barbieri

Uberto Siola
Progetto per l'area orientale di Napoli
Progetto: Uberto Siola, Luigi Pisciotti e Dante Rabitti
Collaboratori: Ludovico Fusco, Antonio Lavaggi, Rejana Lucci, Lidia Savarese, Antonella Calligaris, Adriana Cappiello, Nicola Cotugno, Anna Gianfrano, Fortuna Iannone, Alberto Liberti, Paola Pozzo, Marina Scala, Paolo Tolentino
Consulenti: Augusto Vitale, Sergio Pone, Massimo Perriccioli
Problemi della mobilità: Roberto Gerundo
Progetto per il concorso "La casa e la città", Barcellona
Progetto: Uberto Siola, Luigi Pisciotti, Dante Rabitti
Collaboratori: Roberta Amirante, Valeria Biasibetti, Paolo Giordano, Ferruccio Izzo, Pasquale Miano, Lilia Pagano
Consulente: Ludovico Fusco
Progetto per il concorso per la sistemazione del centro storico di Mosca
Progetto: Uberto Siola, Luigi Pisciotti, Dante Rabitti
Collaboratori: Pietro Catanzaro, Paola Catapano, Loredana Ficarelli, Massimo Jovino, Luigi Milano, Antonio Navarro, Albino Osnato
Progetto per l'area di Puerto Norte, Rosario
Progetto: Uberto Siola, Luigi Pisciotti, Dante Rabitti
Collaboratori: Francesca Bruni, Pietro Catanzaro, Alessandra Como, Loreda-

na Ficarelli, Massimo Jovino, Luigi Milano
Consulente: Ludovico Fusco
Progetto per il centro Ulugh Beg a Samarcanda
Progetto: Uberto Siola, Luigi Pisciotti, Dante Rabitti
Collaboratori: Francesca Bruni, Pietro Catanzaro, Paola Catapano, Alessandra Como, Loredana Ficarelli, Massimo Jovino, Luigi Milano, Albino Osnato, M. Rosaria Santangelo
Consulente: Ludovico Fusco

Ettore Sottsass
Progetto per il concorso "Twin Dome City", Fukuoka, Giappone, 1991
Progetto: Sottsass Associati (Ettore Sottsass, Marco Zanini, Johanna Grawunder)
Collaboratori: George Scott, Paolo De Lucchi
Fotografia: Santi Caleca
Modello: Sandro Luvieri, Carlo Zocco
Car Design Center, Francoforte, 1990
Progetto: Sottsass Associati (Ettore Sottsass con Johanna Grawunder)
Collaboratori: George Scott
Fotografia: Santi Caleca
Modello: Sandro Luvieri, Carlo Zocco
Centro commerciale e albergo, Kuala Lumpur, Malaysia, 1990-91
Progetto: Sottsass Associati (Ettore Sottsass con Johanna Grawunder)
Collaboratori: George Scott
Fotografia: Santi Caleca
Modello: Sandro Luvieri, Carlo Zocco
Edificio pluriuso a Düsseldorf, 1989
Progetto: Sottsass Associati (Ettore Sottsass, Marco Zanini, Johanna Grawunder)
Collaboratori: Paolo De Lucchi, Ken Suzuki, Roberto Pollastri
Fotografia: Santi Caleca
Modello: Sandro Luvieri, Carlo Zocco

Franco Stella
Progetto per il monumento per il bicentenario della Rivoluzione francese a Parigi, 1987
Progetto: Franco Stella, Aldo De Poli
Collaboratori: Michelangelo Zucchini, Walid Jabbour
Museo della Scienza fra il Lungotevere e via Giulia a Roma, 1984
Progetto: Franco Stella, Aldo De Poli
Collaboratori: Giovanni Galli, Michelangelo Zucchini

Gino Valle
Palazzo di Giustizia a Brescia, 1986-89
Progetto: Gino Valle, Piera Ricci Menichetti
Collaboratori: Marco Carnelutti, Giampietro Franceschinis, Adelchi De Cillia, Carlo Mauro, Paolo Turco, Walter Vidale, Nelson Zizzutto, Robert Zizzutto

Oswald Zoeggeler
Progetto per abitazioni a Bolzano, 1988
Progetto: Oswald Zoeggeler
Collaboratori: Fritz Nagele, Karl Comploj, Klaus Valtingojer, Carlo Spillere, Gianpaolo Cavattoni, Fabio Rossa
Caserma dei Carabinieri di Corvara, 1990
Progetto: Oswald Zoeggeler
Collaboratori: Karl Comploj, Klaus Valtingojer, Marcello Dibiasi
Progetto per il palazzo della Provincia a Bolzano, 1990
Progetto: Oswald Zoeggeler
Collaboratori: Martin Kummer, Carla Fabbricotti, Gotthard Kerschbaumer, Christina Niederstätter, Stephan Pechlaner, Fabio Duregon, Alfonso Mayer

Il Padigione del Libro Electa
della Biennale è stato realizzato
grazie al contributo
delle Società Daniele Jacorossi
ed Artesesia del Gruppo Fintermica.

Servizi per la città

Servizi per l'arte e la cultura

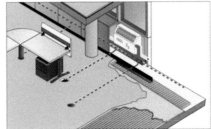
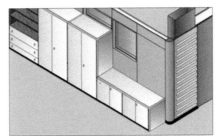

Il Padigione del Libro Electa
della Biennale è stato realizzato
grazie al contributo di Caoduro S.p.a.

FontanaArte

QUINTA
MOSTRA INTERNAZIONALE
DI ARCHITETTURA

Il Padiglione del Libro Electa
della Biennale è stato realizzato grazie
al contributo di Impresa Gadola S.p.a.

Impresa Gadola

Milano Via Tiziano, 21 tel. 02/46 96 951   Padova Corso Milano, 54 tel. 049/65 03 55

QUINTA
MOSTRA INTERNAZIONALE
DI ARCHITETTURA

Il Padiglione del Libro Electa
della Biennale è stato realizzato grazie
al contributo di Nuova Samin Metals S.p.a.

Il Padiglione del Libro Electa della Biennale è stato realizzato grazie al contributo di:

Gruppo Fintermica: Artesia S.p.a. e Daniele Jacorossi S.p.a., general contractor
Permasteeelelisa S.p.a., coordinamento della progettazione e della realizzazione delle strutture
Caoduro S.p.a., forniture dei materiali in policarbonato
Fontana Arte S.p.a., illuminazione
Impresa Gadola S.p.a., opere murarie e gestione del cantiere
Nuova Samin Metals S.p.a., fornitura coperture in rame
Gamelion S.r.l. - Istituto per la promozione culturale
Building Project, arch. G.B. Cuman e ing. M. Dal Favero, arch. S. Calcinoni,
progettazione esecutiva e building management
arch. C. Thiene, arch. G. Leone, arch. F. Orrù,
direzione lavori
ing. G.F. Geron, ing. W. Gobbetto,
direzione lavori.

Hanno collaborato le imprese:

Comas S.r.l.
Contract S.r.l.
Ditta Pillon Gianni
Fratelli Funes Nova fu Angelo
General Lattoniere S.r.l.
Guldbransen S.p.a.
I. Tasca Impresa S.n.c.
officina Fratelli Sech S.n.c.
Silca S.n.c.
Steelbenetton S.p.a.
Teconelettrica S.r.l.

QUINTA
MOSTRA INTERNAZIONALE
DI ARCHITETTURA

La partecipazione dell'Unione
Sovietica e l'allestimento del
Padiglione dell'URSS sono stati resi
possibili dal contributo di:
Biticino
C.O.E.M.A.R.
Destro poltrone
Ferrero
Giampieri rubinetterie
Guzzini illuminazione
Habitat, center for human settlements
Impresa costruzioni Fra. Sa.
Kodak, divisione comunicazione
Monte dei Paschi di Siena
Rintal
S. Anselmo
Sojuzaechives
Tegole canadesi
Vernarelli

QUINTA
MOSTRA INTERNAZIONALE
DI ARCHITETTURA

La partecipazione
degli Stati Uniti d'America
è stata resa possibile da
Knoll Group

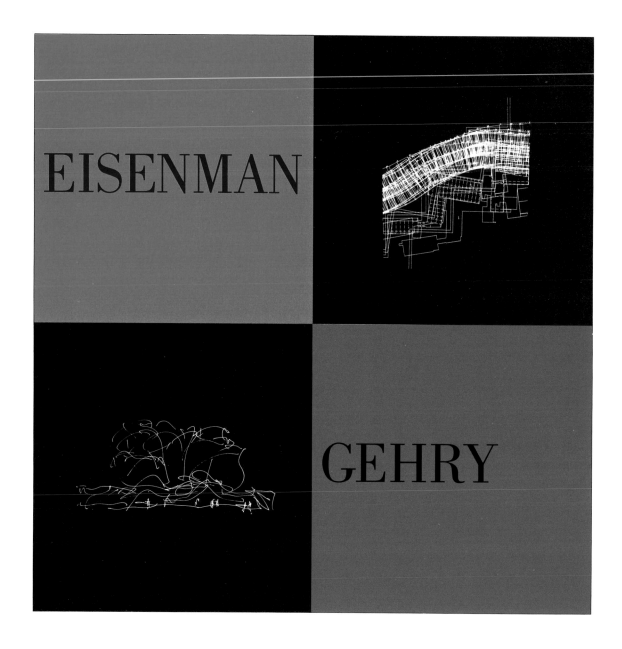

EISENMAN

GEHRY

Knoll

Il nuovo ingresso delle Corderie
dell'Arsenale di Venezia è stato
realizzato con il contributo di
Habitat Legno S.p.a.

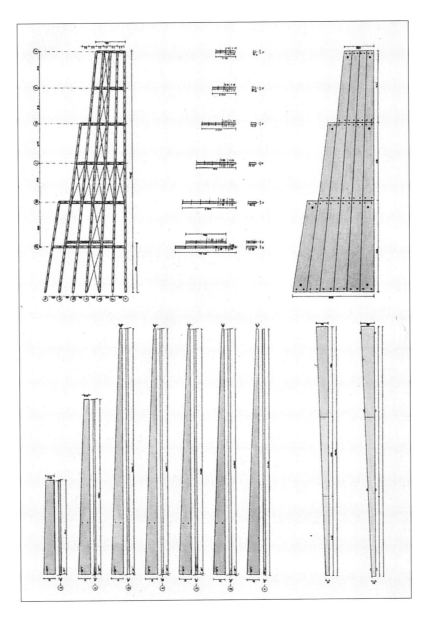

Il nuovo ingresso delle Corderie
dell'Arsenale di Venezia è stato
realizzato con il contributo di
Giorgetti S.p.a.

GIORGETTI

I premi della Quinta Mostra
Internazionale di Architettura della
Biennale sono stati realizzati su
progetto di Massimo Scolari da
Venini S.p.a.

Stampato per conto di Electa
dalla Fantonigrafica - Elemond Editori Associati